За чужими
окнами

Читайте романы и повести

Юлии Лавряшиной

в серии «За чужими окнами»:

•

Девочки мои

Дочки-матери
на выживание

Кто эта женщина?

Простить нельзя
помиловать

Авернское озеро

Гости «Дома на холме»

Наваждение Пьеро

Навеки твой

Защитник

Юлия Лавряшина

Запретный ***плод***

Москва
2020

УДК 821.161.1-31
ББК 84(2Рос=Рус)6-44
Л13

Оформление серии, иллюстрация на переплете
Петра Петрова

Ранее роман выходил под названием
«Toyboy. Мальчик-игрушка»

Лавряшина, Юлия Александровна.

Л13 Запретный плод : [роман] / Юлия Лавряшина. — Москва : Эксмо, 2020. — 352 с.

ISBN 978-5-04-106779-3

Любовь это или страсть, когда в 47 лет теряешь голову от 22-летнего парня, который даже младше твоего сына? Кажется, он мой человек, и если бы было наоборот – он старше, ты намного младше, — считалось бы нормой. Но этот мир полон стереотипов, и такая связь осуждается большинством. Еще и собственные сомнения: нужна ли я ему? Как долго все будет длиться? А отказаться от счастья так сложно...

УДК 821.161.1-31
ББК 84(2Рос=Рус)6-44

ISBN 978-5-04-106779-3

«Оглянись! Еще раз оглянись... Сквозь ноябрьскую морось прорви взглядом плотную завесу одиночества, отделяющего меня от тебя. Ворвись в плотный кокон, которым я окружила себя, чтобы содрогнулась и замерла: *мой* человек!»

Она отвернулась и быстро пошла к своей красной «Рено». Одна яркая деталь на серой осенней улице... И сама себе увиделась таким же сознательно выделяющимся на общем фоне пятном: алый рот, подрагивающий улыбкой, белая меховая пелерина, каштановые волосы по ней потоком до лопаток. Может, только сестра и догадывается, сколько ранимости за этим ярким фасадом, всему свету демонстрирующим ее успешность...

Ольга Корнилова идет по жизни, смеясь, — только так она подает себя миру. И мир вроде верит... Никто не задумывается над тем, что боевая раскраска всегда наносилась для придания уверенности в себе. Значит, не хватает ее. В юности в простеньких джинсах бегала, рубашка на животе — узлом. Не задумывалась, что надевает, ведь знала, что в любом наряде хороша. А сейчас короткая юбка самой кажется вызовом: скрывать еще нечего! Хотя, конечно, есть что... И без чулок такую юбку лучше уже не надевать. Так ведь и не надевает, голова-то, слава богу, на плечах... И те, кто видит ее впервые, или знает недавно, даже не догадываются, сколько ей лет. А самой лучше не вспоминать. Еще не трагедия, но досаду возраст уже вызывает.

Порыв ветра помог, мягко подтолкнул в спину. Плачущая природа сочувствует? Но и дает ей понять: бежать надо, пока он не заметил, что она, как нищая, смотрит ему вслед – взгляд выпрашивает. Хоть бы и прощальный...

Но это минутная слабость, и лишь пока он не видит. Ему и в голову не придет, что такая женщина может на кого-то (на него!) смотреть снизу вверх. Только что в «KIMCLUB», где Ольга уже с полгода занималась боксом, никакого дрожания в коленях не было. Сердце не трепетало, подвешенное на ниточке... В спортзал она вбегала, как вечером выходила на сцену – легко и непринужденно. И видела себя как бы чуть со стороны: редкой для ее поколения длины ноги, обтянутые черными легинсами до середины икры, открытая шея – волосы для тренировки приходится собирать и всегда улыбка. Иначе темной волной захлестнет спарринг-партнера, ослепит...

В линии шеи до сих пор сохранялась трогательная изящность, Ольга и сама не понимала – откуда это? Кожа предает ее, а в изгибе память о Наташе Ростовой. Никогда ее не играла... Кто в театре решался поставить спектакль по Толстому? Только оперы в Большом, в Мариинке... Сейчас в Мастерской Фоменко готовят к постановке начало романа, но Ольге Корниловой в нем не сыграть. И актеры там свои, и время упущено. Хотя роль Элен еще могли бы предложить, красотой не уступит... И характер любой показать может, таланта не занимать. Но – другой режиссер, другой театр, другая история.

Своей она была почти довольна... Все состоялось: ведущая актриса московского театра, которой всегда хватало и любви, и зависти. Есть сын, есть большая квартира, родители живы, с сестрой дружны. Несколько заметных работ в кино. Мужчины оглядываются вслед. Только вот это маленькое «почти»...

Не оно ли запросило взгляда этого мальчика, которого сегодня заприметила сразу, как только пришла на тренировку. Вроде бы и раньше видела, но все как-то мельком, только отмечала, как чертовски хорош... А тут неожиданно образовали кружок перед началом занятия, посыпались анекдоты – и связанные с боксом, и нет. Почему она все время видела его лицо? Всегда удивлялась тому, как восхищаются фразой Толстого, которой он подчеркивает, что Каренина сама чувствовала, как у нее блестят глаза... Да женщина всегда это чувствует! Ольга точно знала, в какой момент ее взгляд начинает сиять и как этого добиться.

И сегодня вся исходила именно такими взглядами, и посылала их вроде бы всем, но одному – особенно, задерживала их на нем чуть дольше, делясь бесхитростной радостью от остроумной шутки. Хотя самой смешно становилось от другого: «Связался черт с младенцем!»

В овале его лица, и в застенчивой манере смеяться, и в этих быстрых взглядах исподлобья и впрямь сохранялось что-то если не младенческое, то совсем детское. Этим и привлек? Ей, надо признать, насквозь искушенной, вдруг мучительно захотелось прикоснуться к невинности... В их театре хорошеньких мальчиков было не счесть, но в любом из них уже проглядывала испорченность, готовность к порочному приключению, и от этого становилось скучно. Тоже мне добыча – сама в руки идет!

Этот же, даром что смуглолицый и черноглазый, казался златокудрым ангелом, с незамутненной душой. И даже вспыхнул огонек азарта: «А такого уже сла́бо влюбить в себя?!» Истинная проверка своей женственности... На близких по возрасту что ее проверять? При желании не составит труда любого утянуть особым взглядом, которым Ольга владела в совершенстве... А вот такой мальчик – это другое дело. Тут возрастную пропасть в четверть века перемахнуть надо, под силу ли ей еще?

«Сверхзадача повышенной сложности, – усмехнулась Ольга про себя. – Разумеется, игра на время тренировки, за порогом разбежимся в разные стороны. Такие романы только на полчаса хороши... Но вот сейчас, в этот миг, сумею ли вызвать его интерес?»

К ее удивлению, парень тоже оказался не промах. Только в первый миг не то, чтобы смутился, но растерялся, заволновался, встретив ее откровенный взгляд. Однако уже следующий – сам ловил... Поймал. Несколько секунд смотрели в глаза друг другу, он – вопрошая, она – смеясь. Он опустил глаза первым.

Продолжение не следует, это понятно. Потрясающий мальчик коснулся ее жизни и прошел. Тем спокойнее... Убедилась же, впитав тот долгий взгляд, что зацепила его, одержала маленькую победу, значит, не зря старалась, призывно откидывая голову, когда смеялась, как бы невзначай проводя рукой по изогнутой шее, живот втягивала изо всех сил... Хотя понимала, что он только наглядится и отправится праздновать собственный триумф в постели с сопливой подружкой. В этом возрасте они все победители: уверенный шаг Каменного Гостя, волчий блеск в глазах, аромат юности – шлейфом.

«Вдохнула? – спросила она себя насмешливо, уже открывая машину. – Поборола печаль? И давай, двигай дальше. Нечего на детишек засматриваться...»

Но та, другая в ней, глубинная, что вечно оправдывалась и все равно оставалась виноватой, тотчас залепетала: «Да ведь он сам подошел потом! Я уже и забыла о нем. Поиграла и успокоилась. А он первым заговорил... Господи, какой мальчик!»

Ольга захлопнула дверцу и выдохнула:

– Каким бы ни был. Сам подошел, сам и ушел. Сердчишко-то утихомирь!

Рука с брелоком непонятно почему дрожала, ключ не попадал в скважину. Ей даже стало смешно: как еще кровь-то бунтует! О душе пора думать, милочка...

«Это уж слишком! – взбунтовалось в ней. – Чего себя старишь-то?! Даже народная мудрость гласит, что в сорок пять баба... Ну, в сорок семь...»

Оставив попытки завести машину, Ольга включила радио, настроенное на волну спокойной музыки, откинула голову, закрыла глаза. Релакс. Вот оно, привычное – одна в замкнутом пространстве. Но разве давит? Наоборот – уютная раковина. Ее «Рено», конечно, маленькая и не слишком навороченная, лобовое стекло без дождевых датчиков, и климат-контроля нет, и датчиков парковки, и подогрева сидений, чего Ольге очень не хватало прошлой студеной зимой. И многого еще нет в этой машине, что нужно было отдельными опциями заказывать, а она не могла этого себе позволить. Деньги сына, решившего сделать такой подарок, хотелось сэкономить. Они не так уж легко доставались Пашке в его Париже, как думалось тем, кто шептался у Ольги за спиной. И решила – обойдусь. О многом в жизни так решила.

Быстрый стук в стекло – она так и дернулась. Мир за стеклом в мелких каплях. И вот он пытается ворваться в ее замкнутое пространство. Клаустрофобией никогда не страдала, любила замкнуться ото всех в своем одиночестве, куда никто не проникал – сама не пускала дальше постели. Здесь место любимых писателей и режиссеров, перед которыми преклонялась.

– Извините, я напугал вас.

Голос у него низкий, но в этом баске слышится юношеская неуверенность. Действительно так молод или это внутренняя надломленность сквозит? Глаза очень темные, не то чтобы раскосые, но чуть вразлет. Стрелы, а не глаза. «Нет, – наспех заспорила с собой Ольга, – стрелы подразумевают беспощадность. А в этих глазах... Что в них – в этих глазах?»

Она отвела взгляд. Нельзя же так рассматривать человека.

– Ничего, я просто задумалась. Вы что-то...

– Я тут подумал... Может, вы подбросите меня? Дождик! – протянул сиротским голоском. – А я без машины. Если, конечно, вы сейчас в театр.

– И далеко вам?

– В Дмитровский переулок. Но мне хотя бы до Тверской! Там уж добегу.

«Добегу» – понятие их возраста. Легкие ноги, еще не прокуренные до черноты легкие. Куда уж ей гнаться за ними? Хотя на ринге-то они могли быть на равных... Если б она согласилась. Того партнера, что ей предложил тренер, она ударить не смогла. Увидела перед собой не «грушу» для битья – мужчину. В вырезе майки – блестящие завитки волос, плечи – не обхватишь, вены угрожающе вздулись. Мачо. Такого не бить, к нему прижаться бы всем телом, чтобы подхватил на руки и унес на край света. Ну, хоть в раздевалку... Все существо ее так и запросило ласки, тепла этого большого тела. Сейчас она была только женщиной рядом с мужчиной.

И рука у нее так и не поднялась, хотя с женщинами уже несколько настоящих боев выдержала. В трех победила. Две ничьих. Очень хороший результат, как говорит ее тренер. А в «KIMCLUB» все знатоки своего дела. Похоже, кроме нее...

Несостоявшийся спарринг-партнер так ей и заявил, чуть ли не сплюнув на ковер:

– Слабачка. Еще в бокс полезла! Мужика ударить не можешь... Я баб всегда бил и бить буду. Размазывать вас надо... Сестренка!

Вот тут ей захотелось его ударить! Так захотелось, что она чуть не бросилась следом в мужскую в раздевалку – уже не за тем, о чем размечталась, едва увидев. Но он уже снял перчатки и шлем, неспортивно было бы с ее стороны напасть на человека, не готового к бою. Ольга скрипнула зубами от злости и невозможности эту злость выпустить. Уже готова была броситься к тяжеленной красной «груше» с портретом Майка Тайсона...

И вот тогда этот мальчик опять возник перед ней. Словно ангел внезапно опустился с неба – Ольга не заметила, как он подошел.

– Хотите, я его заменю?

Он стоял перед ней, опустив руки. Беззащитный в своей еще не тронутой временем красоте, конечно же обманчиво невинной, утонченной и мужественной одновременно. И вся его неподдельная готовность принять ее удар была так очевидна и так искренна, что у Ольги слезы чуть не брызнули из глаз. Агнец на заклании. Сам пришел. А она-то решила, что игра уже закончена. Погладили друг друга взглядами, задержались на раскрывшихся от скрытого волнения губах – и довольно.

– Я закончила тренировку, – сказала она отрывисто, еще не придя в себя окончательно. – Но за предложение – спасибо.

– Извините, – выкрикнул он уже в спину, – вы ведь Ольга Корнилова?

Она остановилась, вернулась. На шаг, но вернулась. И снова захотелось вернуть взгляду блеск, выпрямить спину, чтобы он заметил грудь, какой без силикона не бывает у юных девочек.

– Так вы меня знаете? – Она уже улыбалась, прислушиваясь к себе: «Что это сердце так предательски подрагивает?»

– Я был на вашем спектакле. – Он произнес это, понизив голос, будто сообщал страшную тайну, и одновременно обещал, что не выдаст ее остальным. Потом добавил, подумав: – На трех.

Ей почему-то стало смешно:

– Вы что – мой поклонник?

Его смуглые щеки внезапно потемнели. И эта его способность краснеть так тронула ее, что Ольга едва удержалась, чтобы не погладить мальчика по лицу. Она сама этим отличалась, чуть что – и уже пылают щеки. Некоторые считали, что на сцене ее лицо выглядит самым живым. Яркая. Заметная. Она всегда держалась этого принципа и не считала, что это плохо. Вот оказаться одной из ряда – это не дай бог!

Прикусила губу, выдав желание расхохотаться ему в лицо. И не думала скрывать его.

– А это так смешно? – проговорил он обиженно. И узкий подбородок чуть заметно дрогнул, окончательно повергнув Ольгу в смятение.

«Он сделал это специально? Тоже умеет играть? Или я действительно задела его? Да я ведь и не сказала ничего особенного! Впрочем, никому не хочется, чтобы над ним надсмехались...»

Она поняла это не впервые. Когда смеялась в лицо другим, мысль о собственной жестокости всегда слегка укоряла ее, но Ольга легко справлялась с этим, похоже, так и не прижившейся за сорок с лишним лет в теле красивой женщины. Оставалось какое-то несоответствие, точно тщательно скрывавшееся от мира другое существо внутри ее стеснялось того, как вольно эта женщина несет себя по жизни и как щедро дарит со сцены себя, единственную, всем желающим, и как ни во что не ставит тех, кто влюблен в нее... Просто не верит, что в их душах может зародиться нечто общее с любовью. А если в хорошем настроении, то смеется. И еще неизвестно, что лучше.

Но этому мальчику она ответила:

– Это нисколько не смешно. Я вам благодарна за участие. Правда!

И ушла в раздевалку, чтобы остаться наедине со своим сожалением: где мои семнадцать лет?! Да бог с ними, с этими семнадцатью! Тогда она была капризной и вредной. Мальчика своего до того измучила страстью к игре, что он как запил на первом курсе, так и не вышел из запоя до сих пор. Не была она в юности той девушкой, которую можно пожелать своему сыну...

Ее Пашка выбрал француженку. Как ей и представлялись парижанки, Софи была миниатюрной, сухонькой, полная противоположность Ольге, которую ростом Бог не обидел – так еще в школе считалось, даже в Щепкинском училище, а теперь почти все девочки в театре выше ее на голову. Пока, слава богу, только физически...

Когда сын прислал фотографию жены, Ольге стало не по себе: «Он настолько отторгает меня?!» Но потом вспомнила первую любовь сына, отвергнувшую его, как и положено, – та девочка была похожа на семнадцатилетнюю Ольгу, как родная дочь. Тогда она даже испугалась, теперь затосковала. Потом пришла к мысли, что все это не важно. Лишь бы Пашка, Поль, как зовут его там, был счастлив в своем Париже, где очень мало счастливых людей. Французы рождены для грусти. Русские – для страсти. К чему угодно – хоть к человеку, хоть к водке.

Все это пронеслось в голове за какое-то мгновение, а в следующий Ольга уже мотнула головой, приглашая мальчика сесть. Он легко обежал машину, заскочил с другой стороны. Улыбнулся во весь рот, радуясь своей удаче. «Деньги на метро сэкономил!» – съязвила она про себя. На темных волосах – бисер дождя. Так и тянет собрать ладонью, губами попробовать: какова на вкус эта юность? Он вытер лицо прямо рукой. Платка нет? Или это мальчишеское пренебрежение правилами хорошего тона?

«Вот теперь только попробуй не попасть! – Она небрежно вставила ключ. – Слава тебе, господи!»

И впервые пожалела, что ее машина не с правым рулем: свой левый профиль нравился Ольге больше. Он был чуть тоньше, чуть изящнее... Но не вывернешь ведь шею ради того только, чтобы продемонстрировать то лучшее, что в тебе есть. Не подумала об этом, когда Пашка предложил за руль «Рено» сесть. Английскую брать надо было...

– Что там – в Дмитровском переулке? – спросила она больше, чтобы самой отвлечься.

– Общежитие Мерзляковки.

Ольга осторожно впустила свою «реношку» в поток машин, чуть расслабилась. Мягко идет, сплошное наслаждение. Даром что с левым рулем...

– Вы – музыкант?

– А?

Он, казалось, и забыл о ее присутствии. Вот тебе первая плюха. Обида дохнула в лицо жаром. Хоть одну из покрасневших щек, но ему было видно.

«Не смотреть на него! – приказала Ольга себе. – Еще не хватало, чтобы он заметил, как заслезились глаза... Не привыкла, красавица, чтобы мужчины уже через минуту переставали тебя замечать? А придется привыкать – дело к полтиннику идет...»

– В прошлом году у меня появился один знакомый из Мерзляковки. Он каждое утро приходил к моему окну и играл на трубе. Представьте: рассвет, еще шагов во дворе не слышно, а уже доносится серебряный голос трубы... Самое удивительное, что никто из соседей не обложил его матом. И мне никто ни слова не сказал, хотя, наверное, догадывались, для кого он играет.

– Еще бы, если вы живете в этом доме, – пробормотал он. – Кому еще можно посвящать серенады?

Ей стало спокойнее от этих слов. Теперь можно было снова поговорить о нем.

– Так вы – музыкант?

– Нет, – отозвался он без сожаления. – Там у меня один парень знакомый живет. Они только что с гастролей по Германии вернулись... Он мне оттуда модель привез.

– Что значит – привез? Силой?

Его губы так и расползлись:

– Вы про девушку подумали? Почему при слове «модель» все первым делом представляют двухметровую блондинку? Ведь это в принципе технический термин.

Это неприятно задело: получается, она мыслит стандартно, как все. Молчала бы лучше, дала б ему возможность рассказать. Она почувствовала, как жарко вспыхнули уши. Если так пойдет, скоро она вся полыхать будет! Благо под волосами не видно, он не поймет, как ей стало неловко за себя. Стольких переиграла женщин, сумевших вырваться из толпы – Каренина, Нора, Медея – а сама все только учится быть не как все. Говорить не банальностями. Думать не о пустяках...

А в голову лезет, что как раз справа на юбке у нее пятно, которое он уже мог заметить. Капнула мороженым по дороге на тренировку. На кой черт ей вдруг захотелось мороженого? За окном ноябрь, кто ест холодное в такую пору? Пятно так и не оттерлось. Теперь мозолит глаза. И не только ей, наверное.

Хотя оставалась надежда, что ее колени отвлекают от пятна. Ольга не специально то плотно сводила их, то чуть раздвигала – едва заметно, и все же движение было вполне уловимым. Это происходило само собой, она просто привыкла к тому, что все в ее теле должно находиться в движении – динамика, оправданная на сцене. Но сейчас она сама вдруг почувствовала, что ноги ее ведут отдельную жизнь, выдавая тот внутренний призыв, который нарастал внутри. И с которым Ольга еще не решила, как быть: подавить его раз и навсегда или побаловать себя рискованным флиртом.

«Да я с ума сошла! – ужаснулась она, но как-то не всерьез, весело, будто на самом деле обрадовалась этому. – Ему ведь лет двадцать... Это уже ни в какие ворота!..»

Саму себя пытаясь отвлечь, она спросила:

– Тогда что же это, если не девушка?

Опять заговорила первой, потому что он молчал. И снова – на общую тему. Почему он молчит? Не платишь за проезд, так будь добр развлекать разговорами!

«Я злюсь на него, – поймала себя Ольга. – Это плохой признак. Так бывает, когда все всерьез... А это не тот случай, когда можно такое допустить. Высадить его, пока не поздно? Как, кстати, его зовут?»

– Как, кстати, вас зовут?

– Макс.

Имя-звук. Имя-шифр. Ломать голову над раскодировкой – да надо ли? До смешного напоминая себе школьницу, Ольга стрельнула взглядом в его сторону. Овал лица юношеский... Ей, чтобы вернуть себе такой, пришлось к хирургу обращаться. По-другому нельзя, актриса лицом работает. Макс узнал ее лицо, надо же...

– Вы – москвич?

– Не то высадите? Тоже не любите приезжих?

– Ну, почему же... – послала ему утешительную улыбку. – Они как раз в основном и приходят в театр, как я могу не любить своих зрителей?

– Тогда, может, даже жаль, что я – москвич? Правда, последние три года я жил не здесь... – Он замолчал.

«Сидел, что ли?» – подумала она с опаской. Куда можно отлучиться из Москвы на три года? Только в тюрьму и в армию – в Морфлот, если она не ошибается, давно эти проблемы ее не волновали. Сыну «белый» билет сделала еще в шестнадцать, чтобы никто его не тронул... Где же отбывал три года этот Макс? Добровольно из этого города никто не уезжает.

Но Макс опять смутил ее уверенность:

– Реально сослал себя в Сибирь на три года. Кемерово. Слышали?

– Шахтеры, Тулеев...

Его глаза блеснули улыбкой:

– Ну, да-да! Все именно их первым делом и вспоминают!

– Харизматичный у них губернатор, – заметила Ольга. – Настоящий мужик.

– Ну, я не знаю, какой он мужик...

– Это же сразу видно! Косая сажень и все такое... Огонь в глазах. У вас, кстати, разрез глаз похож...

Беспокойно заерзал, перевел разговор. Ольга подумала: «Стесняется, что ли, своих кровей? Похоже, будто я из скинхедов? Вот уж чем никогда не страдала, так это неприятием по национальному признаку...»

– У меня был один знакомый такой вот... черноглазый. Совершенно сумасшедший парень! Такие вещи вытворял...

Сказала это, чтобы его сумасшедшинка, если таковая есть, прорвалась наконец, заявила о себе.

– Вытворял – где? – У него как-то похолодел голос. – В постели?

– Я такого не говорила, – уклонилась она, но отрицать не стала, на это ведь и намекнула. – Вытворял вообще. Ради меня.

– Ради вас что угодно можно сделать.

– Макс! – протянула она укоризненно. – О чем это вы?

И вдруг сама ужаснулась тому, что происходит: «Я веду себя, как шлюха! Откровенно заманиваю его... Мерзко-то как! Это уже не игра. Это охота – ловушки расставляю, бывших любовников вспоминаю, чтобы его раззадорить. А мальчик безропотно топает, куда стрелки указывают...» Ей заорать захотелось от злости на себя: что за метания, черт возьми?!

Подавив нервное, заговорила совсем другим тоном – дружеским:

– Что вы вообще делали в Кемерово?

– Не поверите... Жил! Оказывается, за МКАД тоже есть жизнь!

– Я и не сомневалась. Мы ведь ездим на гастроли черт знает куда! В Сибири, кстати, тоже недавно были, в Тюмени. Мне там местный артист все время пел под гитару про королеву красоты... Знаете эту старую песню? Кажется, она еще из шестидесятых. Из времени романтиков...

Одернула себя: «Я опять? Зачем это? Он восхитился «звездой», а я норовлю на его глазах превратиться в обыкновенную бабу... Если хочу оттолкнуть его, тогда – это в самый раз! Чего я хочу?»

Макс устремил на нее свой пронзительный взгляд:

– Сейчас тоже есть романтики. Не все мечтают только о деньгах.

– Неужели? Вы из таких? – спросила она с надеждой, которую привычно прикрыла насмешкой.

Ей вдруг увиделся молодой Костолевский в роли Женьки Столетова – с целой охапкой воздушных шариков. Ольга всегда плакала от зависти к глупой киношной героине, когда смотрела эту сцену... И «Безымянную звезду» без слез пересматривать не могла. А вот нынешних сериалов с Костолевским не смотрела, хотя, кажется, до сих пор была немного влюблена в Игоря. О чем он, конечно, не догадывался – ни разу не выдала себя, когда встречались на всяких театральных вечерах... «Звезда с звездою говорит»? Нет, это она уже проходила с мужем. Мучительно.

– А вы давно вернулись в Москву?

Легкая гримаса – губы выразили неуверенность:

– Месяца три как...

– Целая жизнь! – отозвалась она насмешливо.

Но Макс даже не улыбнулся. Тонкое смуглое лицо, как индейская маска. Валялась у нее где-то такая, выточенная из темного дерева. Надо найти, взглянуть: похожи ли?

«И что тогда? Над кроватью повесишь? Любоваться одинокими ночами? Вызывать эротические фантазии?» Теперь та, вторая в ней, позволила себе иронизировать.

– Когда переносишься в другую реальность, она быстро начинает казаться твоей настоящей жизнью. Хотя еще недавно это возвращение представлялось мне невозможным… – серьезно сказал Макс. – А теперь то, что было там, стало каким-то нереальным. Будто всего лишь приснилось. Причем когда-то давно. И успело забыться. Воспоминание о небывшем.

Ей вдруг стало страшно. Не оттого даже, что этот мальчик оказался не дураком, и теперь с ним нужно разговаривать, а не трепаться – задал тон. Но оттого, как это обрадовало ее. Душу затопило горячим ликованием: «Да он не просто красавчик!» В смазливую мордашку влюбиться – себя не уважать. Ее пальцы так и стиснули руль: «Стоп! О какой влюбленности речь? Еще не хватало!»

В душе предательски откликнулось эхом: не хватало… Неужели как раз этого не хватало ее жизни? Чуть раскосого темного взгляда, черного «ежика» волос, губ, как ни странно, уже не юношеских – мужских. Что меняется в линии рта, когда на взгляд становится ясно: мужчина? До невозможности молодой, но – мужчина. Что-то уже произошло в его жизни, сделав его таким.

– Кто вы, Макс? – вырвалось у нее.

«Кто вы, доктор Зорге?» – это мгновенно вспомнилось не только ей. Он рассмеялся:

– Кузбасский шпион! Засланный казачок…

– А если серьезно?

– Я – скульптор, Оля. Хотя на хлеб зарабатываю как веб-дизайнер. Ну, вы знаете… В одной конторе числюсь. Очень удобно, не обязательно каждый день на работу ходить, приношу им готовые проекты. К сожалению, иногда все же приходится появляться среди белых воротничков. Вливаться в коллектив, чтобы меня хоть узнавали в лицо. А то еще и зарплату дать забудут...

Имя прозвучало так по-домашнему и ласково, что Ольгины губы растянулись в улыбку. Не ту, сценическую, когда все зубы напоказ, чтобы сияние из последнего ряда было видно. Она улыбнулась ему, не разжимая губ, немного робко, чуть вопросительно: «Ты что, тоже не ощущаешь пропасти в двадцать с лишним лет? На самом деле она, конечно, есть, никуда не денешься... Но неужели если, как учил старик Шекспир, протянуть над ней руки, то можно коснуться друг друга? Хотя бы поговорить на равных...»

Светофор выкрикнул ей то, что она сама должна была повторить себе: «Стоп! Дальше этих мыслей хода нет. Надо вдохнуть поглубже и перестать так дергаться из-за того, что он все же оглянулся, как ты и просила. Услышал беззвучный зов? Мою призывную игру в спортзале решил подхватить? Да нет... Просто прикинул, что можно добраться на машине. Хотя еще не известно – быстрее ли, такие «пробки»... Господи, да что со мной?! – Ольге захотелось со всей силы ударить по рулю. – Сколько этих хорошеньких мальчиков у нас за кулисами? Так и вертятся под ногами, и многие не прочь «замутить», как они выражаются, с заслуженной артисткой России... Но разве у меня когда-нибудь хоть из-за одного из них тряслись руки?! С любым из них – откровенная пошлость. Потому что они только на это настроены, для них слово «любовь» уместно только на сцене... А этот – не актер, слава богу!»

Она постаралась выдержать ровный тон:

– А что за модели? Вы так и не объяснили...

– Я коллекционирую масштабные модели машин.

Он произнес это с заметным вызовом. Ольга не поняла – почему?

– А что это значит?

– Вы никогда не видели миниатюрные копии автомобилей?

– А! – Она взглянула на него с изумлением. – *Эти* модельки?

Вот теперь вместо глаз пулеметные прорези – за каждой смерть. Она тут же угадала: вот сейчас стоит ей усмехнуться, он не простит. Слишком болезненно для него... Похоже, многие уже усмехнулись сдуру.

– Вам это тоже кажется сплошным ребячеством?

Ей припомнилось:

– Когда-то я собирала цветные стеклышки... – опустила слово «детство». – Может, это они научили меня видеть мир разным? Всегда помнить, что можно увидеть то же самое в другом свете... У вас большая коллекция?

На мгновение отведя взгляд от дороги, Ольга посмотрела ему в глаза. Сердце дрогнуло давно забытой слабостью: «Господи, как хорош!» Макс с недоверием (неужели не смеется?) вгляделся в ее лицо, позволил себе убрать угрозу из взгляда.

– Достаточно большая. – И вдруг с надеждой: – Хотите взглянуть?

– Сейчас? Мы же едем на Дмитровку... Или вы живете где-то...

– Нет, за городом. У меня небольшой дом, где и мастерская, и... все прочее. Это не так далеко – в Переделкино.

– Ничего себе – не так далеко! Это по Минскому?

– Всего пять километров от Кольцевой...

– И вы предлагаете...

– Или вы торопитесь?

Ей почудилось: ребенок сейчас расплачется, если она немедленно не согласится посмотреть его игрушки. Ее сын был таким, обожал, когда она садилась на пол с ним рядом, и они вместе перебирали сокровища, вываленные из большой коробки.

Она призналась:

– Мне, в общем-то, некуда спешить...

– Вы знаете этот романс? – неожиданно уцепился Макс.

Ольга засомневалась:

– Возможно, не полностью...

– Спойте, пожалуйста! Я его обожаю.

– Сейчас?!

Метнула в него взгляд: а ведь не шутит!

– Хотите, я сяду за руль? Или вы думали, что я и водить не умею? Что в Кемерово на оленьих упряжках ездят?

– Макс, вы и в самом деле надеетесь, что я запою на трезвую голову прямо в центре Москвы?!

– Да там же не слышно! Это только для меня. Но если вы... Конечно, не надо... Я слишком многого прошу, извините. Идиотизм, с моей стороны...

Если бы он продолжал настаивать, она отказалась бы резко, как умела. Но Макс уже оставил ее в покое, только поник слегка, и ей почему-то стало неловко, точно это она положила тот самый лермонтовский камень в руку нищего.

«А почему бы и нет? – промелькнула шальная мысль. – Мужчин всегда волнует женское пение... Уж не знаю – почему». Но следом – испугалась: «Ну, попадется он в капкан, а мне-то это зачем? Лишняя головная боль!»

– Почему вы ушли с тренировки следом за мной? – спросила она требовательно, будто пыталась поймать его хоть на чем-нибудь. Одним махом скинуть с пьедестала, на который сама же и поставила. Макс этого и не замечал, все внутри ее происходило.

– Мне вдруг расхотелось боксировать. На сегодня – расхотелось.

Он посмотрел на нее таким долгим взглядом, что Ольга кожей ощутила, как нехорош этот ее правый профиль, насколько заметнее с этой стороны хоть еще и не второй подбородок, но чуть провисшая кожа. Опять пора подтягивать? Ей захотелось закрыться рукой, чтобы остаться той, увиденной им из зрительного зала, откуда не разглядишь изъянов лица...

Та, главная в ней (все-таки главная!), что таилась внутри, так и оставалась школьницей, только сумевшей избавиться от закидонов юности. Не ей он предназначался, нечего и страдать по этому поводу. Но тогда она даже плакала оттого, что никто до сих пор не догадался украсить ради нее площадь цветами... Сейчас уже не заплакала бы, но – стыдно признаться! – ждала этого чуда до сих пор. Чтобы кто-нибудь совершил ради нее безумство, пусть глупость, но способную поразить до того, чтобы сердце зашлось от любви!

От ее тайной мечты пытались откупиться то бриллиантовой паутинкой кольца из «Кристалла мечты» на Кузнецком мосту (о чем тоже сообщалось, ведь туда заглядывали звезды рангом повыше, чем Ольга – «попсятники»!), то тряпочкой из Третьяковского проезда, куда раньше ходили ради «Букиниста», а теперь – бутики, бутики... Правда, братья Третьяковы токмо торговли ради и построили эту самую короткую улицу Москвы.

Иногда Ольга принимала подарок – не все же самой себе покупать! – иногда нет. Мгновенно представляла человека раздетым в своей постели, и если горло перехватывало тошнотой, она улыбалась и вежливо посылала подальше. Но ведь кем-то ее постель должна была заполняться...

«Такого мальчика там никогда не было» – это пришло в голову сразу. Конечно, имели значение и его возраст, и его красота, в которой не было ни грамма смазливости. Классическая правильность черт и этот нездешний, слегка раскосый взгляд.

По поводу его нежелания продолжать тренировку, которого Макс толком не объяснил, она отозвалась с той же неопределенностью:

– Бывает.

И с сожалением отметила, что он не сказал ничего, что могло бы ее приободрить. Что, мол, захотелось догнать вас... Поговорить... Познакомиться поближе... Да нет, он и не мог признаться в такой глупости! Да и о чем говорить? Пионер решил помочь старушке... Святое дело.

Она расхохоталась, представив Макса в красном галстуке с аккуратно зачесанными набочок волосами. Он вежливо берет ее под руку и переводит через дорогу на зеленый свет. А она семенит с ним рядом, и, шамкая, лепечет слова благодарности. Хороший мальчик. Такой хороший мальчик!

– Что? – В его улыбке вопрос и готовность разделить ее веселье.

– Ничего, – простонала Ольга. – Смешинка в рот попала.

Он вдруг выставил перед ее глазами указательный палец. Неровный, длинный... Смешной! Она так и залилась смехом: покажи дурочке пальчик...

– О-о! – протянул Макс тоном лечащего врача.

Помотав головой, она с трудом выдавила:

– Прекратите! Я сейчас въеду в кого-нибудь.

– Нет-нет! У нас другие планы были.

Смех сразу съежился в комочек, который удалось проглотить. У нас? Планы? Какие-то немыслимые слова...

– Вот и Большая Дмитровка, – сказала Ольга уже без улыбки. – Только мы по ней не проедем. Видите, что делается?

Узкая улица была в несколько рядов заставлена машинами, а в оставшемся коридорчике образовалась такая пробка, что Ольга сразу сдала назад. С трудом припарковавшись в Георгиевском переулке между «Мерседесом» и «ровером», она повернулась к Максу, наконец спрятав свой неудачный профиль.

– Придется вам сбегать за своей моделью.

Одновременно подбадривая и прощаясь, она скользнула тыльной стороной ладони по его щеке. Отдельные пробившиеся щетинки кольнули кожу. Он попытался прижать ее руку к плечу, но среагировал недостаточно быстро, все-таки она застала его врасплох, на что и рассчитывала.

– Тем более и дождя здесь нет, мой мальчик, – назвала его так специально, чтобы продемонстрировать дистанцию, которую сама то норовила сократить, то стремительно увеличивала.

Поморщился, снисходительность тона не понравилась. Ольга просияла улыбкой – так по утрам она встречала солнце. И притянула его к своей радости:

– Мы убежали от дождя. Так что – вперед, Макс! Потом сядете за руль. И, может быть, я действительно спою вам...

Его лицо вспыхнуло так, будто она пообещала ему луну с неба, никак не меньше. Наспех кивнув, Макс выскочил из машины, а ей подумалось: «Давно я не видела такого блеска в глазах... Хочется припасть к этим черным глазам и пить...»

Воображение преступно быстро нарисовало, как она легко перебрасывает тело и садится к нему на колени – лицом к лицу. И все в нем мгновенно восстает, но не против ее тепла, а – от него. И та ощутимая мужественность, которая обеспечена его молодостью, уже дразнит, обещая все...

Да полно, бывает ли? В последнее время – сплошные осечки. То ли она так действует на мужчин, что они слабеют как раз в тот момент, когда нужно проявить силу? И ей же потом приходится утешать и уговаривать не расстраиваться, обещая другой раз, о котором самой и думать не хочется: так унизительно переживать это все с едва знакомым человеком. Пытаться соединить его с собой, раз уж в одной постели оказались...

Почему всякий раз она же и ощущает неловкость, будто и впрямь в ней все дело, а не в том, что у ее ровесников и тех, кто постарше, все силы ушли на борьбу за место под солнцем?! На любовь их уже не осталось. Кого винить? Обычно в таких случаях говорят: жизнь такая... Что тут поделаешь?

Она до боли прикусила губу: «Не смей даже думать об этом! Он же Пашкин ровесник, а то и младше. Тебе поиграть захотелось, пофлиртовать? Так ведь уже понятно, что он не шарахается, вон как руку пытался поймать... Пари можно считать выигранным. Продолжения и быть не может».

Но как раз предчувствие того, что она пускается на преступление, никак не меньше, взбудоражило, заставляя сердце сбиваться с ритма, вовсе останавливаться на пару секунд. И в эти короткие промежутки небытия Ольга успевала прочувствовать весь восторг того, что можно испытать, вкусив такой вот запретный плод.

Откинув голову, закрыла глаза: «Кто сказал, что нельзя? Короткая вспышка... Ясно же, что надолго это не затянется, смешно даже думать всерьез! Но разве я не могу себе позволить прикоснуться к радости, впустить ее в себя ненадолго? Глупо? Так и есть. Но это моя глупость. Кому от нее станет хуже? Был бы он на двадцать лет старше, вообще никакой проблемы не было бы...»

Открыв глаза, еще успела поймать его взглядом. Тело крепкое, гибкое, легкое – вон как мчится, огибая машины. Усыпить бы его и насладиться спящим, чтобы он и не узнал о коварстве старой тетки...

«А вот этого тоже не смей! – едва не выкрикнула вслух. – Никаких «теток». Стоит начать так думать о себе, такой и станешь. Слова имеют обыкновение материализоваться».

Внезапно вспомнился мальчик из школьной поры. Фамилия у него была смешная – Попушин. Он был моложе всего на год, они всегда учились в разные смены. Как ей удалось вообще заметить его? А она еще и влюбилась... И в том, что он оказался младше, было нечто порочное, волнующее, затягивающее в темноту безумства, которое всегда привлекало Олю. Любимой ее героиней с тринадцати лет стала и до сих пор оставалась Настасья Филипповна, которую никакая разница в возрасте не остановила бы...

А с тем мальчиком так ничего и не вышло. Наверное, Оля казалась ему слишком старой в свои пятнадцать. Или просто некрасивой: рот, глаза, рост – все слишком велико. Еще и уши торчали... Наверное, его попросту воротило от Ольги. А она не понимала тогда. И так прекрасно было встречаться с ним по пути из школы, чтобы просто поравняться, оглохнув от безумно колотившегося сердца, взглянуть вскользь, считать подробности его сегодняшнего и пройти мимо! Чтобы весь остаток дня перебирать в памяти значительные детали: он ведь чуть улыбнулся, хотя, может, и не ей, а просто... Весной пахнет! Такой хорошенький в этой новой шапке, пакет нес, значит, у них сегодня физкультура, увидеть бы его в спортивной форме...

Она улыбнулась: запах его дешевого (тогда других и не было!) одеколона помнится, заусеница на безымянном пальце, замеченная однажды, цвет водолазки, которую он любил. Тридцать лет прошло. Как он пахнет теперь, тот мальчик? Аромат его юности пыталась найти в других, но все как-то не случалось. Не тот, не так...

«А Макс? – попыталась сообразить она. – Почему я не распознала сразу его запах? Разволновалась, дурочка. Нюх потеряла. Затеяла пари сама с собой, а он тебя обыграл в два счета!»

Поджидая его, Ольга решилась припомнить слова романса, который ему так хотелось услышать, и они восстановились в памяти без труда, словно лежали наготове, зная, что потребуются. Спеть ему? Ну да, парень с улицы, с какой стати угождать ему? Но ведь он в спортзале предложил ей выместить на нем ярость, вскипевшую в ней, не им вызванную. Правда, за это она его уже подвезла...

– Да что это я?! – вырвалось у Ольги. – Торговка на базаре, что ли? Считаю – кто чем и за что расплатился... Это же не бизнес, черт возьми!

Она не поверила своим глазам: Макс уже бежал назад, куртка с енотовым воротником нараспашку, пуловер цвета темного песка обтягивает тело, ему это идет. Такое тело... Модель свою, наверное, в карман сунул, в руках ничего нет. Как успел? Конечно, Дмитровский переулок коротенький, Ольга его хорошо помнила – любила блуждать в старом центре. И взглядами, и касаниями вбирать великие следы, рассыпанные по городу: в этом доме Пушкин просто бывал, а в этом читал «Полтаву»... здесь жил Станиславский... там выросла Цветаева...

В юности, когда только переехали в Москву, у нее голова кружилась от восторга: я иду тем же переулком, те же стены трогаю, те же деревья... Наверное, и клены эти высадили позднее, и стены не раз красили, старательно замазывая отпечатки пальцев великих, – а что делать? Новые жители столицы хотят жить, а не хранить память. Кто упрекнет их в этом? Каждому его собственная жизнь кажется не менее значительной, чем пушкинская...

«Он мог также бежать этой улицей, легкий был на подъем». В ее мыслях тень поэта неожиданно слилась с Максом – реальным. И в этот момент он стал ей еще ближе.

Ольга резко одернула себя: «Что значит это «еще»? Очнись же ты! О какой близости вообще может идти речь? Опекать его собралась? Нянчить большого мальчика? А он будет капризничать и выпрашивать подарки? Ногами на меня топать, упираться, когда в постель зову, дурой выставлять перед знакомыми? Да с чего я вообще взяла, что возможно хоть что-то?! Напридумывала черт знает что... Стоило оказаться в замкнутом пространстве с красивым мальчиком на расстоянии ладони... Самонадеянность-то какая!»

Вспомнив, что обещала пустить его за руль, Ольга выбралась наружу. Получилось – встретила его лицом к лицу: Макс уж подбежал к самой дверце. Ветер налетел сзади, швырнул ее длинные волосы ему в лицо. И на секунду они оказались отделены от всего мира этой живой завесой, вплотную друг к другу. И внутри ее все вдруг замерло, даже сердце, кажется, остановилось: «Как близко эти губы... глаза... Почему он так смотрит? Будто всю меня целует взглядом, вбирает в себя... Нельзя же так...»

Она медленно подняла плохо слушающиеся руки – волосы собрать. Но Макс вдруг сжал обе, удержал. Холод пальцев впился в ее тепло. Он не улыбался. Никакой игривости, ни намека на флирт, и это испугало ее всерьез, ведь она-то не допускала и мысли о настоящем. Даже не моргая, Макс смотрел ей в глаза, и во тьме его взгляда Ольге вдруг почудилось то жутковатое, что обычно называют страстью. Она еще только начала закипать, но уже случилась, дала о себе знать им обоим.

«Я не должна, – жалобно застонало в ней. – Это же так неправильно... Это... смешно! Но как можно отказаться от этого?!»

– Пусти меня! – Она произнесла это отрывисто, чтобы он разом пришел в себя.

Он быстро сморгнул испугавшее Ольгу. Разжал пальцы. Ее руки беспомощно зависли в воздухе. А ветер уже сам отвел волосы, рассеял наваждение.

– Извините, – сказал Макс. – Мне уйти?

Его голос прозвучал глухо, будто он боль превозмогал, говоря. «Не может же он так играть! Он ведь не из наших. Из них ни одному не поверю». У нее отчего-то зашлось сердце. Жалость? Что это вообще?

– Просто больше не трогайте меня.

«Зачем я это сказала? – Она уже перешла к пассажирской дверце, взялась за ручку. – Когда меня в последний раз пронзало так сладко? Четверть века назад, если не больше... Практически в другой жизни. Надеюсь, он не послушается...»

Она взглянула на Макса поверх машины. Не торопясь сесть за руль, он по-прежнему смотрел на Ольгу, только теперь в глазах его страсти не было. «Вселенская печаль во взоре». Она попыталась усмехнуться, наспех укутаться в спасительный цинизм.

— Что с вами, Макс? Что-нибудь случилось?

Опять поправила густые волосы тем движением, что открывало невинный изгиб шеи, сливая в один образ Снегурочку и Купаву — что может быть соблазнительней? И поймала себя на этом: «Я продолжаю игру? Не актерскую — женскую. Но чем она лучше? Непростительно! Он ведь совсем ребенок...»

Но себе все простит, что с мужчиной, даже таким юным, связано, это Ольга уже знала. Почему она должна чувствовать себя виноватой за то, что родилась раньше? Время рождения не выбирала, не заказывала. Вадим никакой вины за то же самое не чувствовал, и никто его не осуждал, когда он взял ее в жены совсем девочкой, погрузил с головой в свой кризис середины жизни. Сначала просто нянчился с ней: забирал после занятий в театральном училище, кормил в ресторане, делился воспоминаниями и некоторыми актерскими хитростями — взрослый мужчина, состоявшийся артист из тех, чье имя произносили с трепетом. Тогда не гонорарами слава измерялась...

Вадим бесплатно водил ее по театрам, объяснял причины актерских неудач и успехов. Ольга слушала его раскрыв рот. В то время мужчины в нем вообще не чувствовала. То есть — отстраненно понимала, что он интересен, обворожителен, и прочее, прочее... Но все в ней реагировало только на ровесников: юность всегда волновала ее больше зрелости. Эти флюиды, этот аромат будущего...

Потом Вадим добился, чтобы Ольгу взяли на съемки фильма, в котором он играл главную роль. Она снялась в эпизоде и стала его любовницей прямо на каких-то бревнах за деревенской избой, где снимали ее сцену. Спина болела потом еще пару дней...

Позднее поняла, что была для него чем-то вроде спасательного круга – надеялся, что молодая жена удержит на поверхности. И ведь удержала, и даже вытянула из депрессии, которая только дома давала себя знать – в театре Вадим держался, играл бодрячка даже за кулисами. Она и сама таким его воспринимала, когда замуж шла: энергия кипит, глаза горят, остроты – фейерверком. А дома – одно беспомощное шипение, сдувался мгновенно и на нее же злился, что это с ним происходит. Хотя именно театр его добивал: «заслуженного артиста» еще не дали в то время, ролей интересных не было, все старые спектакли, зарплата – с гулькин нос, приходится то на радио калымить, то Дедом Морозом... Ольге, тогда первый год служившей в театре, эти проблемы были еще не ведомы. Но Вадим постарался, бросил ее в свое море тоски, как щенка в реку. Выплыла. И его вытащила. Тоже: что-то доигрывала, в чем-то искренней была...

Макс вдруг опустил глаза, точно испытав неловкость за нее. За ее откровенное притворство. И Ольгу потянуло поежиться, обхватить плечи, спрятаться в тепло: «Неужели он все так чувствует?! Он ведь ребенок еще!» В этом была очевидная натяжка: Макс уже не был ребенком. Может, он и был моложе ее сына, так ведь и Поль в своем Париже другим женщинам виделся мужчиной, не ребенком. И нечего пытаться усыновить всех на свете.

«Какая прямая линия рта, – внезапно заметила Ольга. – Мужественная. Неулыбчивый рот. Но когда улыбнется, все лицо начинает сиять. Почему он так редко улыбается? Любой артист на его месте слепил бы зубами, засыпал комплиментами, анекдотами душил... Хорошо, что он не актер. Этого актерства мне за глаза хватает... Осточертело уже. Надо ему побольше приятных слов говорить, чтобы улыбался почаще...» Не для мира хотелось этого света, для себя, чего уж душой кривить?

– Вам не привезли модель?

– Привезли, – сказал он, уже справившись с голосом. – Хотите, покажу?

Ей сразу стало легче: мальчишке не терпится похвастаться новой игрушкой. Эта ситуация была ей знакома.

– Еще бы! Конечно, хочу! – Она заскочила в машину, с удовольствием устроилась в тепле. Теперь к Максу будет обращен выигрышный профиль... Заметит ли разницу? Кто-нибудь, кроме нее самой, вообще когда-либо замечал?

Когда он оказался рядом, Ольга мгновенно уловила – взгляд другой. Мурашки по спине от него уже не бегут. Сейчас если Максу и хотелось от нее чего-то, так только вовлечь в свою игру, и эта игра не имела с любовью ничего общего. Смотрел на нее с восторженным ожиданием: «Неужели тебе это интересно?! Правда, интересно?» Как обмануть такой взгляд?

Уже ничего не доигрывая, Ольга улыбнулась ему, в очередной раз блеснула глазами. Про себя, правда, подумала: «В двадцать лет я обиделась бы на эту внезапную перемену в нем... Тогда мне хотелось быть для мужчины не просто центром Вселенной, а всей Вселенной. Чтоб никаких других интересов. Ни малейшего намека на страсть, не на меня направленную. Не просто хотела, требовала этого! Какие мы глупые в двадцать лет...»

Вытащив из-за пазухи коробочку с двумя прозрачными сторонами, Макс протянул ей:

– Вот. Видите, какое чудо?

Принимая ее, Ольга как бы невзначай коснулась теплыми пальцами его озябших рук – пусть прочувствует, какой жар внутри ее. Повертела модель перед глазами: машинка как машинка. Разве не такие во всех ларьках?

– Потрясающе! – отозвалась она, без труда прочитав во взгляде Макса то, чего он ждал от нее.

– Вы видите, да? – тотчас воспламенился он, глаза так и засветились. – Какая ювелирная работа! Детализация какая...

Подавшись к Ольге, чтобы ткнуть пальцем во все детали, он оказался так близко, что ее волосы прильнули к его щеке. Она кожей ощутила его близость, кажется, микроскопические волоски на лице встопорщились... У нее губы онемели от удовольствия. Хорошо, что он сам продолжал говорить:

– У нее даже подвеска работает! Я просто в себя не могу прийти – она уже у меня в руках!

Все же удалось справиться с губами:

– Вы долго ее искали?

Она опустила модель пониже, чтобы ее колени тоже попали в поле его зрения. Заметил ли?

– Всю Москву обшарил. В Интернете пытался найти. Даже на интернет-аукционах, хотя там иногда кидают...

– Серьезно?

– У меня столько знакомых коллекционеров появилось. И через Сеть, и так... За три года, правда, растерял многих. Теперь снова знакомствами обрастаю.

Он так блаженно улыбался, разглядывая свое сокровище, что Ольга тоже почувствовала себя счастливой. Просто смотреть, как он любуется крошечной деталью этого мира – сплошная радость.

– Это мне из Германии привезли, – сообщил Макс таким тоном, будто выдавал страшный секрет, хотя уже говорил об этом.

«Наверное, у него тоже слегка путаются мысли», – подумала Ольга с надеждой.

– Да что вы? – ахнула она. – Дорогая, наверное, вещь.

– А вы думали! Дорого. Вы думаете, она того не стоит?

– Думаю, стоит, – отозвалась она серьезно.

Раз он так ценит эту игрушку – значит – она того стоит. Что такое, в сущности, настоящая машина для большинства мужчин? Та же игрушка, только обходится в тысячи раз дороже, да еще и ремонта требует...

– Это же ручная работа. – Макс убрал коробочку в карман. – Некоторые считают мое хобби сплошным ребячеством. Мол, я тупо трачу деньги.

Ей не хотелось знать, что за женщина так обидела его. Конечно, женщина. Мать? Подруга? Жена? Не все ли равно? Сейчас он ждал Ольгиных слов. Ее отношение внезапно стало во главу угла: принимаешь ли ты мой мир таким, каков он есть? С его несовершенством и ребячеством? С его доверчивостью и обидчивостью? Может быть, уже через час это перестанет быть важным для него, но сейчас, в эту самую минуту Макс зависел от нее, как ни от кого другого на свете. До смешного зависел. До слез. Она видела их, еще не навернувшиеся, глубоко запрятанные – уже научился скрывать себя истинного. Как однажды научилась она сама, как учимся мы все, рано или поздно...

– Не слушайте их, – проговорила она с нежностью. – Живите, как считаете нужным. Это ваша жизнь, не их. Пусть свою они устраивают по-другому.

Людям всегда кажется неправильным или глупым то, чего они сами не делают...

Пока она говорила, слезы навернулись на глаза. Прищуриться заставили и одновременно испугаться: «Да что со мной? Я тысячу лет не плакала. Даже не тянуло».

– Почему – бокс? – неожиданно спросил Макс то, о чем хотел спросить с самого начала. Ольга уже хотела ответить то, чем обычно объясняла свое спортивное увлечение: на тренажерах ей скучно, аэробика – стадный вид, бег трусцой по загазованной Москве – это смешно, но Макс уже ответил за нее:

– Вы так беззащитны? За вас совсем некому заступиться?

– Ну, черт возьми! – выкрикнула она и почувствовала, что выдала себя слезами. – Откуда ты все знаешь?

И тут же зажала рот сложенными «лодочкой» ладонями: «Как я могла?! Поиграться решила... Доигралась! Нервы уже не те...» Не позволив ему увидеть слезы, до боли куснула губу.

– Извините, Макс. – Ольга опустила руки. – Не знаю, что это со мной. Я вовсе не беззащитна, с чего вы взяли? И что, неужели похоже, что за меня и в самом деле некому заступиться?

Он ничего не ответил на это. Взялся за руль и заставил ее «Рено» отправиться в путь. Машина подчинилась ему беспрекословно.

– У вас слезы на глазах, – сказал Макс, не глядя на нее. – Почему-то мне кажется, что вам сейчас нужно поплакать. Видите, как я вовремя подвернулся, чтобы за руль сесть? А петь не надо... Вам ведь сейчас совсем не хочется петь. Мне расхотелось боксировать. Вам расхотелось петь. Бывает. При мне вы можете делать что угодно, меня ничто в вас не разочарует. Вы просто не представляете, что вы значите для меня... Но не я для вас, это понятно. Можете просто забыть, что я здесь.

И Ольга не нашлась чем возразить ему. Не спрашивая себя, почему слушается его и как выглядит в глазах этого совсем незнакомого мальчика, она отвернулась к окну, и многолюдная Тверская тотчас расплылась ее слезами, «Пекинская утка» за окном утонула в них. Из глаз лилось так неудержимо, что невозможно было понять, как ей удавалось удерживать слезы в себе столько месяцев? Или даже лет... Когда она в последний раз чувствовала себя защищенной настолько, чтобы расслабиться до слез?

С утра до вечера – улыбка. Она подтягивает кожу. Защищает душу от завистливых взглядов: у меня все прекрасно, лучше и быть не может! Она уже не ощущается на лице, как растушеванные кисточкой румяна. Деталь макияжа, которую также стираешь, возвращаясь домой. Там некому улыбаться. И защищаться не от кого. Пашка превратился в Поля. Муж умер. Еще при жизни умер, когда начал истязать Ольгу недоверием к ее молодости. Его шестьдесят семь против ее сорока оказались для него мукой мученической. После первого инфаркта начал испытывать ее своей притворной смертью. Ложился то на диван, то на пол, то прямо на траву, если были на даче, принимал неловкую позу, словно упал, подкошенный болью. И терпеливо ждал, когда Ольга обнаружит его. В первый раз она, увидев его на ковре, закричала так страшно, что просто не могла поверить, когда Вадим повторил этот спектакль во второй раз.

«Да что с тобой?! Зачем ты так поступаешь со мной?» – пыталась она достучаться до его сердца, которое и вправду болело и от этого ожесточилось.

Неужели он так ненавидел в последние месяцы ее молодость, ее красоту, ее талант – все, во что влюбился когда-то? Когда Ольга в очередной раз нашла его на полу, даже подошла не сразу. Только проговорила устало: «Ну, хватит уже... Сколько можно?»

А когда поняла, что это его последнее представление, ощутила такое опустошение, что даже не смогла сразу вызвать «неотложку». Сидела рядом с мужем на полу и смотрела на синюю пуговицу его рубашки, наполовину ушедшую в петлю. Маленькое полукружье синело ярким глазком, будто Вадим подмигивал на прощанье, после смерти обретя себя прошлого: искрометного героя-любовника, блестящего рассказчика, с которым они могли говорить и говорить, не замечая времени. Ночи пролетали за разговорами, которые и были главными в их любви. Все физическое было для него уже почти недоступно, а для Ольги не так важно.

Это сейчас «грушу» молотить приходится, чтобы унять телесную тоску. А любовники все такие попадаются, что вокруг да около ходят петухами, грудь выпячивают, в постели же барахтаются беспомощными цыплятами... И каждый еще смеет говорить: «Мне с тобой было так хорошо!» Еще бы, она же чуть наизнанку не вывернулась, чтобы его взбодрить хотя бы до полуготовности. Им-то, может, и вправду хорошо бывает...

Стараясь не поворачиваться к Максу, она вытянула из сумки салфетку, промокнула глаза. В маленьком зеркальце отразился ужас: опухшая морда, глаза красные, как у маньяка...

«Вот спасибо! – с обидой послала она Максу. – Предложил поплакать! Теперь только домой».

– Отвезите меня домой, – попросила она. – Я живу возле Цветного бульвара.

Не споря и не уговаривая, Макс заметил:

– Классное место.

– Не Столешников переулок, конечно, это там, говорят, самая дорогая недвижимость, но мне на Трубной нравится. Детей всегда много поблизости. Некоторых, правда, они раздражают... К метро не пробьешься.

– Да, цирк же рядом, – вспомнил он. – Я был там еще при Никулине.

– Я тоже была. Только с сыном, – зачем-то подчеркнула разницу их возраста. – Можно гордиться тем, что мы своими глазами видели Юрия Владимировича в работе... А в квартире, где я сейчас, жили еще родители мужа. Он там и родился.

Он помолчал:

– Почему-то я подумал, что вы не замужем.

– Он умер.

Эти слова уже давались ей без труда. В первые годы они застревали в горле, начинали рвать его изнутри.

Так ни разу и не позволив себе взглянуть на нее, Макс пробормотал:

– Принято извиняться, когда коснешься такого... Извините.

– Думаете, я из-за этого разревелась тут? – Ольга невольно шмыгнула носом и слегка испугалась: не вышло ли это вульгарно?

– Думаю, и из-за этого тоже.

«Конечно, он прав, – признала она. – Недаром же сразу вспомнилось о Вадиме. Чего больше осталось мне от него – обиды или благодарности? Он научил меня играть по-настоящему, без фальши. Сделал для меня больше, чем кто-либо из учителей, режиссеров... Сына подарил. А последним отрезком перечеркнул всю нашу жизнь. И послесловием: на похоронах какие-то бывшие любовницы вдруг всплыли, рыдали у гроба. А у меня сил не было их выгнать. Остались нелюбовь и обида. Не на него даже, на себя, что была такой слепой дурой столько лет. Может, потому и пустилась после похорон во все тяжкие... И остановиться не могу».

– Макс, я никогда не была в Переделкино, – выпалила она, внезапно решившись. – Стыдно признаться, но все как-то не получалось.

Он бросил на нее недоверчивый взгляд – осмелился-таки посмотреть на зареванную артистку.

– Так вы...

– Поехали к вам. Вы меня заинтересовали своей коллекцией.

– Супер! А что еще я вам покажу! – тотчас ожил он, заерзав на сиденье.

– Трупы шести жен в потайной комнатке?

Рассмеялся охотно. Уже в тягость были эти слезы, этот серьез. Ей самой – в тягость...

– Я не назвал бы это трупами, но тела обещаю.

– Господи, Макс!

– Это не так страшно, как вы думаете.

Ольга догадалась:

– А, вы о своих скульптурах?

– И о них тоже.

Ей внезапно не увиделось даже, а почувствовалось: его руки лепят ее тело. Умело, уверенно, осторожно. Выводят линию груди, живота, палец уходит в небольшое углубление. Когда лепят женские бедра, это похоже на работу с вазой? И скульптор относится к ней столь же бережно? Одно неловкое движение – и все испорчено, перекошено, смято... У нее никогда не было скульптора в любовниках... Да и других-то было не так уж много. Это только принято думать, что у актрис опыт Клеопатры, на самом деле все точно так же: у каждой – своя судьба. Свой путь. Ее был освещен маяком одной любви. Это потом возникли тусклые фонарики.

– Так что? – нетерпеливо спросил Макс. – Куда вас везти?

– Мы едем в Переделкино, – произнесла Ольга решительно. – Разве вы еще не поняли этого?

* * *

Ее лицо обладало уникальной способностью восстанавливаться. Приобретенный актерский навык? Сама не помнила, как там было раньше – до профессии. Но когда приходилось рыдать на сцене, была уверена, что на поклон уже выйдет красавицей. Она не подозревала, что вид у нее в эти минуты немного растерянный: после трагедии Медеи, от которой сердце рвется на части, – да в мир, где этому аплодируют.

Макс видел, как ей было не по себе, когда спектакль, который с ее участием он увидел первым, закончился. С каким недоумением Ольга всматривалась в лица зрителей: кто они? Откуда? И то, что она так мучительно соглашалась на признание только что случившейся с ней беды сплошным лицедейством, тронуло его еще больше, чем ее игра. Которая была пронзительной – у него даже слезы пару раз навернулись.

И, кажется, именно в этот момент Макс увидел в актрисе женщину. Немного потерянную, словно ее разбудили в шумной зале во время бала, к которому она была не готова: лохмотья вместо платья, волосы не убраны, смятение в душе... Ему не поверилось, что и это тоже может быть игрой. Что-то неправдоподобно искреннее обнаружилось в этой женщине... Красивой женщине, по телу которой его взгляд струился с восторгом скульптора, который всегда чуть больше, чем просто мужчина. Он может сам создать совершенство. Он всегда Пигмалион.

Но Ольга Корнилова не была совершенной. Она была живой. Руки ее беспомощно цеплялись за платье... Уже в следующий момент Ольга справилась с собой, может, никто больше и не заметил той сбитой с толку девочки, что внезапно напомнила о себе. Большеротой и долговязой, которой мальчики не писали записок. Годами учившейся не стыдиться себя. Научилась...

И сейчас в машине она пришла в себя также быстро, уже улыбалась, точно и не было только что этих слез ни о чем и обо всем сразу. И веки уже не красные, не опухшие – скоростная регенерация какая-то. То смеется, то плачет. Сплошная эмоция, а не женщина! А может, наоборот – женщина до мозга костей. Истинная. Познать такую и значит – стать мужчиной. Все девочки, что были у Макса до этого, ничего не открыли ему нового в самом себе. Их любовь (если секс наспех, с голодухи можно было назвать любовью!) ничего не изменила в нем самом, не помогла ему вырасти.

Ну, первый раз, конечно, был потрясением, как у всех... И, почти как у всех, неприятным потрясением и разочарованием: «И это все?» И грязно, и быстро, и стыдно... Удовольствия почти никакого ни ему, ни ей, такой же девочке, однокласснице. Что она могла ему дать? Сама еще ничем не напиталась в этой жизни...

Он незаметно скосил глаза на Ольгу, уже спрятавшую скомканный платочек: слез как не бывало. Минуты не прошло – она уже другая. Есть чему поучиться. То внутреннее чутье, что отличает всех художников, подсказывало Максу, что именно эта женщина способна открыть что-то важное в нем же самом и для него. Только для этого нужно слиться с ней так близко, чтобы из тела в тело перешло некое знание... Взаимообмен. Хотя то, что может выплеснуть в нее он, не так уж для нее важно. Правда, он читал, что мужская сперма полезна для женского организма. Особенно в определенном возрасте.

На последнем слове Макс то и дело спотыкался. Это было тем препятствием, устранить которое было не под силу... И он боялся, что Ольга так и не сможет его преодолеть, сделать вид, что его вовсе не существует. Для него самого это не имело такого значения. Ты – моя женщина, я – твой мужчина. И все. Есть только плавные, будто совершающие магические пассы, движения ее рук... Беспокойные ноги, которые вроде уже готовы разойтись, впуская желание – и его, и свое, а потом опять сжимаются запретом... Ее волосы, которые Макс уже почувствовал на своем лице, вдохнул их аромат... Теперь так и мерещится, как Ольга наклоняется над ним, опрокинутым ею навзничь, окунает сверху, вопреки законам физики, в свою тьму.

От желания уже в башке мутится, будто желток внутри плавает, какая, к черту, разница, сколько этой женщине лет?! Как у Высоцкого: «А мне плевать, мне очень хочется...» Но для Ольги, судя по всему, есть эта разница... Эта вспышка истерики, как он понял, именно от осознания непреодолимости возрастного барьера. Можно сделать вид, что не замечаешь его, но от этого он никуда не денется.

Но самого Макса больше ужасало то, что никакой другой женщиной, хоть несовершеннолетней, Ольгу сейчас не заменишь. То есть теоретически можно, да и практически наверняка получится, но это будет не то, не то... Желание-то – векторное, определенно направленное. Подмена – она и будет подменой. Китайские подделки под «Версаче» того не стоят, хоть внешне и выглядят не хуже. Все дело в тонкостях...

– А как вы обычно добираетесь до своего Переделкино, если у вас нет машины? – неожиданно спросила Ольга, вернув его к действительности, и заметила: – Смешное название – Переделкино. Сразу напоминает Самоделкина...

С трудом сморгнув наваждение, Макс откашлялся:

– У вас маленькие дети?

Она вскинула брови, заморгала от неожиданности:

– Почему вдруг такой вопрос?

– Если вы Самоделкина помните – значит не так давно читали детские книжки...

– Давно, – произнесла Ольга жестко.

Может, ему еще год рождения назвать, подумалось с раздражением. Хотя почему бы и нет? Чтобы не было никакой неясности, никакой двусмысленности. Сама ведь этого терпеть не может.

– Мой сын, наверное, ваш ровесник, – заставила себя произнести легким тоном. – Так что такие книжки мы читали с ним лет двадцать назад. В прошлом тысячелетии.

– Мне двадцать два, – произнес он с вызовом, будто признавался в тайном пороке.

Ольга так и обмерла: «Совсем пацан...» Через силу выдавила улыбку:

– Пашке двадцать шесть. Он сейчас живет в Париже.

В мыслях мелькало молниями: «Куда поперлась с мальчишкой? Усыновить его решила? Что ты вообще делаешь?!» Она вдруг ощутила такую беспомощность! И, распластанная на ковре, не могла шевельнуться от боли: такие мальчики уже не для тебя. Поздно. Все поздно. Тебе кажется, что каждый рассвет все так же обещает самое невозможное, о чем мечталось перед сном, всегда только мечталось... Но он же высвечивает и календарь на стене: сорок семь лет!

Почему она не держалась за каждый день? Как могла допустить, чтобы вечера, когда нет спектакля, проходили впустую – у телевизора, не отличимые один от другого? От тысяч других... Зачем принесла в жертву собственной лени те утренние часы, что просто провалялась в постели, когда за городом звенели шмели и чьи-то губы могли пахнуть медом, цветами... Чьи? Может, его? Почему бы и нет?

«Нет! – испуганно вскрикнуло все в ней. – Это было бы... издевательством над собой! Зачем? Чтобы постоянно помнить о том, что он заметил этот проклятый целлюлит и выступившую на ногах сетку сосудов? Брюки носить приходится, а если что-то короткое, так только с чулками...»

Ей вдруг вспомнилось, как в возрасте Макса она шла по Цветному бульвару в самодельной мини-юбке на тоненьких каблуках, ноги голые, еще не требовалось прикрывать их колготками. Попавшийся навстречу парень без слов улыбнулся, прищелкнул языком и поднял большой палец. Она в ответ сверкнула глазами: «Я знаю!» И действительно знала, что такие ноги еще поискать...

«Ах, если б у всех женщин были такие ноги, как у тебя! Это был бы рай на земле», – это сказал ей другой, кажется, еще раньше. А может, позже, но все равно давно это было. Странно, только это воспоминание не расстроило ее сейчас, а разозлило, раззадорило: «Да что это я себя списываю?! Черта с два! Если в сорок лет жизнь только начинается, под пятьдесят она – в самом расцвете. Бальзак, паразит, записал тридцатилетнюю женщину в отжившие, и пошло с тех пор это мерзкое – «бальзаковский возраст»...»

Одна ее знакомая, бывшая артистка, которая даже Ольгу до сих пор считает девочкой, сказала как-то в приватной беседе за рюмкой чая: «Я тут пыталась понять, когда у женщины пропадает желание... И поняла: никогда!»

А если хочет любви, решила уже сама Ольга – значит молода, потому что у женщины этого мучительного расхождения желания с возможностями не бывает.

– Я привыкла выполнять обещанное.

Она произнесла это как вызов, а он даже не понял, о чем идет речь. Ольге пришлось напомнить, что она обещала (ну, почти обещала!) спеть ему тот романс, что, как на грех, так легко вспомнился. Ее глупые слезы нужно чем-то затмить, чтобы Макс не посчитал ее истеричкой, погрязшей в климаксе.

«Хотя, – усомнилась Ольга, – у некоторых мужиков женские слезы вызывают прилив нежности. Покровительственной такой: мол, она слабая, беспомощная, мое плечо – в самый раз. И не догадываются, что слезы помогают наполниться новой силой. Она восстанавливается в женщинах, как запасы крови. Так уж природа создала...»

– Так вы, правда, споете? – Он искренно обрадовался, засветился весь, заерзал от нетерпения.

Она закусила губу: «Ну, пеняй на себя... Это на всех безотказно действовало!» Сказала весело:

– А почему бы и нет? Хороший романс – как хороший роман.

– Написанный или...

Задумалась только на секунду:

– И то, и другое, пожалуй.

И положив руку на спинку его сиденья, будто приобняв, чтобы создать атмосферу интимности, она вывела низким голосом – в пении еще более низким, чем обычно:

– Я ехала домой...

Многие говорили, что Ольга поет как-то особенно: мурашки по коже бегут от той с трудом сдерживаемой страстности, которая вибрирует в ее голосе. Она всегда пела тем, кого хотела особенно мучительно и сомневалась, что добьется своего другими средствами.

Все это было, конечно, дико: машина несется по Садовому кольцу, а перемещает их в век девятнадцатый... Такие взгляды разве может на нее бросать двадцатилетний мальчик? Или только такой и может? Те, что постарше, уже разучились так смотреть, так чувствовать, так воспламеняться от одного лишь звука голоса... Все-таки он – музыкант, она угадала. Пусть и не в привычном понимании этого слова...

«О, молодой генерал своей судьбы», – чуть переиначила она Цветаеву – в стихах было во множественном числе. Но другие из его поколения не интересовали. Сейчас в одном-единственном сосредоточилось все, что жаждало ее существо...

Надолго ли? Это не важно. Она знала, что миг придуманной любви бывает ярче прожитых вместе десяти лет. Не писателям поверила – сама прочувствовала, и не раз. Правда, с мужем прожила двадцать, и они уж так слились воедино, что искрой, прилетевшей со стороны, не прожжешь. В то время такой вот Макс еще наравне с ее сыном в школу ходил...

В душе отозвалось тоскливо: «Хочу к Пашке... Хоть увидеть его, полминутки потискать, как в детстве. Так хочу!»

Романс закончился. Макс забормотал что-то восхищенное, не надуманное. Но в тот момент она только бесстрастно констатировала: зацепило. И больше не обращая внимания на Макса, который уже повернул с Садового кольца на Кутузовский, чтобы выбраться на Можайское шоссе, достала телефон, вызвала сына. О Максе подумала: «Притянула пением, теперь самое время слегка оттолкнуть, чтобы охотничий азарт не угас. Я еще не досталась ему!»

Легкое недовольство собой: «Как всегда оторву его от дела...» Сын уже откликнулся:

– Мам? Привет!

Когда она слышала этот голос, у нее начинало радостно подрагивать в груди.

– Привет, сынка! Знаешь, у меня тут выдалась парочка свободных дней. Я хочу тебя повидать.

Быстрый взгляд Макса... Она не ответила на него.

– В смысле? – опешил Павел.

Ольга сразу почувствовала себя отвергнутой, не нужной даже сыну. Ей это всегда удавалось: за секунду прочувствовать то, на что другим требовались недели. В роль вживалась мгновенно, начинала говорить другим языком, видеть не своими глазами. Со временем научилась, выходя из театра, переключаться на себя саму, а в первые годы тяжко пришлось...

– Ты очень занят? – виновато спросила у сына.

Вот этого не стоило произносить вслух, тут же одернула себя. Этот мальчик видел ее в окружении поклонников, осыпающих цветами, не нужно развенчивать легенду о том, что в ней нуждаются все и сразу. Если б так было...

– Ты собираешься прилететь? – Кажется, сын все еще не мог поверить в это.

– Не стоит? Извини, это действительно бредовая идея.

Но Павел уже пришел в себя:

– Да что ты, мам! Прилетай, конечно. Я просто не сразу сообразил, о чем ты... О чем речь? Это просто классно будет!

– Правда, классно? – намеренно повторила она вслух.

– Еще бы! Здесь как раз намечается фестиваль «Божоле». В третий четверг ноября, как обычно.

– Третий четверг – это послезавтра, – сообразила Ольга.

– Ты ведь любишь это вино, да?

– Я тебя люблю, – сказала она, не стесняясь Макса, и вдруг опять покраснела, точно обоих мужчин поставила в двусмысленное положение. Не в ее стиле это было... Она не любила столкновений интересов, даже если дело касалось распределения ролей.

Сын отозвался без экзальтации:

– Я тоже, мам. Так когда тебя ждать?

– Послезавтра?

– Давай, послезавтра. Я освобожусь ото всех дел. Ты только позвони, во сколько прилетаешь, я встречу. Если вместе с Софи, ты не против?

– Я и по ней соскучилась, что ты думаешь?

Ольга не покривила душой: никакой ревности в ней не было к той маленькой француженке, в которую влюбился ее Пашка. Наверное, все дело было в том, что она всегда любила сына больше, чем себя саму, и его счастьем наслаждалась, как собственным. Приятельницы ей не верили: «Да ты просто умеешь скрывать свою ненависть!» Ольга не могла понять: за что ей ненавидеть Софи? За то, что она подарила ее мальчику Париж и поселила в своей квартире, доставшейся от бабушки – русской эмигрантки (на чем они и сошлись в самом начале: неодолимое притяжение корней)? За то, что ввела в круг парижской богемы, о чем Пашка и мечтать не смел? За то, что месяцами помогала ему учить французский и познавать нюансы быта? Да эта черноглазая девочка стала для него настоящим подарком судьбы! А заодно и для Ольги, потому что все пособия по языку потом достались ей, и теперь она могла объясняться в Париже вполне сносно. В прошлый приезд убедилась в этом и в благодарность совершенно искренне расцеловала Софи.

– Так вы улетаете? – спросил Макс, когда она спрятала телефон.

– Похоже, что так. – Она улыбнулась и зажмурилась. – Я так давно его не видела...

– Стоило мне появиться, и вы улетаете на край света.

– Париж – край света? Вы плохо учили географию, Макс?

Ей было так хорошо сейчас, что она позволила себе добавить голосу игривости. Самую малость. Не до такой степени, когда женщина ее возраста становится смешной. Мопассана хорошо помнила: не кокетничать сверх меры, не сюсюкать, не прыгать пустоголовой пташкой, это к лицу студенточке, а если она станет так себя вести, то рискует вызвать раздражение. Надо бы еще раз перечитать «Милого друга». И Стендаля. Да и Бальзака заодно...

– Нормально учил, – холодно отозвался Макс. И вдруг спросил так требовательно, будто имел на это право: – Оля, почему вы вдруг решили уехать?

Он повернулся к ней на секунду – на Кутузовском лучше не отвлекаться от дороги. Но за эту секунду Ольга успела разглядеть то, что боялась увидеть. И содрогнулась: «Нет! Не надо этого! Всерьез – не надо. Я сама этого не хочу!»

– Я очень давно его не видела, – проговорила она тихо. Это не должно было прозвучать так, будто она оправдывается.

– А вчера вы уже думали о том, чтобы полететь к нему?

– К сыну, – произнесла Ольга с нажимом.

«К нему» – это воспринималось так, будто речь шла о другом мужчине. Равном ему. Но с Пашкой никто не мог встать вровень. До сих пор такого не было. Да и быть не могло!

– Вчера я еще не знала, что на неделю спектакли отменят. У нас пожар в театре случился. В «Новостях» передавали, не слышали?

«Зачем я упомянула «Новости»? – Ольга даже поморщилась от досады. – Мне что, нужно чем-то подтверждать свои слова? Оправдываюсь, что ли? Еще не хватало! Какая, в сущности, разница, поверит мне этот юнец или нет?»

Оттого, что она опять кривила душой, и от самой себя пыталась скрыть, что разница-то действительно возникла – ниоткуда! – ей стало тошно. И захотелось закурить, хотя Ольга в последнее время редко позволяла себе это, голосовые связки берегла. В мыслях уже мелькнуло: «Вдруг ему не нравится, когда женщина курит? Спортсмен ведь...»

Она едва не выкрикнула вслух: «Да я и не собираюсь ему нравиться! Мне вообще плевать на то, что он подумает! Он младше меня на двадцать пять лет! Это же вечность, черт возьми... Да и не только в этом дело... Вся эта возрастная разница – не самое страшное. Хотя – страшное... Но еще страшней этот его серьез. Этот мальчик слишком... настоящий. Он из тех, кто женится на тех, с кем спит. А мне-то это зачем? И куда я с ним еду, интересно знать?!»

Но в истерике хвататься за руль было не в ее духе. Поехала так поехала. Там видно будет. Не изнасилует же он ее. И она его тоже.

Снова стало смешно: «А хотелось бы? Такой мальчик... Наверняка весь крепенький, как молодой дубок. Фу, пошлость какая!»

Не скрываясь, Ольга рассмеялась, откинув голову. Сиденья у нее в «Рено» не кожаные, затылок не утопает. Зато и не уснешь за рулем, размякнув.

– Я кажусь вам смешным?

– Да что вы, Макс! – откликнулась она устало. – Это я сама себе кажусь смешной.

– Вы не можете быть смешной.

– А вот это уже упрек в непрофессионализме! Я ведь и в комедиях тоже играю. Не видели?

Он качнул головой:

– Ваша... героиня может быть смешной. Нелепой. Некрасивой. Вы какую угодно сыграть можете! Но вы сами смешной быть не можете. Вы – самая потрясающая женщина изо всех, кого я встречал в жизни.

Ее вдруг охватило разочарование:

– О-о! Макс, чего вы от меня добиваетесь? Вы так откровенно мне льстите... Вам для кого-то нужна протекция в театре? Или что? Почему вы вцепились в меня мертвой хваткой?

– Не знаю.

Его слова только углубили разочарование: не знает. Ольга мигом призвала на помощь всю свою иронию: «А ты ожидала, что он признается тебе в любви с первого взгляда? Нелепо... Пора уже понять наконец: вспышки страсти остались позади. Только отсветы зарниц еще видны, вот до тебя и не доходит, что это все в прошлом. Свет будущего совсем другой. Без вспышек. Не так уж это и плохо...»

Но, не принимая насмешек, душа ее лепетала свое, жалобное: «Господи, не дай мне влюбиться в него! С ним невозможно будет просто переспать... Потом его вообще из себя не изгонишь!»

– Я не знаю, почему я вцепился в вас, – повторил Макс.

Глуховатый голос, низкий – не актерский. Со сцены его не расслышишь. Ольга выпрямилась, приготовилась принять удар. Лучше сейчас, не так больно будет. Да вообще не больно! Не больно...

– Мне вдруг показалось... невозможным... если вы вдруг уедете. Там, около спортклуба... Думаете, я правда дождя испугался?

Ольга растерянно заморгала: так он... И снова взмолилась: «О господи, нет! Зачем позволил моему сердчишку провалиться в эту радость?! Ведь не нужно мне этого! И ему не нужно».

– Мне показалось, что... – Макс быстро взглянул на нее: не смеется?

– Что? – спросила она, глядя на свои сдвинутые колени, прикрытые тонкой паутинкой.

Сами сжались, будто он мог ворваться в нее прямо сейчас посреди Кутузовского проспекта, в потоке машин.

– Что мир сейчас пустит трещину. Разломится надвое, если вы уедете. Меня прямо в жар и бросило от ужаса. Я не знаю, почему! Но я не мог вас отпустить, понимаете?!

– Все, Макс, – остановила она решительно. – Больше ничего не говорите.

Он послушно замолчал. Потом все же спросил:

– Почему?

– А вам надо это объяснять? Не идиот же вы! – Ольга выкрикнула это от беспомощности: не заставляй же меня повторять, сколько мне лет!

– А что-то может иметь значение, когда мир разламывается надвое?

– Не разломится, – отрезала она. – Можно подумать, что вы испытали это ощущение в первый раз! Если вообще испытали, а не придумали только что...

– А вы что, вообще не верите в любовь с первого взгляда?

– Детский сад! – вырвалось у Ольги. – Не смешите, Макс.

– В смысле: где вы и кто я?

– В любом смысле. Не раздувайте вы из мухи слона! Я уже, честное слово, жалею, что вообще поехала с вами.

Он вдруг поймал ее руку, быстро сжал и выпустил:

– Нет, Ольга! Я просто хочу, чтобы вы побывали у меня в гостях. Работы мои посмотрели. Коллекцию. Ничего преступного, верно?

«А зачем тогда касаться меня?» Она улыбнулась:

– Какой-то странный у нас разговор... Не нужный. Расскажите-ка лучше о себе! Вы – скульптор. Вы что-то заканчивали?

Макс тоже попытался переключиться:

– А то! В Строгановке учился. Правда, заканчивал уже заочно...

– Солидно, – отозвалась она с уважением. – Так что же вы все-таки делали в Кемерово?

Его лицо мгновенно нахмурилось.

– Вот как раз об этом мне точно не хочется говорить.

– Город не понравился?

– Нет, город хороший. Местами даже красивый. Бор там просто потрясный... И людей хороших много.

Но мне и здесь всегда везло с людьми, хоть и кроют москвичей на чем свет...

У нее вырвалось:

– Я вообще-то не москвичка. По рождению. Но я так давно здесь живу!

– Откуда же вы?

– Не поверите, – предупредила Ольга. – Почему-то это у всех вызывало изумление. Из Ялты.

– Из Ялты?! – тоже удивился он. – Как можно уехать из Ялты?

– А как там жить? – Она опять позволила себе расслабиться и закрыть глаза. – Как идти на работу, когда все отправляются на пляж? Да и нет там работы. Мои одноклассники шашлыки жарить пошли, девочки – горничными в «Интурист»... В Ялте отдыхать хорошо. Наверное, и сейчас тоже, я там давно не была. Мы с родителями оттуда уехали, когда я еще в школе училась, за Чертаново зацепились. Все же Москва... Мои и сейчас там живут.

– А в Крым ездите? Теперь другая страна...

– Не езжу. Как-то не к кому. Отдохнуть за те же деньги и в Эмиратах можно, и в Египте.

Макс хмуро ввернул:

– В Париже...

Не позволив ему развить эту тему, она заметила, глядя на отсыревшую от дождей Москву:

– Ялту, говорят, теперь не узнать. А мне нравился как раз Старый город: узкие улочки, вертлявые такие, и все вверх, вверх – к небу! А оттуда – такой вид! – закинув руки за голову, Ольга издала протяжный вздох. – Даже не знаю, где еще есть такая красота... Магнолии розовеют... Парк весь в розах... Чернильные пятна от шелковиц на тротуарах... Заборы средневековые, каменные, а из-за них дикие крики раздаются.

Макс вопросительно заулыбался:

– Какие крики?

Она завопила гортанным голосом:

– Дай нож! Я сказала: дай нож! – Ольга довольно отметила, что он сначала вздрогнул, потом уже рассмеялся. – Это не отголоски убийства. Так у нас женщины ужин готовят. Темперамент – через край.

Ей подумалось, что это прозвучало неловкой саморекламой. Хотя, может, ему и нелишне будет узнать это...

– Вот воздуха ялтинского мне ничто не заменит... – Она вдохнула полной грудью, будто могла прочувствовать то, о чем говорила. И заметила, как его взгляд огладил ее... Улыбнулась как бы воспоминанию: – Это сплетение ароматов цветов, персиков, моря, кипарисов. Его пьешь, этот воздух, наполняешься им. Даже если там живешь постоянно, не перестаешь наслаждаться. У нас дом на горе был, я по вечерам... (там же рано темнеет, как и в Москве, впрочем)...

– И вы по вечерам...

– Открывала окно веранды, которая и была моей комнатой. И из этого окна была видна вся Ялта. И горы, совершенно черные ночью. И море, которое всегда слышишь, где бы ни находился. Я слышала.

Ему вдруг увиделось, как она стоит у окна в одном легком халатике на голое тело, уже готовая ко сну. Облокотилась на низкий подоконник... А он прижимается сзади, входит в нее безо всякой прелюдии. И она вскрикивает от неожиданности, но выпрямиться он ей не дает, упирается ладонью в спину: наслаждайся, милая! Приглушенными ароматами, симфонией ночных звуков, мной...

Макс беспокойно заерзал: так и не доедешь, пожалуй! Ничего не заметив, Ольга продолжала вытягивать паутину воспоминаний, опутывать его по рукам и ногам:

– Мы с бабушкой любили зависать на этом окне и разговаривали перед сном. Она прожила в Ялте всю жизнь. А умерла в Москве – ко мне в гости приехала.

– Она здесь и...

– Нет. Я увезла ее обратно. Было бы до жути несправедливо лишить ее напоследок той земли, в которую она вросла.

Макс взглянул на нее с каким-то суеверным страхом:

– Как вы с этим справились?

– Тогда у меня был муж. Он все организовал. Это не просто было... Я могла себе позволить просто сидеть рядом с ней и плакать.

– А если бы это случилось сейчас?

Не стала скрывать усмешки:

– Вы так пытаетесь выведать, есть ли в моей жизни мужчина? Собираетесь продать информацию «желтой» прессе?

– Деньги мне не помешали бы, – заметил он меланхолично. – Вы подкинули хорошую идею!

Ольга изобразила суровость. Не очень старалась, и вышло неубедительно.

– Тогда я больше не пророню ни слова!

– Нет уж, выкладывайте всю подноготную! С кем, сколько раз и, главное, где в следующий, чтобы папарацци поспели.

Салон машины заполнился пронзительным голосом базарной торговки:

– Ишь ты, губу раскатал! Где да с кем расскажи ему! Много будешь знать – скоро состаришься.

«Черт! – выругалась она про себя. – Почему все, что я ни говорю, сводится к возрасту?!»

Но Макс не обратил на это внимания. Беззаботный смех, мальчишеская челка упали на лоб, кожа-то какая, боже мой... А бриться ему, наверное, приходится дважды в день – щетина пробивается сквозь эту нежную преграду. Все-таки мужчина, не мальчик... У нее предательски обмерло сердце – представилось, как она прижимается к этой потемневшей щеке, трется о нее, наслаждаясь незнакомым теплом. Этого и вправду хочется? Она вонзила ногти в ладони: очнись! Хватит уже. Дома, под одеялом побалуешь себя фантазиями, а сейчас опасно... Он слишком близко. Так близко...

Ей нестерпимо захотелось сию же секунду заставить Макса съехать с этого чертова Можайского шоссе и остановиться. Чтобы протянуть руку. Чтобы взять все, чего так хочется. Почему – нельзя? В чем преступление? Это ведь не кровосмешение, на самом деле, не сын же он ей, хоть и годится... Она годилась Вадиму в дочери, но его же это не остановило! Однако то, что позволено Цезарю... Мужчины могут разрешить себе все, что угодно. Думают, что могут... Потом беспомощно ползают по кровати, умоляя о помощи, жалкие, пахнущие старостью... Таким был муж в последние годы. Каждый день с маниакальным упорством пытался овладеть ее телом (душа-то безраздельно принадлежала ему, он знал), сам мучился и ее мучил. Даже кричал, что она фригидна, оттого у него и не выходит ничего, хотя Ольга уже шла на то, чтобы актерствовать, соблазнять стриптизом, чего раньше никогда себе не позволяла. Считала, что в постели должна царить искренность. Но Вадим вынудил ее изображать шлюху, и на первых порах это чуть-чуть помогло. Потом стало не то, чтобы хуже, а совсем никак.

«И теперь я пытаюсь повторить его ошибку?» Она ужаснулась, вообразив, что может показаться Максу такой же омерзительной и ничтожной в своей тщетной попытке отвоевать у жизни еще немного любви.

Не ради этого ли боксом занялась? Чтобы научиться драться за то, что так хочется заполучить...

– С вами не соскучишься, – весело сказал он. – Я давно уже не чувствовал себя ни с кем так легко.

– А легко – это, по-вашему, хорошо?

– А зачем нужно, чтобы все было мучительно?

– Потому что в душе для каждого человека любые отношения, как правило, мучительны.

Она упрекнула себя: «Зачем я загружаю мальчика? Ему хочется легкости, и его можно понять. Я же сама только что опасалась как раз того, что он захочет основательности. А ему-то это зачем? Двадцать лет. Какая там любовь?! Он просто реагирует на все, что движется. Эрегирует. Разве мне самой не это нужно? Почему бы и не закрутить роман на один день? Кому станет хуже?»

И опять отозвалось: ему. Не тот это человек, который может выскочить из постели и не оглянуться. Этот оглянется. Уже оглянулся, как она и молила. Зачем, спрашивается?!

– Простите, Макс! Я не хотела забивать вам голову психологией человеческих отношений.

Пусти в нее очередную стрелу взгляда:

– Вам кажется, там одна только тьма?

– Ну, если верить Фрейду...

– Он реально был жутко закомплексованным мужиком, вам не кажется?

– Фрейд?!

– Он самый. Мне кажется, он так много рассуждал о сексе только потому, что неуверенно чувствовал себя в этом деле.

Ольга усмехнулась: «Смело! Так ему – старому Зигмунду... Почему он, кстати, в детстве часто видел свою мать обнаженной, как пишут? Сама показывалась или подглядывал?»

– Может быть, – отозвалась она, разглядывая смуглую руку на руле. Костяшки пальцев сбиты в кровь. Без перчаток боксировал, что ли? У Кима это запрещено... Или просто подрался?

Его мысль неожиданно сделала виток:

– Вы так и не ответили... В вашей жизни сейчас есть мужчина?

– Макс! – опешила она. – Что за нездоровое любопытство?

– Почему – нездоровое? – неподдельно удивился он.

– Да с чего вы решили, что я готова откровенничать с вами?

– Да, действительно, – пробормотал Макс. – Мы еще не добрались до дома.

Ее начал душить смех:

– А там что? Вы поведете меня в исповедальню?

– Мастерская – это и есть исповедальня.

– Согласна. Но только для того, кто в ней работает. Не для меня.

– Я хотел бы вылепить ваш бюст, – признался он и сам засмеялся, услышав. – Ну, в смысле... – показал рукой от макушки до пояса. – А лучше всю вас, целиком... В бронзе отлить? Нет, не решил еще...

Откуда-то всплыла застарелая досада: неподалеку от их школы находилось художественное училище, и многих старшеклассниц студенты-портретисты приглашали позировать. Ее никогда. А ведь она ждала приглашения. Лицо свое с недоумением разглядывала: уже ведь не такой лягушонок, как в четырнадцать лет... Все еще недостаточно хороша?

Когда Ольгу как-то вдруг стали называть красавицей, она каждый раз опасалась подвоха. И теперь эта былая подозрительность дала себя знать: зачем ему мой портрет? И как он собирается меня изобразить?

В манере Пикассо – глаза в ушах, нос во рту? Ей понравилась эта фраза из фильма, которую сам Пикассо-Хопкинс и произнес. Был у человека дар посмеяться над собой...

– По-моему, портретов актрис уже с избытком, – заметила она с опаской. – И скульптурных бюстов тоже.

– Тогда уж вообще портретов – с избытком, – парировал Макс. – И всего, чего угодно: музыки, книг... Скажите, зачем люди вообще занимаются искусством, если уже были и Леонардо, и Толстой, и Моцарт? Вы вот зачем выходите на сцену после Ермоловой?

– К театру это как раз не имеет отношения. Это же не кино. Слепков не сохраняется. Никто из живущих не видел, как играла Ермолова. Наше искусство эфемерно, оно растворяется в воздухе, как только мы уходим со сцены.

Он серьезно возразил:

– Что-то остается в душе каждого зрителя.

Сморщив нос, Ольга махнула рукой:

– Это только громкие фразы! Филозов всю жизнь сеял разумное, доброе, вечное, а на него напали сразу после спектакля, избили жутко... Что у них было в душах?

– Это были не его зрители.

– Но что-то ведь эти питекантропы когда-нибудь смотрели! Читали. Из-за белого Бима, наверное, рыдали, как все мы в детстве, а старого артиста не жалко было! Ведь его же в лицо все знают.

– Не все, – заверил Макс. – Хотя он реально стоит того, чтобы его знал каждый.

Быстрый взгляд, умоляющий какой-то, словно просит разрешения сказать:

– И вы этого стоите.

– И вы хотите первым меня увековечить, – отозвалась насмешливо, хотя себе призналась, что это приятно.

Его улыбки были короткими, словно торопливых белых бабочек-однодневок выпускал.

– А вдруг?!

– Я вам желаю этого, – сказала Ольга серьезно. – Не именно с моим портретом, а чтобы вообще, все – на века.

– Да вы ведь еще не видели моих работ. А вдруг я – бездарь?

– Вы? Нет. Не может быть. В вас чувствуется... мощь.

Она ощутила, как опять краснеют щеки. Муж всегда подсмеивался над ней за это: «Ты – вечная гимназистка. Розы алеют на щеках!» Ему нравилось касаться губами ее щек, он говорил, что такие бывают лишь у детей. Но Пашку он почему-то никогда не целовал... Не мог простить сыну того, что он останется с ней, когда самому придется уйти? Нет, это глупо даже для Вадима... Хотя если припомнить все, чем он ее мучил...

Макс только посмотрел на нее пристально. Тоже уловил невысказанное? Брови сошлись черными мазками. В его лице все – мазками. Одновременные четкость и легкость. Тонкий овал, никакой тяжеловесной челюсти, мощных желваков. А сила так и сквозит в каждой черточке, вот странно... Наверное, подобное лицо Цветаева сравнила с клинком. Было у Марины такое? Или это она сама только что придумала? Забывать стала, давно не перечитывала, Фаулзом увлеклась. С «Волхвом» по квартире ходила, одной рукой уборку делая, из другой толстенный том выпустить не могла. Следом «Башню из черного дерева» прочитала, «Мантиссу», «Коллекционера»... Заворожил. А чего еще ждешь от книги? Мердок считала, что в памяти читателя остаются только магия и сюжеты. Остальной выпендреж автора улетучивается, не коснувшись души, к которой литература и обращена. На кого-то действует волшебство одного писателя, на кого-то – другого. В результате у каждого появляется свой читатель, борьба бессмысленна, как в любви – насильно не заставишь очароваться.

– А вот и Переделкино, – объявил Макс, повернув налево. – Экскурсию оплачивать будете?

– А дорого берете? – мгновенно включилась она в игру.

– С вас – одно доброе слово!

– Согласна.

– Тогда посмотрите направо, товарищи! Сейчас мы проезжаем владения губернатора Московской области Бориса Громова.

– О! – вырвалось у Ольги. – Заедем в гости?

Помотав головой, Макс продолжил:

– Теперь взгляните налево. Перед вами дача спикера Бориса Грызлова.

– Неплохо, – вздохнула она. – У вас такой же дом?

– Увидите. – Он загадочно расширил глаза.

«Что за крови в нем намешаны? – подумала Ольга. – Что-то восточное тут явно присутствует... Спросить – неудобно как-то. Может, к слову придется, сам скажет?»

– Так... Впереди у нас речка Переделка. Видите мост? Справа, кстати, Самаринский пруд. Была тут раньше усадьба графов Самариных. Парк обалденный просто – липовый. А из построек уцелел один деревянный дом. Стилем ампир интересуетесь?

Она дернула плечом:

– Да как-то не особенно...

– Вообще-то по Переделкино пешком ходить надо. Ауру впитывать. Здесь же кто только не жил!

Остановила его улыбкой:

– Ну, это я знаю.

Он сразу смешался:

– Конечно... Нашел кому рассказывать...

– Да нет, Макс! – спохватилась Ольга. – Это как раз здорово, что вы рассказываете! Я же только теорию знаю, имена. Живьем никогда не видела. Хотя вообще-то парочка поэтов через мою жизнь прошмыгнула... Из ныне здравствующих.

Нервная усмешка:

– Стихи посвящали?

– А то! – ответила Ольга, как он недавно. – Воспевали мою неземную красоту... У меня даже хранятся где-то автографы.

– Загоните с аукциона, когда знаменитыми станут?

– Не похоже, что станут... Хотя... Кто год назад знал писателя Сергея Минаева? Только его тезку – певца.

Макс удивился:

– А есть такой певец?

«Вот тебе и пропасть между поколениями, – отметила она с легкой досадой. – Конечно, он тех песен и не слышал...»

– Был. Может, и сейчас поет.

– А ваши поэты? Пишут?

– Наверное. Они оба – в прошлом. Я не люблю туда заглядывать...

– Много неприятного?

– Приятного больше, – не постыдилась признаться Ольга. – Не поэтому не люблю... Просто когда часто обращаешься к прошлому, кажется, что мало осталось будущего.

Он сдавленно кашлянул, будто собирался произнести спич:

– Я читал где-то, что только сегодняшний день имеет ценность. Прошлого уже нет, а наступит ли будущее, пока неизвестно.

«А ведь он прав, – это ее даже обрадовало. – Какой смысл бояться завтрашней боли или стыда будущего? Я ведь могу и не дожить до этого будущего? Или просто никакой боли и не возникнет. Что там будет завтра – кто знает? Зато я точно знаю, что мне нужно сейчас...»

Макс опять отвлек ее от мыслей о самом себе:

– Тогда – что? Погуляем потом?

– Потом? – осторожно уточнила она. Но не испуганно, а чуть улыбнувшись, чтобы подтолкнуть его этим движением губ в нужном направлении.

– Ну, я же обещал показать вам свои сокровища... Или вам это на самом деле не так уж и интересно?

– Очень интересно.

Ольга заглянула ему в глаза, чтобы не осталось сомнений. Его ресницы быстро смокнулись, будто Макс поймал ее взгляд, замкнул в себе.

– Правда, Макс.

Проговорила это без улыбки, даже глазами не выдала того, что сильно преувеличила свой интерес. Который был – к нему самому. Но, с другой стороны, его увлечения – это и есть он сам.

– Вообще-то я живу не совсем один.

Ее слегка контузило: так предстоит знакомство с его девушкой?! В маечке выше пупа, в джинсах, висящих на самых бедрах, от которых ноги становятся уродливо короткими... Этой осенью такие уже не в моде, но многие еще продолжают носить.

– У меня один парень снимает домик для гостей. Но он не доставляет хлопот. Не навязчивый.

У нее отлегло от сердца.

– Хорошо воспитан? – спросила она, уже не скрывая, как весело завибрировал голос.

– Немец, – отозвался Макс, будто это говорило само за себя.

– И что он делает под Москвой? С войны окопался?

Макс хмыкнул:

– Ему всего лет тридцать с чем-то... Романтик, каких еще поискать. В Россию стал рваться, когда Высоцкого услышал. Как там у него про баньку?

– «Затопи ты мне баньку по-черному»?

Кивнув, он улыбнулся:

– Потрясный мужик, честное слово! Зовут, как Шумахера – Михаэль.

У Ольги вырвалось:

– О! Шуми...

– А вы его... поклонница?

– Вы хотели сказать: фанатка? Можно сказать и так... Я даже перестала смотреть «Формулу-1», когда он...

Макс перебил, не удержал изумления:

– А вы смотрели гонки?!

– Еще как смотрела! И сама себя лишила их после того, как Шумахер уходить собрался. Да еще и не чемпионом... Такой парень! – Она махнула рукой. – Мне именно «Рено» сын подарил потому, что Шумахер на этой машине впервые чемпионом стал. Лучше бы, конечно, «Феррари», но это Пашке пока не по карману. А команда Михаэля тогда «Бенетон» называлась... А ваш Михаэль чем занимается?

– Переводчиком работает в каком-то издательстве. Переводит какую-то лабуду с русского на немецкий. Хотя мог бы и наоборот. По-русски так пишет, многим нашим литераторам и не снилось! Говорит немножко хуже. И с акцентом. Смешной такой...

Почему ей стала так приятна нежность, зазвучавшая в его голосе? Не на нее обращенная... И немца этого она еще в глаза не видела. Но то, что Макс способен относиться к кому-то так трогательно, отзывалось в ее душе робким ликованием. Как говорится, потенциал есть...

И тут же стало стыдно за себя до того, что едва не скрючилась на сиденье. Потенциал... Слово-то какое... Хладнокровный оценщик чужих душевных глубин – откуда он взялся в ней? Когда появился – циничный, скучный – заполнив собой брешь, оставшуюся после ее последней любви? И когда это было? В прошлом веке. В прошлом тысячелетии...

«Я не хочу этого! – едва не закричала она в голос, больше не обращая внимания на то, что показывал ей Макс. – Не хочу жить только прошлым! Разве я уже умерла? Разве состарилась? Неужели я уже разучилась хмелеть от запаха мокрой травы?»

– Остановите!

Машина встала как вкопанная, Ольгу даже швырнуло вперед, ремень, как обычно, не пристегнула. Макс испуганно посмотрел на нее:

– Что?!

– Я хочу выйти. – Она распахнула дверцу и выскочила наружу.

Макс вышел не сразу. О чем успел подумать за эту пару минут? У тетки – климакс, чудит напропалую... Нет, ужаснулась Ольга, он не мог так подумать. Только не он.

– Я что-то не так сказал? – спросил он наконец, выбравшись из машины.

Мотнув головой, Ольга прошла вперед, сунув руки в карманы черного кожаного пиджака, оглянулась:

– Далеко еще до вашего дома?

– Метров пятьсот...

– Тогда поезжайте вперед, я хочу пройтись.

– Что я не так сказал?

– Все так! Я просто давно не дышала таким воздухом. Забыла эти запахи после дождя. Нельзя же забывать их!

Он поджал губы так, будто Ольга ударила его. «Господи, какие у него губы... Зачем Ты дал ему такие?!»

– Мы же хотели прогуляться потом, – напомнил Макс.

– Потом? Видите ли, Макс, жизнь так устроена, что чаще всего это «потом», на которое рассчитываешь, не случается. Вы же сами только что об этом говорили... У меня недавно знакомая упала с горного велосипеда на ровном месте – за бордюр зацепилась. Уже домой возвращалась... В результате такая черепно-мозговая травма, что даже хирурги не надеялись спасти. Сорок дней в коме пролежала... Сейчас ничего не помнит, полная амнезия, говорить заново учится. Прежней уже не станет... Видите, что с любым из нас может случиться в любой момент? Поэтому нужно делать то, чего тебе нестерпимо хочется, прямо сейчас. Сию же секунду. Или перестать об этом думать.

– Сию же секунду? – переспросил он.

Громкий удар дверцы, отчего Ольга поморщилась: «Бедная моя машинка!»... Но мысль о ней сразу же сменилась испугом – Макс шел прямо на нее, и она почему-то не могла ни отойти, ни защититься руками. Просто сил не было. Его руки впились в предплечья так, что мелькнуло смутное сожаление: «Синяки появятся...» И растворилось в поцелуе. Со всеми сомнениями... С разницей в четверть века... Со всеми предыдущими возлюбленными...

Словно первый мужчина коснулся ее губ... И только ему она, скрученная сладкой судорогой в животе, могла доверить себя целиком.

Но это ощущение прошло, как только Макс отстранился. Все мучившие ее сомнения вернулись. Ольга так и просела, и Максу пришлось поддержать ее. Оттолкнув его руки, она попятилась, оглушенная, не понимая, как вести себя теперь, что ему сказать. Все доводы, которые Ольга могла привести, ему были известны не хуже, только его не остановил ни один из них. Следуя ее же призыву, он всего лишь сделал то, чего ему нестерпимо хотелось... Но как поверить, что это искренне?!

– Не надо!

В словах – запрет, руки отталкивают, но взглядом притянула снова, сама почувствовала. Не сознательно это сделала, откуда-то из темных глубин вырвался этот взгляд. Там, внутри, не было никакого страха, одно слепое желание...

Ткнулась спиной в бок своей «реношки», ладонями скользнула по мокрой поверхности – еще не высохла после дождя. Не проронив ни слова, Макс шагнул к ней и, сжав ладонями ее лицо, снова припал к губам. Нестерпимая жажда... Что с ней поделаешь? Перетерпеть немыслимо, унять можно, только удовлетворив. Ольгу опять пронзила насквозь острая сладость... То ли не целовалась давно, то ли эти губы какие-то особенные, то ли привкус порочности происходящего добавляет остроты... Медовый запах клевера от кожи, как и представлялось...

«Да будь что будет, – простонало все ее нутро. – Какие еще у меня радости? Перчаткой по чужому шлему колотить? Такую же несчастную бабу в углу дубасить? Вот только он этого узнать не должен... Ольга Корнилова просто купается в любви и обожании... Чушь какая!»

– Садитесь, – выдохнул Макс и распахнул дверцу. – Через минуту мы будем дома.

Она села, почти не понимая, что делает, не желая даже думать об этом. Главное сейчас – не дать разрастись стыду. Почему она обязана давить в себе все желания?! Одного прогнала потому, что жена у него хорошая женщина, не заслужила такой обиды. Другой влюбился так, что это могло кончиться только браком, которого Ольга не хотела. А он не хотел по-другому... Скольких еще она должна оттолкнуть? Ради чего? Чтобы снова поникнуть в своем одиночестве?

«Но как я разденусь при нем? – вдруг охватила ее паника. – Он ведь девочек двадцатилетних привык видеть...»

– Макс, отвезите меня домой. Ко мне домой.

– Нет.

Ее поразило это «нет», она не ожидала отказа. Секунду назад Ольге казалось, что все зависит лишь от ее желания или нежелания. Ей моделировать это будущее... Но, оказывается, Макс имел о нем свое, не менее четкое представление, окончательно оформившееся за время пути. Запершись в ее маленькой машине, они оба, не отдавая себе отчета, раздували разгоревшуюся теперь в его теле страсть. Ольга боялась даже думать, что и в душе тоже. Последнее страшнее, от этого не отделаешься, просто переспав.

«Да нет, не может этого быть, – попыталась она успокоить себя. – Мы ведь только встретились, какой-то час прошел... Как в нас все могло разрастись настолько?!»

Выкрикнула в отчаянии:

– Вы что, не поняли? Я не пойду к вам, Макс!

Он уже остановил машину возле небольшого теремка, раскрашенного в яркие цвета – теплый привет из сказочного детства! Вот какой у него дом. Совсем рядом был, действительно не больше минуты прошло... В ней еще все бурлило и кипело, хотя Ольга пыталась это скрыть. И которым не могла насладиться...

«Вот черт! Как же мне это нравится». Ей захотелось просто закрыть глаза, превратиться в слепоглухонемое существо, живущее одними ощущениями. Уже надумалась и наговорилась за столько лет...

Повернув к ней побледневшее лицо (даже губы внезапно выцвели), Макс произнес почти шепотом:

– Оля, если вы скажете, что я вам противен, я...

– Нет! – вырвалось у нее. – Не противны, Макс, нет. Это совсем не то. Вы не о том говорите! Думаете...

– У вас есть кто-то другой?

«Он ведь уже спрашивал... Не поверил? Что же, еще и убеждать его в своей совершенной ненужности? – затосковала она. – Никто не позарился. Ни мужа, ни любовника. Хотя, может, это как раз и охладит его: мужчины ведь охотятся за тем, что принадлежит другому. Я хочу, чтобы он отступился?»

Проверяя не столько Макса, сколько саму себя, она выдавила:

– Нет. Сейчас – нет.

– Тогда – что? – Умоляющий голос, несчастные глаза – как им не поверить?

– Вы и сами все знаете!

Она еще пыталась быть резкой, чтобы самой себе не позволить прижать его голову, стиснуть так, чтоб он вскрикнул от боли, а потом пожалеть, заласкать до одурения. Самой одуреть от нежности...

– Что именно я должен знать?

– Что пропасть не перемахнешь только потому, что этого хочется.

– Нет никакой пропасти, – поразив ее, сказал Макс и как-то устало потер лицо, будто пытался проснуться. – Вы сами ее придумываете. Мы только что и смеялись вместе, и разговаривали, и... Разве вы реально ощущали эту пропасть? Почему же она должна возникнуть во всем остальном?

– Она не возникнет. Она просто существует, и всё.

Он постучал пальцем по своему лбу:

– Только у вас в голове.

– Реальность – это то, что мы о ней думаем? Это старая идея.

– Оля, чего вы боитесь?

– Еще скажите: что вам терять!

– Я не притронусь к вам больше, если вам на самом деле так страшно, – пообещал Макс.

Его глаза не лгали, он действительно собирался выполнить то, что обещал. Ольга с испугом прислушалась к тому, каким разочарованием отозвались в душе его слова. Эти губы больше никогда не вопьются в нее с такой жадностью, о какой уже и не мечталось?

«Ну, и правильно, – она попыталась протрезветь усилием воли. – Так и должно быть. Нечего выставлять себя на посмешище».

– Договорились, – проронила она и вышла из машины. Не дожидаясь Макса, пошла к его дому, бросив взгляд на гостевой флигель в саду: немец у себя? И не поняла этого.

Росшая у крыльца липа уронила каплю ей на плечо. Машинально щелкнув по ней пальцем, Ольга оглянулась: Макс шел к ней, глядя исподлобья, неожиданно похожий на того черного добермана, которого она подобрала прошлой зимой. Он бегал по улицам в наморднике, перепуганный внезапно обретенной свободой, пытающийся найти своего хозяина или хотя бы кого-то, готового взять его за ошейник, отвести в тепло. Его крупное, красивое тело подрагивало от холода, и он то и дело задирал заднюю лапу, становясь смешным, совсем не страшным. И Ольга сама позвала его:

– Эй, псина, иди сюда!

Его взгляд впился в ее лицо с надеждой, он сразу понял, что эта женщина не обманет. Не обидит. Она просунула пальцы под ошейник на холке, придержала его.

– Куда ты дел своего хозяина? Пошли искать.

Они бродили вдоль Цветного бульвара и по соседним улицам, опрашивая прохожих, наверное, целый час, пока Ольга сама не сдалась.

– Ладно, пойдем ко мне. Хоть погреешься. Да и жрать ведь хочешь, как собака!

Почему-то не чувствовала страха, даже когда она сняла с добермана намордник. Газеты пестрели жуткими статейками про собак-убийц, а Ольга сидела на полу, рядом с чавкающим псом, желтоватые клыки которого мелькали в полуметре от нее, и не испытывала ничего, кроме сострадания. Оставить его у себя было немыслимо: она же то и дело уезжает на гастроли, как он будет без нее? Доберман – не пудель, не попросишь соседей выгулять. Только что таскал ее так, что она просто ехала за ним по обледенелым дорожкам...

«У Васьки громадный дом, – вспомнила она об одном из своих бывших. – Может, возьмет, если я очень попрошу? Опять же – сторож... Придется тащиться с ним в постель, чтобы согласился».

Собаку она была вынуждена запереть в другой комнате, когда Василий явился на смотрины, которые, как Ольга и предполагала удрученно, начались в ее постели. «Только бы пес не почувствовал в нем соперника». Она продолжала думать о добермане, даже придавленная мужчиной к кровати. Васька всегда был сверху, в самом классическом положении, по-другому просто не мог. Наверное, поэтому у них все и закончилось так быстро, что ее утомило ощущение подчиненности, которого требовал заместитель директора завода. На работе власть была не полной, на женщинах отыгрывался...

«Пусть лучше собакой командует. Он не жестокий, – опять мысленно обратилась она к доберману. – Он тебя не обидит. Просто будет играться в хозяина... Но ведь для тебя он и должен быть хозяином. Со мной у него этот номер не прошел».

Когда через месяц она заглянула к Василию, пес узнал ее и, похоже было, что улыбнулся по-собачьи, но уже как теплому воспоминанию. Взгляд его не задержался на ней, он тотчас нашел лицо хозяина, уцепился за него с радостным ожиданием: «Ты помнишь, что я здесь? Что я – твой главный друг? Не эта женщина. Она, конечно, милая, но...» И Ольга заторопилась, чуть ли не бегом бросилась к машине. Ей было внове чувствовать себя лишней собаке. И она не могла этому противиться, даже не знала – как, хотя ни одному человеку, кроме сына, не позволила бы вытеснить себя из того пространства, в котором ей хотелось остаться. Тут, признаться, и хотелось-то не очень.

Макс распахнул перед ней дверь, до этого легкомысленно, всего один раз провернув в замке ключ. Ей почудился сладковатый запах бревенчатых стен, хотя дом был сложен из кирпичей. Ольге некстати вспомнилось: «Дом кирпичный – крепкий дом! Серый волк не страшен в нем!» И захотелось узнать: от каких страхов прятался Макс за этими стенами? И чувствовал ли себя маленьким, беззащитным поросенком? Стало смешно: в предстоящую новогоднюю ночь все будут дарить друг другу игрушечных поросят. Подарит ли Макс ей себя?

Отмахнувшись от этой мысли, она прошла в центр небольшого холла. Светлые стены, белый потолок, песочного цвета ковровое покрытие... Какое-то искусственное, усиленное добавление светлого в жизнь. Ему не хватает? Что представляет собой его жизнь? Оглянулась: Макс по-прежнему смотрел на нее с настороженным ожиданием. Доберман. Такой сильный и молодой, и так болезненно нуждающийся в ласке... У нее даже ладонь заныла – мучительно захотелось погладить его.

– Где же ваша мастерская? – спросила Ольга, пытаясь звуком собственного голоса заставить себя очнуться.

– Вы любите подглядывать в замочную скважину? – удивив ее, спросил Макс.

* * *

Скважина оказалась довольно крупной, обзор – панорамный, наслаждение для любопытствующих. Образована двумя профилями: почти нос к носу, рты разинуты – вопль застыл, но так и звучит в ушах. Кто из имеющих соседей не слышал его?

– Потрясающе... И как вам удалось *так* увидеть? Как вы ее назвали? – спросила Ольга почти шепотом – благоговение не позволяло усилить голос.

То, что Макс с самого начала не назвал себя начинающим, теперь – она видела – оправдывалось. «Наверное, художником рождаются, – подумалось ей. – Или у тебя есть это особое зрение, или нет. Его, как мышцы, не накачаешь».

Макс пожал плечами:

– «Коммунальная квартира»? Просто – «Соседи»?

– По планете...

– Да! – У него вспыхнули глаза. – Это мысль.

Ольга попыталась охладить его:

– Нет, так не надо! Это слишком мрачно. Не все мы ненавидим себе подобных.

Он заглянул ей в глаза. Черные всполохи у самого лица, чуть не отшатнулась.

– Нет?

– Мне нравится то, что вы делаете.

«Слишком близко он стоит, – мелькнуло в мыслях паническое. – Так не принято разговаривать... От этого в голове путается... От запаха его. Тепло кожей улавливаю. А он – тоже? Нарушает мое личное пространство как ни в чем не бывало. Его забавляет это?»

Но в лице – напряжение, не похоже, что забавляется. Или так талантливо играет? На зависть. Она отошла, начала рассматривать другие работы, но смотрела уже мимо. Мысли разбегались, кровь бурлила... Она попыталась усмехнуться: «Да все можно сделать. Справиться с бунтом плоти не так уж и трудно. Надо только перестать спрашивать себя – зачем?»

– Зачем? – внезапно спросил Макс.

Она крутанулась на месте:

– Что?!

– Зачем вам так необходимо быть одинокой?

– Кто вам сказал, что я одинока?

– Вы сами и сказали.

– Вы меня неправильно поняли. Я говорила, что у меня нет сейчас... любовника, – решила назвать вещи своими именами. – Но это не значит, что я одинока. У меня есть сын.

Откликнулся с легкой издевкой:

– В Париже? Рукой подать!

– У меня родители живы, слава богу, сестра рядом, друзей масса...

Макс нарочито передернулся:

– Даже представить страшно: масса друзей... Похоже на каловые массы. Бр-р!

– Не глупите! – одернула Ольга. – Почему я вообще оправдываю тут перед вами свою жизнь?!

– Потому что я все равно войду в нее. Рано или поздно. Лучше – сейчас.

Он произнес это так, что она почувствовала озноб. Не самонадеянность звучала в его голосе, а какая-то глубокая убежденность. На уровне сердца.

– Максим...

– Макс, – поправил он.

– А у вас что – боязнь своего полного имени?

Качнул головой:

– У меня вообще нет никаких фобий. В детстве была.

– И какая же?

Почему она так уцепилась за ниточку его воспоминаний? На что надеялась в этот момент? Что эти его прошлые страхи опять нагромоздятся между ними, окончательно отделив? Или наоборот – позволят ей увидеть его истинного, без игры, которую Ольга в нем почему-то подозревала, хотя из них двоих не Макс был артистом...

Он обвел рукой стены своей мастерской, выкрашенной молочно-белой краской:

– Я темноты боялся.

– Ну, этого все дети боятся.

– Нет, я боялся просто до жути! – Он упрямо склонил голову, отстаивая свою исключительность хоть в чем-то. – Не как все... В школе пацаны прознали про это и заперли меня на уроке труда в подсобке. Без света, естественно. Я тогда понял, как люди на самом деле сходят с ума. Знаете, уши заложило от страха, корежило всего. Даже воздуха не хватало. Я реально задыхался! Орал как резаный, а они, наверное, ржали, как лошади, но где-то далеко, я их не слышал. Вообще

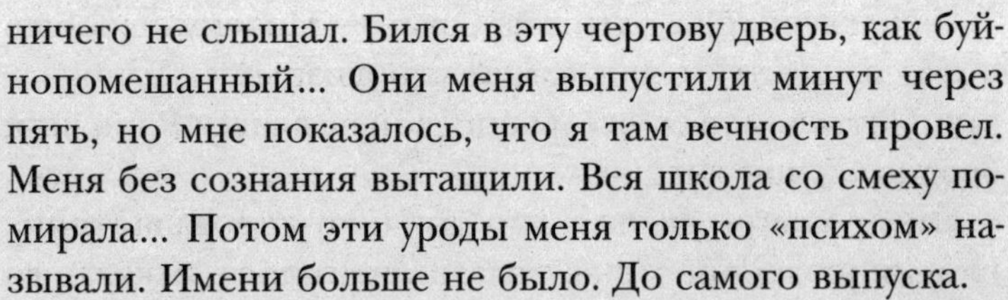

ничего не слышал. Бился в эту чертову дверь, как буйнопомешанный... Они меня выпустили минут через пять, но мне показалось, что я там вечность провел. Меня без сознания вытащили. Вся школа со смеху помирала... Потом эти уроды меня только «психом» называли. Имени больше не было. До самого выпуска.

Не задумываясь над тем, что делает, почти не отдавая себе отчета, Ольга шагнула к нему и порывисто прижала к себе. Не мужчину – ребенка. Того, перепуганного до смерти, всеми отторгаемого. Щурясь от наплывающих слез, она гладила и похлопывала его, утешая:

– Все-все, мой хороший. Это все позади. Больше такого не будет...

Руки Макса неуверенно коснулись ее спины и судорожно вжались. И этот порыв вновь превратил его в мужчину, которого Ольга боялась. Животом ощутила напряжение его тела, грудью вобрала тепло.

– Нет-нет, – попыталась она освободиться, но Макс не разжал рук. На этот раз не послушался. Правда, она не слишком и сопротивлялась. У самой в мыслях мелькнуло, что больше раззадоривает его, твердя «нет», чем по-настоящему отталкивает.

И, осознав это, Ольга внезапно так ослабела от проявления им силы, что расхотелось сопротивляться вообще. Обмякла в его руках. Когда тебя так прижимают, боксерскую стойку не примешь. Да он и сам это умеет. Что же – поединок тут устраивать? Мыслимо ли это, когда его щека так вжимается в ее щеку... Легкие уколы... Совести? Или все проще – ему пора побриться? Дыхание обжигает шею...

Она невольно выгнула шею, пытаясь ускользнуть от ожога, а Макс понял это по-своему. Его губы несколько раз влажно припали к коже, чуть вобрав ее, точно собирали запах, вкус...

Как получилось, что она сама всем лицом вжалась в его шею, этим движением прорвав последний запрет, позволив все остальное? Когда целуешь так, уже бессмысленно говорить: нет... Да и как его скажешь, если все внутри свело судорогой – от сердца к самому низу живота?! За одно это ощущение, которого, кажется, лет десять уже и не испытывала, стоит пожертвовать своей чертовой репутацией! Которая к тому же не так уж и безупречна...

Кажется, это было последнее, о чем Ольга смогла подумать связно. Потом мыслей не было. Не расцепляя рук, так и ухнули сквозь тысячелетия, вернулись на уровень инстинктов, когда миром правило только «хочу». И она знать не желала ничего, кроме этого слова, этого стона, этого зова. Всем своим существом кричала, просила, требовала. Захватила и вобрала в себя. Впустила внутрь почти незнакомого, но уже не чужого, раз пожалела, приняла сердцем. Ртом, грудью, всем чревом...

Раздеваться слишком долго, когда все тело так и вопит от нетерпения. Она уже проходила через такое, в первый раз это часто случается именно так: главное освободиться от нижнего белья, чтобы успокоение вошло в нее. Он чем-то резанул тесемку, чтобы не снимать с нее еще и чулки – скорее, скорее! Нож оказался под рукой? Какой-то инструмент скульптора? Ольга приняла жертву без сожаления, хотя в этот день надела дорогое белье – как всегда на тренировку, где ее могли увидеть партнерши по клубу. Но в такой момент все было не важно: и сколько оно стоило, и смотрит Макс на нее или нет, и как смешно он выглядит со спущенными штанами... В сексе вообще много комического, вот только в тот момент, когда тебя изнутри сжирает желание, этого не замечаешь...

Он подсадил ее на какой-то стол или верстак, Ольга даже не поняла, что это под ней. То, что уже вошло в нее, было сейчас средоточием всего. Молодая сила заполнила ее зовущее нутро, проникла так глубоко, как никто до сих пор. Она вскрикнула от радости обретения, которую не нужно было изображать, как когда-то давно, еще до рождения сына, когда ее неразвитый организм боялся всего инородного. Желание возникало и тогда, но раз за разом разочаровывало – никаких ощущений, кроме боли. Точно наждачкой по живому. И приходилось призывать на помощь весь свой талант, чтобы не разочаровать того мужчину, которого тогда любила. Они всегда принимают женскую неспособность к оргазму как личное оскорбление. Хотя их достоинства или недостатки чаще всего тут вообще ни при чем.

Другое дело теперь... Молодость прошла, но жизнь дарила взамен способность к наслаждению такой пробы, что у самой дух захватывало: «Господи, как хорошо!» Ольга и сейчас уже постанывала, растворяясь в новых ощущениях, что возникали в тех точках, до которых никто еще не доставал. В определенном смысле – первооткрыватель. Его пальцы вжимаются в бедра, лепят, подтягивая к себе ее тело и тут же мягко отталкивая его. Юбка задрана так, что белая полоска над волосами молочно светится. Ему должна понравиться ее кожа, раз он так любит все светлое. И словно уловив ее мысли, Макс прижал ладонь к ее животу и нажал так ловко, будто собирался сделать непрямой массаж. Выгнувшись навстречу его руке, Ольга без слов потребовала повторить это, и он опять погрузил в нее свои волшебные пальцы.

Как долго это продолжалось? Как ему когда-то, маленькому, запертому в темноте, Ольге показалось –

вечность прошла. Сто лет наслаждения. Распростертая на его рабочем столе, в расстегнутой блузке, она вскрикнула от самого сильного спазма, растекшегося пульсацией удовольствия. Беззвучные сигналы счастья... Ощущение невесомости – и внутри, и вокруг... Летишь в пустоту, не испытывая страха.

Но земля уже притягивала, возвращая способность мыслить. Стыдиться. Убрав с тела его руки, Ольга сползла на пол, опустила юбку, застегнула пуговицы, затаив дыхание, прислушалась к падению тяжелой капли. Она не могла заставить себя поднять голову, взглянуть ему в глаза: «Господи, что я наделала?!» Макс обеими руками собрал ее растрепавшиеся волосы, приподнял лицо:

– Не улетай в Париж.

– Я уже обещала...

– Позвони!

Темные, прямые брови сошлись, как от боли, в складке еще поблескивает влага. Все лицо промокнуть бы мягкой-мягкой салфеткой, такая нежность сжимает сердце... Умоляющий взгляд – как от него увернуться? Как отказать этому ребенку-мужчине, что цепляется за ее руки, не отпуская, точно без нее – снова мрак, от которого теряешь сознание... Но ее ведь сын – не этот. Настоящий ждет в Париже. В другой раз может и не обрадоваться, если она соберется навестить. Там тоже нужно цеплять мгновения счастья. Вся жизнь в охоте за ним.

– Я не могу!

Она отталкивала его руки, пыталась отойти, а Макс ловил ее снова и снова. Танец желания и протеста, несколько запоздалый в своем исполнении... Но Ольгу пугало, что Макс может подумать, будто случайная вспышка способна обернуться первым звеном цепи, которая будет еще долго связывать их. Разве он не понимает, что сейчас она должна уйти? И лучше им больше не видеться. Даже случайно. Даже на тренировке.

– Только не говори, что жалеешь!

– Я не жалею, нет. – Она плохо понимала, что говорит, и путалась в словах. – Я только не хочу... Ты не должен придавать этому значение, понимаешь?

Его руки разжались:

– Как это – не придавать значения?

– Ну, не то чтобы совсем... Но не преувеличивать! Такое ведь случается время от времени.

– Правда?

Макс отошел и сел на какую-то низенькую скамеечку, колени оказались на уровне груди. Опустив голову, он безотчетно тер и мял собственные пальцы.

– Так это для тебя всего лишь... развлечение? Эпизод? И не такой уж редкий, я так понял?

– Нет, не так. Я не говорила, что это часто случается со мной. Я говорила о жизни вообще.

Он бросил на нее взгляд, значения которого она не успела распознать.

– Люди любят рассуждать о жизни вообще, как будто примерили уже сотню судеб! А ведь каждый знает только то, что произошло с ним самим. Не так уж много нам удается испытать за полвека активной жизни... Так называемый опыт на самом деле сплошная фикция!

Ольга даже растерялась:

– Ты действительно так считаешь?

– Конечно. Я читал, что каждый человек выбирает себе в пару людей определенного типа. Сколько бы ни было партнеров за жизнь, все они похожи, как братья. В чем же заключается хваленый опыт? Разнообразия никакого. С тем же успехом можно было оставаться однолюбом.

– Ты – интересный человек, – сказала она искренне.

Пальцы сейчас сломаются – зачем же так?

– Но это ничего не меняет?

– А что это может изменить? Солнечное затмение случается редко...

Макс опять вскинул голову:

– Для тебя это было затмением?

– Ну... – Ольга так и не нашлась что сказать.

– А для меня – озарением.

Откинув голову, она открыто рассмеялась:

– Давай не будем разыгрывать сцену из спектакля! Мне театра за глаза хватает.

– Я ничего не разыгрывал.

– Не хочешь же ты сказать...

– Да, – быстро ответил он и встал, вынудив ее попятиться.

Ольга вдруг ощутила, как неловки стали ее движения, как неуклюже отступила она назад, наткнулась на одно из его изваяний – такую же тяжеловесную женщину. Оглянулась на нее и ужаснулась: «Я – такая?!» Почему же он, такой стремительный и легкий, такой полный кипения жизни, не отпускает ее, не стремится избавиться побыстрее, что было бы понятнее?! Зачем сжимает ее пальцы своими длинными, сильными?

– Надо было сказать тебе сразу... – Макс задержал дыхание, будто изнутри его кольнула боль. – Когда я только увидел тебя на сцене... От тебя исходило что-то, я не знаю... Биотоки? Я оцепенел просто... Никогда так на меня женщина не действовала. Ты произносила какие-то фразы, не помню – какие, а у меня по голове мурашки наслаждения – россыпью... Даже от стука твоих каблуков. От любого движения. Я в машине сейчас почти ничего не соображал, оцепенел, как кролик. Наверное, и отвечал невпопад? Только и прислушивался к собственным ощущениям. Я никогда такого не испытывал, даже ничего похожего! Все эти дни после спектакля я так мечтал о том, чтобы прикоснуться к тебе, что если бы ты ударила меня сегодня на тренировке – это уже было бы счастьем... Я чуть не прыгал от радости, когда тот урод ушел! Я ведь просто обалдел, когда увидел тебя в клубе. Я знал, конечно, что мы живем в одном городе, но мне казалось невозможным пересечься с твоей орбитой.

Она рукой зажала ему рот:

– Перестань! Ты хоть знаешь, сколько мне лет?!

Но тело уже впитало его слова, снова сделалось гибким и пластичным. Разве он вообще был – этот момент неуклюжести? Разве Ольга Корнилова вообще может быть такой? «Надеюсь, он не заметил этого», – подумалось с опаской. Ни одному мужчине не хотелось бы ей показать себя такой...

Поцеловав прижавшуюся к его губам ладонь, Макс, осторожно взявшись за запястье, опустил ее руку.

– Какая разница, сколько лет человеку, если только он один тебе и нужен во всем мире? У меня никаких комплексов по этому поводу. А тебе есть дело до того, что подумает какой-нибудь дурак или полная идиотка?

– Мне есть дело до того, как это все ощущаю я сама...

– А ты...

– А мне неловко с тобой, – она заставила себя признаться в этом быстро, пока не раздумала.

Он опустил глаза – провинившийся школьник младших классов, да и только!

– Значит, я вел себя неправильно...

Нежность опять захлестнула ее с головой, вынудила погладить его по щеке:

– Что ты! Не в этом дело.

– Тогда в чем?

– Ты ведь сам все понимаешь... Я не могу сбросить со счетов разницу в возрасте. И не верю, что для тебя она ровным счетом ничего не значит.

– Не значит, – откликнулся Макс эхом. – Если бы мне просто приспичило трахнуться, я мог бы какую-нибудь нимфетку подцепить. Думаешь, не пошла бы со мной?

– С тобой? Пошла бы.

Пришлось подавить вздох: «Черт, какой же он красивый!» Когда он стоял так близко, ей хотелось молчать и смотреть. Хоть час, хоть век.

– Но я не этого искал. Это уже было...

– Не сомневаюсь, – пробормотала Ольга. Печать невинности на его лице обманчива. А остальное?

– И ничего особенного. Все это мгновенно. А что потом с ней делать? Я хочу очаровываться человеком. Не только телом, а всем...

– И душой, и лицом, и мыслями. Это Чехов. Это мы проходили.

– Зачем ты так? – спросил он обиженно.

– А как еще?

– Почему ты не позволишь себе побыть счастливой?

– У тебя есть душ?

Он не сразу понял:

– Что? А, конечно. Сейчас. Подожди, ты боишься, что будешь стыдиться меня? Я не пара тебе, так?

– Это просто смешно!

Мягко оттолкнув его, Ольга принялась расхаживать по мастерской, лавируя между его молчаливыми созданиями. Они следили за ней осуждающе, они тоже отказывались понять ее.

– Макс, ты составишь пару кому угодно, хоть принцессе английской...

– Там только два принца. И оба вроде гетеросексуалы. Как ни странно для Англии...

– Что? Да, правда... Но ты же понимаешь, о чем я. Ты – замечательный. У тебя только один недостаток – твой возраст... Почему все твои скульптуры на меня смотрят?

Он спросил заботливым голосом психоаналитика:

– И у тебя развивается мания?

Рассмешить удалось, она даже почувствовала себя свободнее.

– Макс, почему мы поменялись ролями? По идее, это ты должен пытаться сбежать от меня и увильнуть от продолжения. Разве не этого хотят все мужчины?

На его лице появилось презрительное выражение:

– Мне дела нет до того, чего хотят все мужчины.

– Ты не такой, как все? – поинтересовалась Ольга насмешливо.

– Разве ты еще не поняла этого?

– Ты не такой, как все...

В этой фразе вдруг зазвучала музыка. Ты – не такой, как все. Ты – необыкновенный. Такой светлый и смуглый одновременно. Такой красивый и неиспорченный – как это совместимо? Такой нездешний со своими черными, слегка раскосыми глазами и такой по-русски безумный... Такой талантливый и неизвестный.

– Я боюсь влюбиться в тебя!

Ольгу бросило в жар, когда она поняла, что произнесла эти слова вслух. За ними слышался настоящий страх. Ужас перед грядущей болью: «Как мне потом жить – без тебя?! Такая любовь не имеет будущего, об этом твердят все психологи... Чем мне потом спастись в этом будущем?»

Его словно волной к ней швырнуло – оказался рядом почти мгновенно. Не обнял, не вцепился в нее, просто встал рядом, опустив руки, наклонив голову, очень близко, Ольга кожей ощутила его тепло. И вдруг поняла, что сопротивление бесполезно. Что она будет жалеть всю жизнь, если лишит себя этого короткого счастья... Разве не так живут сотни людей – хоть миг да мой! Ну, поглотит ее потом одиночество, так она и сейчас из него не выбирается. Хоть понежится в сиянии юности... Он прав: разве ее волнует то, что подумает какой-нибудь дурак или полная идиотка? Никогда она не обращала на них внимания и никогда не боялась нарушить границы дозволенного, так что же теперь? Правда, *это* больше, чем было когда-либо...

– Не уходи от меня, – прошептал он.

Воздух от его губ пощекотал кожу, заставил слегка содрогнуться. Так реагировать на каждое проявление его жизни – это не чересчур? Почему он так волнует ее? Сердце колотится загнанным в угол зверьком... Разве она не может вырваться? Разве ловушка уже захлопнулась?

«Не хочу вырываться, – закрыв глаза, Ольга сама сомкнула руки у него на спине, прижалась всем телом и почувствовала собственную мягкость – странное ощущение. – Не хочу... Пусть меня осуждает это чертово людское мнение... Не могу я отказаться от этого тепла. Окоченею».

Макс прижал ее так бережно, будто прикоснулся впервые. Они долго стояли так, среди его необычных скульптур, смотревших на них, и даже не целовались, просто вжимались друг в друга с той неистовостью, которая охватывает при расставании. Но они не расставались, и оба понимали это.

Уединившись в ванной, Ольга торопливо, будто одежда жгла ее, разделась и забралась под душ. Ее всегда смешили кадры из фильмов, где женщины, омываемые упругими струями воды, обглаживали и ласкали себя намыленными руками, разгоняя по телу пену. Не делают этого женщины под душем, если только они не полные идиотки, копирующие поведение киношных секси. Собственное тело – это всегда предмет критики и переживаний, но никак не любования. Редко можно встретить ту, что абсолютно довольна своими формами. Даже модели не являются исключением, иначе они не умирали бы от истощения прямо на подиумах...

И Ольга, раздевшись, оглядела свое тело с некоторым страхом. Попыталась увидеть себя глазами Макса, перед которым рано или поздно придется предстать без одежды. Бокс, конечно, здорово помогает, иначе совсем расплылась бы. Даже с ним и то мышцы уже не так держат, дряблость не скроешь. Грудь тяжеловата и заниматься спортом мешает, а скульпторы предпочитают девические формы... Хотя, судя по работам Макса... Беременность тяжело ей далась, сын был таким крупным, до сих пор растяжки на животе. Красота, да и только! И все эти прелести проявления целлюлита и варикоза... Сорок семь лет, что тут поделаешь? Как, помня о себе такое, можно показаться этому совершенному мальчику на глаза?

Вспомнилось то, что Макс говорил про нимфеток, любая из которых полетела бы за ним легким мотыльком. Он не спалил бы, пожалел. Не в этом дело, не

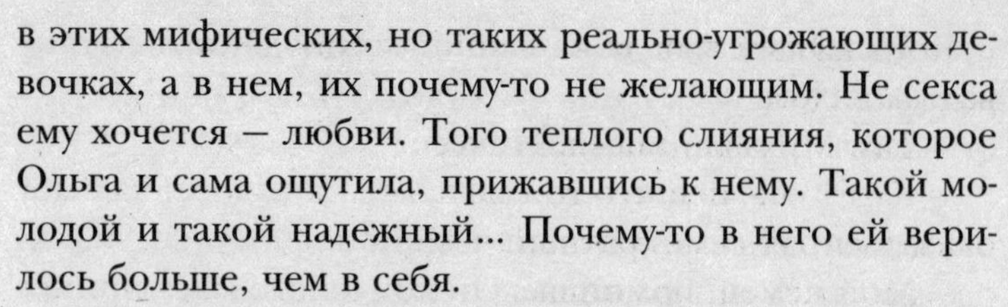

в этих мифических, но таких реально-угрожающих девочках, а в нем, их почему-то не желающим. Не секса ему хочется – любви. Того теплого слияния, которое Ольга и сама ощутила, прижавшись к нему. Такой молодой и такой надежный... Почему-то в него ей верилось больше, чем в себя.

Ей-то хотелось веселого приключения, короткого и ни к чему не обязывающего. Хотелось отведать юного мальчика, позабавить себя. И она рассчитывала, что Макс отнесется к этому также: сцепились телами и разбежались довольные... Откуда он взялся такой... несовременный?

Навалившись спиной на розовато-серую кафельную стену, она зажмурилась изо всех сил, пытаясь удержать слезы. Но они уже сливались со струями воды, которые Ольга безжалостно направляла себе прямо в лицо. Рот беспомощно кривился, губы уродливо расползались... Ей саму себя не хотелось видеть в эту минуту. Если б она только умела относиться ко всему с наплевательской легкостью! Хотела этого, да не получилось... Если б удалось, тогда сейчас она не ревела бы тут беззвучно, а ликовала: такой лакомый кусочек заполучила!

Хотя были поистине случайные мужчины в ее жизни, о чем потом и вспоминать не хотелось. В гримерке как-то с одним именитым партнером... Так увлеклись на сцене, что не удержались, перенесли действие в жизнь. Непрофессионально это было. Стыдно. Хотя так скрутило страстью, что оба рычали, кусая друг друга. Неужели это с ней было?

Она несколько раз ополоснула лицо холодной водой, чтобы веки не выглядели опухшими. Душем контрастным обдала все тело, едва удерживаясь, чтобы не взвизгнуть от холода. Не любила она холода, может, потому и тепло Макса подействовало столь магически...

Когда Ольга вышла из ванной, он подбежал с виноватым видом:

– Там Михаэль зашел. Ничего?

– Кто?! – У нее что-то смешалось в голове: как мог оказаться тут семикратный чемпион?

– Мой немец, помнишь? Он копченого мяса принес и вина. Не выгонять его?

– Ну что ты! Зачем же выгонять?

Где-то в груди заныло: «Вот тебе первая проверка. Внешний мир будет оценивать нас. Соберись, милая!»

– Он – хороший парень, – тихо заверил Макс, почуяв ее страх. – Забавный такой...

Она решилась и, как перед прыжком в воду, набрала в грудь воздуха:

– Ладно, пошли знакомиться.

Погасив улыбку, Макс взял ее за руку, осторожно сжал. Тоже приготовился к испытанию. От изумления в глазах Михаэля не спрятаться. Придется принять его и сжиться с ним, если они рассчитывают хотя бы какой-то отрезок жизни провести вместе. День? Год?

Немец ждал их на кухне. Как и положено иностранцу, весь в светлом, несмотря на осеннюю грязь. Вскочил, увидев Ольгу. Высокий, поджарый, лысоватый, хотя тоже моложе ее лет на десять... Узкое, слишком бледное, будто болезненное, лицо (некогда и позагорать было летом?), тонкие губы, нос длинный, как у многих немцев, а лоб огромный, и не только из-за лысины. Взгляд серых глаз за линзами очков – добрый, немного детский. Радостно-распахнутый. Ольгу еще не раз трогал этот взгляд: когда Михаэль поражался чему-то, а удивить его было не трудно, – он весь был раскрыт навстречу миру, его глаза то и дело расширялись и вспыхивали: «Неужели?!» Но при виде Ольги он не выказал ни малейшего недоумения. И она сразу прониклась к нему симпатией.

– Здравствуйте, – произнес Михаэль правильно, хотя и не очень разборчиво.

Говорил он негромко и с небольшим акцентом, который почему-то вызывал у Ольги умиление, будто ребенок пытался выдать себя за взрослого.

– Ольга – Михаэль, – наспех познакомил их Макс, уже занявшийся мясом.

Его откровенный голод заразил Ольгу, ей тоже захотелось впиться зубами в прокопченный кусок, закусить ржаным хлебом.

– Извините, я не вовремя, – принялся оправдываться немец.

– Не тупи, Мишка! – по-мальчишески остановил его Макс. – Мы как раз думали, чем бы перекусить. Или кем... Так что ты как раз вовремя.

Но тот продолжал оправдываться:

– Принято звонить, прежде чем идти. Но у Макса никогда никто не бывает.

«Это для меня выдал засекреченную информацию? – улыбнулась Ольга. – Порадовать меня хотел? Спасибо, Михаэль!»

У Макса чуть заметно дрогнул уголок губ: тоже заметил белые нитки, которыми была шита хитрость немца?

– Михаэль пишет по-русски еще лучше, чем говорит, – проявил он галантность. – Многим нашим землякам у него учиться и учиться.

Опровергать этих слов немец не стал, только застенчиво улыбнулся. Ольга залюбовалась им: «Милый какой... Трогательный. Рядом с Максом такой человек – это радует».

Поставив на стол тарелку с мясом и фужеры для вина, Макс сел с нею рядом и доверчиво, опять как-то по-собачьи, потерся щекой о ее плечо. Демонстративный жест – «моя женщина»? Или он просто не считает нужным скрывать что-либо от Михаэля? Тот лишь улыбнулся.

– Я сейчас рассказывал Максу, до чего докатились немцы. Я тут читал в «Die Welt», как один гинеколог поставил женщине подкожный имплантат. Эта штука должна была предотвращать беременность в течение трех лет. А через полгода она забеременела. И никаких следов препарата в ее теле не нашли. Этой женщине, чтобы ухаживать за младенцем, пришлось уйти с работы в школе. А отец ребенка вскоре...

– Бросил ее, – подсказал Макс простейшее выражение.

Серые глаза немца на мгновение расширились, будто он вобрал подсказку взглядом.

– Бросил, да. А она подала в суд на врача. И его обязали ежемесячно выплачивать ей шестьсот евро...

– Неплохо! – вырвалось у Макса, который, разлив вино, уже рвал зубами мясо.

Ольга покосилась на него с усмешкой: «Милый ты мой... Оголодал совсем».

– Даже отец может рассчитывать на компенсацию алиментов, – продолжил Михаэль. – Теперь среди немецких врачей началась паника. Ожидают целый поток аналогичных исков.

Макс перестал жевать:

– А кто-нибудь из них подумал о ребенке? Как он реально будет жить с этим? Зная, что никто не хотел его появления на свет... «Я – результат врачебной ошибки» – приятно так думать о себе?

– Вот и я о том же! – закивал Михаэль. – Очень некрасивая история, да?

«Ребенок, – кольнуло Ольгу. – Вот кто разведет нас наверняка... Рано или поздно ему захочется иметь ребенка. И потребуется молодая женщина, способная родить».

Осторожно сжав тонкую, граненую ножку фужера, Макс заставил красное вино колыхнуться.

– Тогда – за красоту!

Они оба посмотрели на Ольгу, а она – на Макса. Коснулась его фужера своим, раздался настороженный звон. Вопросительный: «Сколько нам отпущено с тобой, живая красота?» И поспешно напомнила себе, что это – запретное. Об этом лучше даже не вспоминать. Любовь сегодняшнего дня, разве это не лучше, чем вообще ничего? Впрочем, еще вчера ее не было, и вроде неплохо жилось... Но теперь – как отказаться?

– Давно вы в России, Михаэль? – спросила Ольга, чтобы отвлечься от ощущения тоскливого напряжения в груди.

– Два года.

Проговорил это с набитым ртом, она еле поняла, что он ответил. Макс рассмеялся:

– Расскажи Оле, чем ты в Берлине занимался!

– И чем же?

Она заглянула Михаэлю в глаза: каково ее отражение в них? Эти глаза, кажется, не умеют лгать. Если ему она кажется спятившей старушкой – значит так оно и есть...

Немец слегка смутился под ее пристальным, вопрошающим взглядом. И Ольга уловила: женщина в ней заставила его так покраснеть, не матрона. И она сразу воспрянула духом – не осуждает! Может быть, даже понимает.

– Я семь лет работал там Дедом Морозом...

– Серьезно?! – ахнула Ольга. – Потрясающе! Так мы с вами коллеги?

– О нет! Я не артист. Не профессиональный артист. Хотя за это мне платили деньги. Сорок пять марок за каждое явление Деда Мороза.

Макс ввернул:

– И бутылочку шнапса.

Михаэль вытянул в его сторону длинный палец:

– Он любит выпить, Оля. Имейте в виду.

– Спасибо. Учту. – Осмелев, она поворошила темные волосы Макса.

Он возмутился:

– Этот тип нагло врет! Я вообще пью редко...

– Но метко! – подхватил Михаэль.

– Не слушай его. – Макс опять ласково потерся об ее плечо, прилег на него.

«Ему нравится демонстрировать интимность наших отношений. – Ольга улыбнулась, прижалась щекой к его теплой макушке. – Это ничего. Вот если бы он пытался их скрыть, было бы куда хуже».

– Я пьянею от этой женщины, – внезапно признался он доверительно, обращаясь только к Михаэлю, словно Ольги здесь и не было.

– Хорошо, – кивнул тот с серьезным видом и отпил вина.

Вывернув голову, Макс поцеловал Ольгину шею и замер так, дыша на нее влажным теплом, как уснувший ребенок. Когда-то ее сын еще в младенчестве так затихал, уткнувшись в нее носом. Она погладила его по щеке и не думая отталкивать.

– Сидел бы так и сидел, – пробормотал Макс.

– Потому что мясо кончилось, – поддразнила она. – Вы наелись? Не похоже. Может, нам сходить куда-нибудь?

Ольга спросила об этом безо всякой задней мысли, но, уже предложив, напряглась: как он отреагирует?

Осмелится ли выйти с ней в свет? Она сама – решится?

– О, это мысль! – откликнулся Макс, не замешкавшись ни на секунду. – Здесь ресторанчик есть «Дети солнца».

– Серьезно? «Дети солнца»?

– Да, так и называется. Это ведь из Горького, да?

Она кивнула:

– Я никогда не играла в этой пьесе. И в этом ресторане не была.

– Можно сходить туда. Прогуляться заодно, ты же хотела? Только сначала...

Михаэль растерянно заморгал, подумав, видно, что Макс опять зазывает ее в постель. В его позе проявилась полуготовность к уходу. Но Макс просительно произнес:

– Я же хотел показать тебе свою коллекцию.

– Ну, конечно! – спохватилась Ольга, которая и против постели ничего не имела – так этот мальчик заставлял ее волноваться.

Но его уже увлекла страсть другого рода. И Ольге нужно было разделить ее во что бы то ни стало, если она хотела, чтобы его и дальше тянуло вжиматься лицом в ее шею. Женщина, не сумевшая принять мужчину целиком, со всем, что кажется в нем забавным и даже нелепым, невольно воспринимается им как тайный враг. И он подсознательно начинает искать союзника. Чаще – союзницу, которая помогла бы ему взобраться на постамент, жизненно необходимый каждому.

Ольга уже проходила это. Одного человека из своей юности она упустила именно потому, что не одобрила его увлечения кинологией. Она всегда любила собак, но не настолько, чтобы впустить в свою жизнь целую свору. И в результате осталась одна. Это теперь, когда к ней прижимался Макс, думалось – к счастью, а тогда она чуть не выла, забившись в угол комнаты. Брошенная хозяином псина, да и только...

Вскочив, Макс протянул руку. Ему нравилось ходить хотя бы по дому, сжимая ее пальцы.

– Пойдем, Михайло, – позвал он радушно. – У меня новые модели появились.

– А я... – Вопросительно расширив глаза, немец изобразил рукой что-то малопонятное.

– Не помешаешь, – заверил Макс. – Пошли, пошли. Хотя подождите! Я сейчас там кое-что...

Он умчался куда-то, оставив их на кухне. Воцарилась тишина, за окном – сумрак. Ольга почувствовала, что ей страшновато оторваться от окна и повернуться к другу Макса.

«Минута откровения, – догадалась она. – Сейчас Михаэль скажет мне правду». Сердце взволнованно дрогнуло и заколотилось, пытаясь скрыться от неизбежного.

– Вы очень хорошо смотритесь вместе.

Она стремительно повернулась: не ослышалась? Михаэль улыбнулся так, что ей сразу поверилось в то, каким добрым он был Дедом Морозом.

– Он по правде совсем пьяный от вас. Даже завидно!

Ольга радостно засмеялась, готовая расцеловать немца в обе щеки. Наверное, ему приходилось здорово румянить их, надевая костюм... И Михаэль вспомнил о том же:

– Когда я работал Дедом Морозом, ездил по Берлину на велосипеде. Машины не было. И сейчас тоже нет... – усмехнулся он застенчиво. – Первый раз думал: как же я поеду, все же будут смотреть! Смеяться. Думать, что я ненормальный какой-то... А потом решил: мне – радость, детям – радость. Даже родителям их. Тогда какое мне дело до остальных, да? До тех, которые вертят пальцем у виска. Которые все делают по правилам. До скучных филистеров – какое мне дело? Разве я завидую их безвкусной жизни?

– Пресной, – шепнула Ольга.

У него радостно вспыхнули глаза:

– Да-да! Вам тоже не нужна такая жизнь. Я это сразу понял. Вы – не из ряда. Макс – не из ряда. Не оглядывайтесь по сторонам!

– Михаэль, я так рада, что встретила вас! – вырвалось у нее искренне. – Что именно вы стали первым человеком, увидевшим нас с Максом вместе. Я, наверное, только сейчас, после этих ваших слов и поверила, что мы действительно можем быть с ним вместе.

Торопливые шаги Макса заставили их умолкнуть, как заговорщиков. Он вбежал в кухню и с подозрением оглядел их лица.

– Что это мы так притихли?

– Мы обсуждали, какой ты необыкновенный, – ответила Ольга полуправдой. – Не при тебе же продолжать!

Макс капризно надул губы:

– Почему? Я бы послушал...

– Ты – необыкновенный, – произнесла она тем низким голосом, который заставлял ее зрителей замирать. Только сейчас это не было игрой.

Он смутился так, что стал еще более трогательным, чем Михаэль. И, пытаясь спрятаться за нарочитой грубостью, как обычно делают мальчишки, легонько толкнул немца в плечо:

– А ты-то что мог сказать по этому поводу?

– Что мне повезло поселиться у необыкновенного скульптора, – не моргнув глазом заявил тот.

– Это правда, – спокойно признал Макс и взял Ольгу за руку. – Пойдем же, я покажу тебе еще кое-что...

Это были настоящие диорамы, только маленькие. Поля сражений, представшие перед Ольгой, потрясали точностью крошечных деталей. Автоматы в руках солдат, осколки разорвавшейся гранаты, лохмотья окровавленной плоти...

– Смотри, здесь Битва под Москвой. Ну, ты помнишь: герои-панфиловцы. Пацаны...

Она покосилась на Михаэля: не обижается, что предков разгромили? Но на фашиста он как-то не походил. Макс потеребил ее за рукав, чтобы не отвлекалась.

– А здесь уже наше время – Чечня... Видишь? Это боевики напали на тыловую колонну. Охранение их отбило тогда. Четвертого мая девяносто пятого... Вот это – боевики, а это – наши.

– Я вижу, – отозвалась Ольга. – У тебя тут все очень понятно.

Наклонившись над самым стендом, она вглядывалась в маленькие фигурки, застывшие в позах, отражавших динамику действия. Терпение человека, потрудившегося над каждым изгибом тел, потрясало. Она то и дело взглядывала на Макса с суеверным страхом: «Он и на такое способен? Не нахрапом брать, а педантичностью. Сколько мне еще открытий предстоит?»

А Макс уже захлебывался:

– Вот здесь горячо было! Это бои в окрестностях Шатоя и Ножай-Юрта. Слышала? А вот село Бамут. Это наша бронетехника... Подбили, гады, нашу БМП!

Михаэль пояснил ей:

– Это значит боевая машина пехоты.

Он тоже рассматривал работу Макса с самым серьезным видом, немного щурясь даже в очках. «Тоже недоиграл в детстве? – Ольга спрятала улыбку. – Мальчишки остаются мальчишками. Люблю таких мужчин... Вечные Маленькие Принцы. С ними и себя опять чувствуешь девчонкой с морского побережья. Такой бесшабашной дурочкой...»

Перед глазами плеснула другая вода – Макс вел ее к своему потоку.

– БМП только что через речку переправилась. – Он пальцем показал маршрут. – Ты знала, что они умеют плавать? А здесь уже, смотри, Афганистан. Помнишь, как наши штурмовали дворец Тадж-Бека? Всего пять человек тогда потеряли. Это декабрь семьдесят девятого.

«Он сказал: помнишь... А ведь он этого не может помнить, его даже на свете не было. Господи, он еще не родился, а я уже на сцену вышла... Боже мой! Боже мой...» Ольга наклонилась еще ниже. Никому не нужно знать, как потрясла ее глубина возрастной пропасти. Она заглянула туда и ужаснулась.

– А это уже восемьдесят шестой, – как ни в чем не бывало продолжал Макс. – Осенью у душманов появились первые «Стингеры»... Но здесь еще март – взятие укрепрайона Васатичигнай в провинции Кандагар. Ну, о ней ты наверняка слышала...

Оттого что Макс все время наклонялся и вертел головой, волосы его растрепались, и сейчас он больше, чем когда-либо, походил на мальчишку с горящими от восторга глазами. У Ольги заныло сердце: «Какая там любовь... Ему еще в солдатиков играть! Да ведь мне нравится это в нем...»

Макс выпрямился так резко, что толкнул Михаэля и не заметил этого. Посмотрел ей прямо в глаза – попробуй солги!

– Ты тоже считаешь все это ребячеством?

«В Севастополе люди платят, чтобы посмотреть на диораму, панораму, – мелькнуло у нее в памяти. – Из других городов приезжают... И никому в голову не приходит назвать это детской игрой».

– Нет. Мне кажется, это безумно интересно. Как мне интересна каждая новая роль. Ты ведь тоже проживаешь эти сражения, видишь все происходящее, разве не так?

Макс оживленно подхватил:

– Да! Как ты угадала? Я реально столько прочел об этих войнах. Я даже специально познакомился с ребятами, которые там были. И потом, знаешь, это ведь совсем не просто – изготовить такую модель.

– А из чего они?

Ольге действительно стало интересно, она не притворялась. В детстве она так любила лепить человечков из пластилина и, вырезая две стороны коробки – углом, устраивать на них необитаемый остров или наоборот – обитаемый лес. Или интерьер какой-нибудь избушки, чего только ни придумывала... Конечно, до такого размаха, как у Макса, она так и не доросла.

– Из пластмассы. Их нужно хорошенько помыть, когда они готовы. Жир от пальцев смыть, опилки всякие...

– Он их в тазике купает, с мылом, – все так же серьезно сообщил Михаэль.

Ей мгновенно представилось, как Макс усаживает своих человечков в мыльную воду и, погрузив в пену смуглые руки, отмывает крошечные спинки и животики. Можно было бы со смеху умереть над этим, если бы ее не умиляло до слез все, связанное с этим человеком.

– Ну да, – признал Макс. – А потом еще после прессовочного станка их надо помыть, они с каким-то налетом оттуда выходят. Затем их прогрунтовать надо, можно даже автомобильной грунтовкой, хотя есть специальная – модельная. Наждачкой с водой отполировать. Нужно зеркального блеска добиться, понимаешь? И снова помыть, потому что на грязную модель краска не ляжет. А если и ляжет, так потом все равно отвалится.

– А краски ты какие используешь? – спросила Ольга.

– Да все практически! Есть, конечно, модельные. Но можно и масляные, и опять же автомобильные. Тут, знаешь, все идет в ход: и акварель, и пастель, и художественный акрил, и уголь, даже гелевые ручки – серебряная паста, как правило. Продаются специальные модельные кисточки. Художественные дорогие очень, и растворитель их быстро сжирает. Мелкие риски и надписи я даже зубочистками наношу. А когда по-крупному, так прямо из баллончика поливаю. А чтобы склеить, иногда даже чесночный сок использую! Для прозрачных деталей. Вот как здесь, видишь?

– Чесночный сок, – прошептала Ольга. – Вот не подумала бы...

– Хотя чаще, конечно, суперглюком клею.

– Чем?

– Это на нашем жаргоне так супергель называют, суперклей... Видишь, сколько работы! Какой ребенок на такое способен?

«Кто-то здорово задел его, обозвав его страсть ребячеством... До сих пор успокоиться не может. – Ольга старалась даже не улыбаться сейчас, чтобы он не подумал, будто она сдерживает смех. – Как я справлюсь, если какая-нибудь тетка скажет, что я впала в детство, подцепив мальчика? То, что положено примадонне, не положено простым смертным... Хотя даже ее роман не стал бессмертным».

Она незаметно тряхнула головой, отгоняя запретные опасения. Уже ведь все решила насчет любви сегодняшнего дня. Завтра она просто вернется во вчера. Но – согретая этой любовью. Хуже не станет. Только не нужно задумываться о том, как потом справиться с тем, что разрывается сердце...

– Тебе нравится? – Макс заглядывал ей в глаза. – Тебе *правда* нравится?

– Знаешь, я хотела бы сама попробовать создать что-то такое... Не эфемерное, как роль. То, что остается в реальности. Вот почему ты этим занимаешься? У тебя ведь есть твои скульптуры!

Он сразу померк:

– Они никому не интересны. Да никто их и не видел. У меня не было ни одной выставки.

– Серьезно?

– Нужно иметь влияние, – заметил Михаэль. – Выставка в Москве – это очень сложно.

В Ольгиной памяти завертелся калейдоскоп лиц: к кому обратиться за помощью? Одно из них высветилось определенно – этот все может. Правительство Москвы. Виталий запал на нее потому, что Ольга не лебезила перед ним, как остальные, когда он явился к ним на премьеру. Чем-то наградил их театр... На банкете его посадили между директором и главным режиссером, и – перед глазами – первых красоток из вчерашних студенток, на все готовых ради карьеры. А сосед по столу шептал Ольге: «Гляди-ка, его с лучшими попками пристроили, а он все на тебя косит, как жеребец... Ну, ты даешь, старуха!»

Потом Виталий сам подошел: «Я могу взять у вас автограф? Я восхищен вами...»

Сразу дал понять, что не тем, как играла в этот вечер, а ею в целом... Только этично ли обращаться за помощью к бывшему любовнику, чтобы устроить судьбу нынешнего? Впрочем, расстались без обид, почему бы и нет? Виталий иногда звонит ей. Нетребовательный, приятельский разговор. Совсем легонький. Отключила трубку и забыла.

«Надо подумать, – взяла Ольга на заметку. – Я должна что-то сделать для Макса... Я *хочу* этого! Чтобы не проскользнуть по его жизни совсем бесследно...»

* * *

Почему-то ресторан «Дети солнца» представлялся ей более темным, сумрачным. Наверное, потому что сам Горький всегда производил такое впечатление со своими насупленными бровями и мрачными героями, одержимыми дьявольскими страстями. Но когда уже подходили, погружаясь в тишину, вспомнилось, что это пьеса о дачниках с неизменными белыми ажурными зонтиками. Белые туфельки, светлые платьица... Ольга скользнула взглядом по своей меховой пелерине – соответствует цветовой гамме?

В зале зеркала и белые абажуры на тонких ножках, молочного цвета занавеси – почти прозрачные, рождающие воспоминания о детской колыбели.

– Смотри. – Макс опять тащил ее за руку. – Это же настоящий «Ундервудъ»! Ему лет сто, наверное. Может, Горький реально на нем и печатал? А тут смотри, какой телефон. Еще с буквами. Ты такой видела? А какой арифмометр? Я до того, как тут побывал, даже не видел ничего подобного!

Он хвастал этими сокровищами с тем же нескрываемым восторгом, с каким только что демонстрировал ей свои стендовые модели. А Ольга только успевала вертеть головой, делая маленькие открытия. У нее возникло ощущение, что ей снова – двадцать лет, и мир только начинает изумлять ее своим разнообразием.

Но тут боковым зрением она заметила, как одна из женщин через столик наклонилась к своему спутнику, что-то шепнула. Ольга оглянулась так быстро, что те не успели отвести взглядов. Смесь изумления, презрения и зависти. Какая из составляющих перевешивает? Отвернувшись, она сделала вид, что рассматривает раритетную пишущую машинку, и уловила – краем глаза, кожей, спиной, всем своим существом, – что и другие разглядывают их странную пару.

Она вскользь взглянула на Макса: его молодость била фонтаном. За километр видно, что она старше его на целое поколение... Дело не в количестве морщинок, их у нее не так уж и много. Но этого сияния, что исходило от Макса, в ней уже не было. Ее свет был приглушенным, хотя и теплым. Разная степень накала.

Это можно было сказать и о других парах, Ольга сразу выцепила их взглядом. Но те никого не смущали, ведь там все оказалось вполне традиционно: старше был мужчина. Это нормально, хотя и вопреки физиологии. Но это – не против потока. Не захлебнуться бы, пытаясь справиться с течением...

Угадав ее смятение, а, скорее поймав чей-то косой взгляд, Макс предложил:

– Мы можем сесть на веранде. Там сейчас никого нет. Нам даже пледы дадут, не замерзнем.

– С тобой невозможно замерзнуть, – шепнула она назло всем, кто следил за ними недобрыми взглядами. – В тебе кровь так и кипит.

Он широко улыбнулся и притянул ее, не стесняясь публики. Ольге показалось, что это Виктория То-

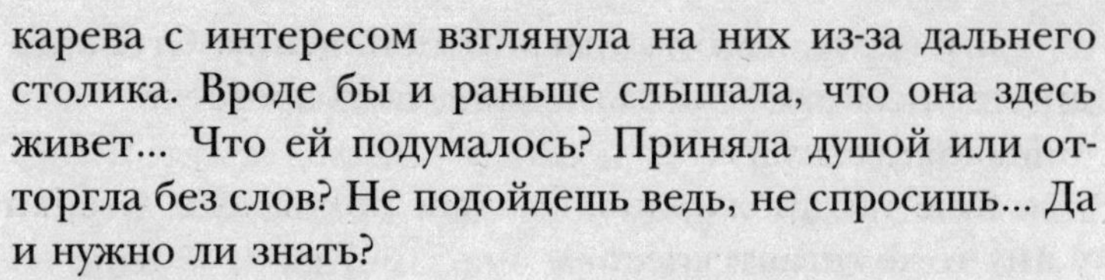

карева с интересом взглянула на них из-за дальнего столика. Вроде бы и раньше слышала, что она здесь живет... Что ей подумалось? Приняла душой или отторгла без слов? Не подойдешь ведь, не спросишь... Да и нужно ли знать?

– Здесь, кстати, обалденная библиотека! Писательская. Бильярд есть. Можно погонять шары.

– Я тебя обыграю.

– Ты играешь в бильярд?

– Правда, давно не практиковалась. – Она сжала его руку. – Теперь будет с кем поиграть... Пойдем пока на веранду. Хоть воздухом подышим. Редко удается.

– Хорошо, что Михаэль не пошел с нами, – многозначительно заметил Макс. – Он – умный парень.

Устроившись вдвоем на белой, похожей на садовую, скамейке, укутавшись в яркий плед – один на двоих, – они раскрыли меню, украшенное подсолнухом. Прижались головами, пытаясь разобрать буквы, но дыхание уже сплелось, притянуло еще ближе. «Да плевать на всех! – отчаянно решила Ольга. – А сами они смогли бы отказаться от такой красоты?!» Губы у него оказались теплее, чем у нее, – и впрямь кровь кипит. Набраться от него этой скрытой энергии вулкана – кто запретит?

Ей показалось, что они целовались вечность. «Откуда такая нежность? И что с нею делать, отрок лукавый...» Не могла оторваться, впивалась в него снова и снова... Уже темнеть начало, когда Ольга попыталась опять углубиться в меню.

– Может, вернемся домой? – прошептал Макс, трогая губами ее мочку. – Ну его, этот обед.

Она отклонила голову, с силой потерла ухо, к которому вообще лучше было не прикасаться – оголенный нерв, так всю и пронзает насквозь.

– Я не хочу, чтоб ты умер от истощения. Стейк по-аргентински хочешь? Или гигантскую креветку?

Макс усмехнулся:

– Я не так прожорлив, как тебе показалось. Стейки у них тоже гигантские.

– Я возьму грибной суп, – решила Ольга. – Давно не ела супа.

– Дашь попробовать?

– Я покормлю тебя с ложечки...

Он заерзал:

– Скорей бы! Где официант?

Тот явился мгновенно, словно только и ждал, когда о нем вспомнят. Приучен к писательским причудам – и бровью не повел, посмотрев на них. «Но я продолжаю опасаться косого взгляда, – признала Ольга. – Что же – так и будет?»

Дожидаясь заказа, они играли, угадывая издали, чей портрет украшает зал. Ольга знала в лицо многих и даже цитировала по памяти стихи, Макс же с ходу узнал только Шукшина.

– А Пастернак? – возмутилась она. – Неужели ты его ни разу не видел?

– А это он? Я думал, он был...

– Красавец вроде тебя? Здесь же его музей, ты что, не был ни разу?

Он виновато вздохнул:

– Только собирался.

– В Ялте я каждый месяц приходила в домик Чехова, – вспомнилось ей. – Просто так. Воздухом его подышать.

Ревниво покосившись, Макс заметил:

– Ты влюбилась бы в него, если б он жил сейчас.

– Наверное, влюбилась бы, – согласилась она. – Чехов был потрясающе хорош в молодости.

– Верю на слово, – отозвался Макс. – Я видел его только стариком.

Ее обдало ожогом. Даже ушам жарко стало.

– Чехов не был стариком, – проговорила она с трудом. – Он умер в сорок четыре года. Он был моложе меня...

Макс испуганно встрепенулся, стиснул ее руку:

– Ты только не... Ну вот что я ляпнул! – От огорчения он стукнул себя по лбу. – Он же реально выглядел таким... чертовски уставшим от жизни, понимаешь? Я и забыл, сколько ему было лет. Тогда вообще все выглядели старше.

– Всё! – остановила Ольга. – Закрыли эту тему. Где же мой суп?

– Я люблю тебя, – неожиданно сказал он.

– Что?

Она почти со страхом вгляделась в его лицо, вдруг сделавшееся собранным и вместе с тем несчастным. Ей подумалось, что Макс тоже разглядел то, что для них все кончается сегодняшним днем. Но он упрямо повторил:

– Мне кажется, я люблю тебя. Я никому не говорил этого в первый же день... Не потому, что так не принято, или... несерьезно как-то. Я просто не чувствовал этого. Был уверен, что это вообще всё выдумки писателей и режиссеров. Но сейчас меня заполняет до макушки. Никаких сомнений, как бывает обычно. И не страшно ничуть.

– А мне страшно, – призналась она.

– Чего ты боишься? – Он нетерпеливо заглянул ей в глаза. – Что во мне откроется что-то... Что это оттолкнет тебя?

Сжав его горячие щеки, чуть уколовшие ладони, Ольга мотнула головой:

– Нет! Нет. Что в тебе может оттолкнуть? Я боюсь, что мы с тобой не сможем вписаться в эту действительность. – Ее рука описала круг, объяла мир, наблюдавший за ними настороженно.

– Тебя пугает пресловутое общественное мнение? – Он демонстративно фыркнул. – Я думал, артисты более... независимы.

Она вздохнула:

– Мы-то как раз самые зависимые. От режиссеров, от публики, от критиков – ото всех! Любого из нас так легко превратить в ничто...

– Этот ресторан, кстати, открыл Иван Панфилов, – вдруг вспомнил Макс.

– Серьезно? Сын Панфилова и Чуриковой? Я не знала. Теперь многие артисты открывают свои ресторанчики. Збруев, Вертинская... А еще чаще их дети, у которых имена родителей – щитом. Не будем называть имена.

– В Москве их и так все знают. Странно, что ты ни разу не была здесь.

– Я вообще редко выбираюсь из города. Если только на гастроли.

– Или в Париж. – Он сделал паузу. – Так ты летишь к нему?

– Ты говоришь о нем, как о другом мужчине в моей жизни! А он – мой сын.

Опять этот взгляд брошенного добермана:

– Не улетай.

– Я же только на пару дней. И потом у нас еще завтра целый день... А послезавтра открывается фестиваль «Божоле». Как можно это пропустить?!

Он задохнулся, как от удара в солнечное сплетение.

– Да я шучу! – испугалась Ольга. – Не ради вина же я туда лечу!

– Мы можем купить его и здесь. Устроим фестиваль прямо у меня дома. Или у тебя. Как ты захочешь.

– Я не уверена, что в Москве продается настоящее «Божоле»...

Дело конечно же было не в этом. А в ее слабенькой надежде развеять это наваждение по имени Макс другим, многовековым, – Парижем. Этот город одурманивал ее, пьянил, она готова была бегать по его улицам, впитывая запахи, говор, обрывки мелодий, аромат любви и грусти. Один знакомый поэт назвал Париж серой розой, распускающейся под дождем. Сейчас Ольге хотелось до крови уколоться ее шипами, чтобы прийти в себя. В ту себя, которая никого не любила. Которая давно забыла, как стонет сердце.

...Она покормила его супом. И на двоих они все же съели огромный стейк, на свежем воздухе показавшийся невероятно вкусным. Аромат крови, благоухание красного вина, привкус любви, ее несмываемый запах – все это причудливо смешалось, окутав обоих особой, недоступной другим атмосферой. Они чувствовали себя под своим пледом точно в осаде против целого мира. Который не принял их сразу же. И вряд ли что-то могло измениться.

В какой-то момент, безо всякой связи Ольгу вдруг осенило: он же видел ее в роли Айседоры! Женщины, безоглядно влюбившейся вопреки всему. Легко перемахнувшей через возрастной рубеж и языковой барьер. Почему ей раньше не пришло в голову уточнить, какие именно спектакли видел Макс. Он сказал: три. И она просто приняла факт. Не подумала, что именно эта ее роль и придала ему смелости. Внушила, что она сама – из таких женщин, способных идти против течения. За своим чудесным мальчиком, очаровавшим в первую же минуту...

Она на секунду закрыла глаза: ужаснись! Разве опыт Дункан не внушает отшатнуться от него, бежать, пока еще не поздно, пока не дошло до того, что и побои его – всласть?! За что Есенин называл ее «сукой»? Только за то, что она была старше его на целую вечность и цеплялась за него с ошалелой неистовостью последней любви...

«Я должна уехать! – так и завопило в ней все от страха. – Хоть бы мне очнуться там... Стряхнуть с тела эти его путы, пока он не начал бить меня. Не сейчас случится, через месяц-другой... Но рано или поздно ему надоест сражаться против всех. Разве он – боец? Он – художник».

– Ой, Макс! Это ты, что ли?

Внешний мир прорвал их искусственный кокон. Ольга узнала этот деланый голос прежде, чем обернулась. Хотя не смотрела ни это ток-шоу, никакие другие. Так, иногда попадала на какую-нибудь перебранку, включая телевизор за ужином в одиночестве... Экранная Барби уже обогнула их столик, уставилась с хищным восторгом. Ольге почудилось, что длинные светлые волосы сейчас щупальцами потянутся к ее лицу.

– Привет, Макс! А я-то думаю, что-то тебя давно не видно...

– Привет, – отозвался он так спокойно, без раздражения и угрюмости, что у Ольги благодарно дрогнуло сердце. – Познакомьтесь...

– Да кто же не знает Ольгу Корнилову!

«Подкормила «желтую» прессу, – подумала Ольга расстроенно. – Завтра все будут знать, с кем у меня роман. И разницу в возрасте высчитают до часа... Нужно было сидеть у него дома и не высовываться... Тоже глупо. Я что – стесняюсь его? Он – нет. Тогда зачем прятаться?»

В том, что ее знают все, Барби даже не усомнилась. Привычно выпятив грудь, точно стояла перед камерой, она протянула:

– Ну, ты даешь, Макс...

В тоне ее послышалось уважение, которого Ольга не ожидала. Лучший скальп на поясе? Для него – победа, для нее – глупость. Про женщин в таких парах обычно говорят: «Совсем сдурела на старости лет». Это Мадонна может позволить себе перешагнуть через всех и публично прижать к груди любимого мальчика. Или Деми Мур... Хотя даже им газетчики с наслаждением изуверов перемыли все косточки. Ольга надеялась лишь на то, что ее известность не столь велика, чтобы журналисты вцепились в эту историю. Даже странно, что эта Барби ее знает...

– Вот уж не думала, что ты вступишь в ряды этих... Toyboys...

Она уже ускользнула в зал, рассыпав тихое хихиканье, а они оба продолжали сидеть, оцепенев, глядя каждый на свой фужер с недопитым вином. «А чего ты ждал? – хотелось спросить Ольге. – Зачем напросился поехать со мной? Притащил меня сюда... Думал, все будут осыпать нас розами?»

Макс заговорил первым:

– Мальчик-игрушка? Ты тоже так считаешь?

– Этот дурацкий термин придумали в Голливуде. Мы живем не по их законам.

У него болезненно напряглись брови:

– Но в чем-то эта дура права? Почему ты... Зачем я тебе? Ты ведь меня не любишь. Даже не заметила там, в «KIMCLUB»...

– Не заметила, – признала Ольга. – Потому что я хожу туда не мальчиков снимать, если ты об этом.

– Извини.

– Если ты собираешься так реагировать на каждую идиотку, лучше нам расстаться прямо сейчас.

– Ну, извини! Меня это дурацкое «toyboys» так задело.

– Я понимаю. В Голливуде это выражение придумали, я его уже встречала в журнале... Мне тоже противно, что она могла обо мне подумать, будто я способна играть человеком. Но эта Барби будет не последней, от кого мы это услышим...

Макс нервно рассмеялся:

– Барби? Очень точно. Ну, ее к черту!

– В глазах Михаэля мы не выглядели парочкой извращенцев... – Она взглянула на часы. – Макс, мне пора. Нужно еще что-то прикупить...

– Перед Парижем?! Да там ты купишь все в два раза дешевле, чем в Третьяковском проезде! Или в том же Столешниковом... У меня друг в каком-то бутике в таком же ряду высокой моды купил себе костюм за три тысячи баксов, он порвался у него через два дня. И даже не по шву... В Москве не застрахуешься от подделок.

– Я не одежду собираюсь покупать. Что-нибудь Софи в подарок. Это Пашкина жена, – пояснила Ольга.

Он усмехнулся:

– Матрешку?

– Сушки. Ей понравилось грызть сушки с чаем.

– Их недолго купить, – взгляд исподлобья. – Тебе так не терпится сбежать от меня? Мы же еще и не поговорили толком... Это из-за той дуры?

Она погладила его вспыхнувшую щеку:

– Нет, мой хороший. Просто действительно пора. Мне ведь еще нужно собраться, купить билет...

– Ты все-таки улетаешь...

Чуть отвернувшись, Макс помолчал, словно дожидаясь ответа, хотя он заранее был ясен. Торопясь разрешить все мучительное, что опять возникло, грозя возвращаться вновь и вновь, Ольга полезла в сумку за кошельком, но Макс поймал ее руку.

– Я заплачу. Или ты решила, что я в альфонсы к тебе записался?

– Пополам?

– Это в Париже с тебя будут брать половину, а у нас платит мужчина, ты забыла? Или потому, что мне двадцать два, так я для тебя...

– Перестань! – остановила она.

На самом деле Ольга не домой так спешила. Ей хотелось заехать к сестре. Прямо сейчас. Чтобы на Ирину переложить, выплакать всю тяжесть, что навалилась вместо ожидаемой легкости. Обычно влюбленность погружала ее в эйфорию: петь хотелось, кружиться, дурачиться. А сейчас запретный плод, который она сорвала и вкусила, не дает ей дышать.

Пока они возвращались к Ольгиной машине, Макс снова держал ее за руку и время от времени поглаживал пальцы. Прозрачная тишина леса, который уже покинули птицы и заняли сумерки, заставляла задерживать дыхание – не нарушить бы... Ольга искала взглядом хоть что-нибудь живое, и на глаза попалась ворона, неодобрительно косившаяся на них. Стало смешно: «Даже она осуждает нас!» И страшно: «Разве мы это выдержим?» Она быстро взглянула на Макса, но он успел поймать ее взгляд, остановился, сжал ее лицо горячими ладонями.

– Зайдем ко мне еще хоть на полчаса? Ну, я прошу тебя! Ты ведь исчезнешь на целых два дня...

– Что ты со мной делаешь, – пробормотала Ольга, слабея в его руках.

– Да? – обрадовался он. – Ты останешься?

– На полчаса...

Уже стемнело настолько, что она позволила ему раздеть себя, не опасаясь вызвать отвращение сеткой сосудов, вылезшей над коленями. Стало куда спокойней оттого, что темнота заретушировала все недостатки ее тела, которое сразу обрело раскованность и бесстрашие. Грудь у нее поистине женская, недаром он то и дело лицом вжимается. Может, действительно ошалел так, что никаких недостатков и не видит?

Оттого что теперь Ольга уже знала, чего именно хочет, ей хотелось этого еще больше. Ощущение того, каким Макс был внутри ее, еще оставалось в животе, и она уже начинала сходить с ума от желания прочувствовать это снова. Наверное, если б он вдруг передумал (невозможная фантазия!), она ударила бы его подсвечником, стоявшим на комоде, и, безвольного, изнасиловала бы. Но Макс рвался к ее телу с не меньшим нетерпением...

Его губы горячо и влажно впивались в ее плечи, грудь, живот, а Ольга только прижимала его голову, чуть подталкивая ее вниз, уже предчувствуя самый пронзительный поцелуй. И не стала сдерживать вскрика, ощутив его оголенным нервом... Прошило так, что она чуть не упала, выгнулась всем телом. Макс успел подхватить ее и перенести на кровать, до которой они предусмотрительно добрались сразу же. Зов ее плоти был таким мощным, что она больше не могла затягивать прелюдию.

«И никаких тебе проблем с эрекцией, – мелькнуло в мыслях благодарное. – Что значит – двадцать лет!»

В Ольгины двадцать близость отзывалась в ней нетерпением другого рода: «Скорей бы все кончилось...» В те годы даже Макс показался бы ей мучителем, да и только... Теперь – только бы подольше не кончалось...

Она вынырнула из-под него, уложила на спину – покорен: «Мой... Весь мой! Буду делать с ним, что захочу. Он этого тоже хочет – знаю».

Наклонилась – он принял в ладони ее груди, мягко сжал, чуть сдавил соски, опять заставив вскрикнуть. Ее волосы густо свесились темной вуалью, спрятали сразу обоих. Она прикусила мочку его уха, потеребила ее, вобрала с силой. Он постанывал и выгибал шею, такую длинную, юную... Кожа на ней уже стала солоноватой – не оторвешься.

– Мальчик мой, – шептала она, неистово целуя его, скользя по нему всем телом. – Любимый мой мальчик...

Целой ночи любви никогда еще не было в ее жизни. Всегда думалось, что это лишь образ, очень сильно приукрашенный. Но, расцепившись, откинувшись каждый на свою подушку, они начинали говорить – торопясь высказаться, перебивая друг друга, словно оба только и ждали человека, которому можно будет все рассказать о себе. То, что они – люди разных поколений, забывалось все чаще. На одном языке говорили, ловили каждое слово, оброненное другим, подхватывали, чтобы развить, прицепить длинную цепочку своих.

Потом, нечаянно коснувшись, так впивались друг в друга, будто их уже пытались разлучить. А кто – неизвестно. Кого остерегаться? Целый мир против них. Мир, давно придумавший непреложные законы, глупые правила, которым все следовали с покорностью. Находились те, что решались идти против течения коллективной мысли, их сжигали на кострах, изгоняли, как смолой обливали общественным презрением. Тело любимое защитить, обвив собой – получится ли? Да как получится! Ольге поглотить его хотелось, каждый кусочек кожи в себя вобрать – в ней Макс будет в безопасности.

Но ближе к утру выяснилось, что ощущение опасности нравится обоим. В очередной раз упав на подушку, Макс вдруг предложил:

– Поехали встречать рассвет?

– Поехали. Куда?

– На восток, конечно.

– На восток Москвы?

– Обогнем ее по МКАД, сейчас пусто, одно удовольствие нестись! Я сам за руль сяду, ладно?

Она согласилась, предвкушая прилив адреналина. Сполоснулись наспех, боясь упустить появление солнца, выскочили из дома, держась за руки. Макс распахнул перед ней дверцу:

– Погнали, погнали!

Но «Рено» еще нужно было прогреть как следует, она-то эту ночь во дворе провела. Пока ждали, Макс, взглядом спросив согласия, включил радио, нашел не по времени энергичную волну – настроиться надо, взбодриться, кофе-то не успели выпить.

Ольга первой не выдержала:

– Ладно, поехали! Хватит ей...

Макс только этого и ждал, не хотел рисковать не своей машиной. И так в темноте не ездил этими дорогами. Но на Киевское шоссе выбрался, не плутая, помчался к Кольцевой дороге, хмелея от нарастающего внутри бешеного ритма, который не музыка задавала – скорость. Краем глаза он видел, что и Ольга уже попала во власть этой сумасшедшей магии, несущейся на них ночи. Радио включила погромче, глаза стали огромными – все впитать, ничего не упустить.

– Скорей! – выкрикнула она. – Мы еще только Варшавку проехали.

– Как скажете! – весело проорал он.

Уже сто пятьдесят неслись, для ее маленькой «Рено» более чем прилично, а Ольге не хватало скорости. Макс согласился: «Адреналин – такая штука, что дозу все время увеличивать приходится. Хочется больше и больше, чтоб пронзало насквозь. И плевать в такой момент, что разбиться можешь. Ничего не жаль отдать за ощущение безумного восторга. Жизни не жаль».

Но за ее жизнь он вдруг испугался, сбросил скорость. Однако Ольга сразу заметила:

– Ты что? Мы же не успеем!

– Только что Каширку проскочили. Почти восток. Скоро Москва-река будет.

– Это тоже еще не восток. Юго-восток. Смотри, как уже посветлело, мы опоздаем...

– Я успею показать тебе рассвет! – крикнул он.

И Ольга вдруг поверила, затихла. На минуту, не больше. Потом начала подпевать старой шальной песне «Агаты Кристи». Орала уже, как девчонка, мотая головой – какие там сорок семь лет?! Где они? Макс задыхался от восторга: такая женщина, безумная скорость, блестящая лента дороги летит навстречу, обрываясь за их задними колесами. Уже сто семьдесят, машина сейчас разлетится, к чертовой матери! Плевать. Скорее! Позади ничего. Ни прошлого, ни других людей, ни сожалений. Все еще впереди. Солнце – впереди.

Его вдруг обожгло ужасом: «Какое солнце?! Второй месяц даже не проглядывает... Все сплошняком затянуто тучами, уже депрессия у половины Москвы. – И взмолился: – Господи, пусть оно выглянет, хоть на пару секунд! Только увидеть, что оно есть».

После можно жить памятью о том, что в их жизни был этот проблеск. Что однажды они встретили солнце... Потом оно снова уйдет за тучи, будто и не бывало, и миллионы людей на земле даже не будут догадываться, что на границе ночи и дня солнечный свет победил ненадолго, осветил лица тех, кто рвался увидеть его. Им в награду: отсвет в глазах, тепло кожи и воспоминание о том, что рядом был любимый человек.

Он стиснул руль: «Да что ж я уже прощаюсь-то с ней?! Что за паника? Все ведь только начинается! Королева снизошла до меня, позволила себе обернуться той девчонкой, которую я не знал. С чего ей теперь отказываться от меня?»

Ольга обрадованно заерзала, оглянулась:

– Проскочили указатель на Новорязанское шоссе! Такой молочный туман кругом, плохо видно. Смотри же! Просто облака по земле стелются... Вот это уже восток. Здесь мы сможем увидеть его, надо только на какую-нибудь возвышенность забраться.

– Я поверну на Носовихинское, – крикнул Макс. – Поедем прямо на восток, там что-нибудь найдется, я чувствую.

Но даже он не ожидал, что солнце просто выйдет им навстречу, заставив обоих захлебнуться восторгом. Макс резко нажал на тормоз, выскочил из машины, обежал ее, чтобы вытащить Ольгу, обхватил ее сзади:

– Смотри, смотри! Вот оно!

Все было как в каком-то фантастическом фильме: пустое шоссе (разве так бывает в будний день утром?!), их брошенная посреди дороги машина, ослепительная нить солнца – в глаза. Если б они промедлили хотя бы на минуту, солнце поднялось бы не у них на глазах. Сцепив руки, они, почти не дыша, смотрели на это вечное и всегда новое чудо, которое совершалось для них двоих.

Ольга вдруг вспомнила:

– Погоди, у меня темные очки есть в «бардачке»!

Пока она доставала, согнувшись, юбка обтянула бедра, Макса вновь охватило желание. Но он сдержался, только обнял ее покрепче, когда она надела очки, взглянула на солнце, потом протянула их ему:

– Посмотри.

Но ему уже не хотелось смотреть на солнце. Она спросила как-то испуганно:

– Ты что?

– Давай свернем куда-нибудь. – Он провел кончиком языка по пересохшим губам.

– Куда? Здесь ведь уже Реутов. Сейчас народ помчится на работу.

– А мы немного вернемся... Перед светофором был съезд направо... Теперь – налево. Короче, в другую от Реутова сторону.

– Ты просто маньяк какой-то, – отозвалась она с пугливым восторгом, растерянным движением поправила волосы.

Он тут же взъерошил их, притянув ее рывком, с силой вжался лицом.

– Никогда никого так не хотел... Правда, как маньяк...

Ольга вскинула голову. Он даже испугался: в ее глазах было то же безумие, какое он чувствовал в себе.

– Мы никуда не поедем. – Голос ее прозвучал низко, чуть глуховато: – Я хочу тебя прямо здесь. Где мы увидели солнце...

– Ты же сама говоришь, что народ на работу скоро рванет...

– Плевать! Давай откинем сиденье. Нас не увидят.

Он заторопился, пока не передумала, не переставая восхищаться: «Вот это мы даем!» Первой юркнув в машину, Ольга легла на спину, расстегнула пуговицу на блузке. Только одну, но это взволновало Макса больше, чем если б она откровенно задрала юбку. Отвернувшись, он торопливо освободился от ремня, на удивление легко справился с пуговицами на джинсах, которые всегда шли туго. И только сейчас вспомнил, что все это время на Ольге не было белья, под юбкой – ничего, он же сам разрезал тесемки в мастерской. Задохнувшись от прилива желания, Макс ворвался в нее на этот раз безо всякой прелюдии. Умер бы от промедления...

То, как неудобно было в машине, как тесно, только распаляло обоих, доставляя какое-то мазохистское удовольствие: чем хуже, тем лучше. Радио продолжало орать, никто из них не вспомнил о нем, не выключил, но Ольге это даже понравилось: у самой вопли вырывались, но музыка заглушала, не так неловко было за себя.

Моментами ей казалось, что все это происходит не с ней, и вообще – не в реальности. Мучительно-сладостный сон какой-то... Или выпавшие из фильма кадры... Такой потрясающий парень разве может быть не в киношной действительности? Бурный секс в машине посреди шоссе, по которому уже вовсю началось движение, как она и думала, – разве такое бывает в жизни? Уж в ее жизни точно не было. По крайней мере, на трезвую голову...

Потом им обоим стало смешно, а у Макса вдобавок поясница заболела, так исхитрялся телом все это время. В «бардачке» у Ольги обнаружились не только солнцезащитные очки, но и влажные салфетки, мало ли что в дороге может случиться, объяснила она.

– Что-то вроде этого? – с подозрением спросил Макс.

– Что-то вроде грязных рук. Или пыли на лице. Да мало ли что!

– А такое... Было с кем-нибудь?

– Тебе действительно важно это знать? – Ей было неприятно, когда кто-либо, даже близкий, пытался проникнуть в ее прошлое.

Она сама с готовностью рассказывала о многом, но если утаила что-то – зачем допытываться? Макс уловил это.

– Извини, – сказал он. – Мне вовсе не обязательно это знать.

Тогда она ответила:

– Ни с кем такого не было. Ничего подобного. И солнце я ни с кем не встречала.

– Я тоже, – признался Макс.

И обоим от этого ощущения исключительности друг друга и себя самого сделалось так хорошо и уютно, что захотелось заехать в какое-нибудь кафе, чтобы просто выпить свой утренний кофе, прижимаясь друг к другу плечами, переглядываясь, пересмеиваясь. Они так и сделали, проехали до заправки, хотя это было не по пути, зашли в придорожное кафе. Ольга обрадовалась: никаких посетителей, они первые и единственные. Чем меньше народу видит их с Максом, тем лучше.

Но от этой мысли, проскользнувшей тайком, но уже знакомой, стало стыдно перед ним. Прятать его? Пускать к себе в постель украдкой? Унижать его ради того, чтоб избежать неодобрения других – чужих, ненужных? В ней привычно откликнулось: «Да какого черта?!» Такого потрясения давно, а может, и никогда не испытывала. Рассвет не встречала с детства, когда высовывалась из окна своей ялтинской веранды, чтобы в тысячный раз задохнуться утренним запахом магнолий, моря, счастья.

Тогда она еще не представляла, что счастье можно испытать на откинутом сиденье машины... А потом в придорожной забегаловке, где с утра конечно же не звучит музыка, никакого интима, только плохой кофе... Но пальцы сами собой сплетаются, каждое нажатие отдается в животе. Смотреть и смотреть бы на его лицо, ловя каждое подрагивание ресниц, движение губ... Неужели это все для нее? Эта красота молодости, красота силы, красота влюбленности...

– Ты смотрел «Прирожденных убийц» Стоуна? Конечно, смотрел. У меня сейчас такое состояние, что тоже могла бы ограбить это кафе.

– Да ну? – восхитился Макс.

– Иногда хочется выкинуть что-нибудь совершенно дикое! – Она прищелкнула языком. – К сожалению, я не настолько безумна. И люди меня не бесят до такой степени, чтобы убивать их. Среди них ведь есть и мои зрители, а их я люблю.

Он усомнился:

– Как можно любить тех, кого ты даже не знаешь? Это не любовь, это что-то другое. Благодарность? Нет, это мы тебе должны быть благодарны за то, что ты делаешь на сцене.

– Ну, я все-таки тоже благодарна... За то, что вы приходите на это посмотреть. И деньги немалые платите, если на то пошло.

– А я ведь ни разу не подарил тебе цветы после спектакля, – вдруг признался он.

– Я знаю. Я бы тебя запомнила.

Она погладила его по щеке: колючая. Сейчас вокруг рта все потемнело от щетины, которую не успел сбрить. Но даже таким его лицо раз увидишь – не забудешь.

– А знаешь почему? Не потому, конечно, что я на деньги зажался. Я просто знал, что если куплю цветы, то весь спектакль только и буду думать о том, как выйду их дарить тебе, как ты посмотришь и что скажешь... И у меня будет сердце выскакивать все два часа. Что увидишь в такой горячке?

– Ты правильно сделал. – Ольга коснулась приоткрытыми губами его губ.

За их спинами за стойкой маячила тетушка, усталая уже с утра, и наверняка следила за ними (на кого еще смотреть?), но это не имело значения. Что ее осуждение против желания ощутить его вкус? Макс откликнулся с такой готовностью, что Ольга сама отпрянула, уже представляла, до чего они могут дойти. Подцепила ложечкой кусок черничного пирога, который выбрал Макс, вложила ему в рот. Покормить своего мальчика... Господи, какое удовольствие все, с ним связанное! Неужели этого стесняться?

И, пытаясь до конца задавить в себе то предательское малодушие, что заставляло ее отворачиваться, когда появлялся даже совершенно незнакомый человек, она потащила Макса через всю Москву к себе домой. Но попросила подождать в машине: ей нужно привести себя в порядок, это лучше делать без свидетелей.

Оказавшись дома, без сил привалилась к стене. Вокруг все привычное, во что годами врастала, зачем опять уходить отсюда? Отдаваться этому урагану по имени Макс, который будит в ней что-то темное, пугающее. Разве с книгой на диване – это не более человеческое состояние? И наслаждение не меньшее можно получить. Другого рода, но не меньшее. До сих пор умела извлекать его из толстых старых томов... Почему же теперь все горит внутри, почему тянет за порог дома? Будто она опять впала в подростковое безрассудство, когда мнилось, что настоящее только там, где много воздуха и огней, голосов, глаз, рук...

Не так уж много хлопот доставила родителям в том возрасте, но было, было... Может, потому они и увезли ее из Ялты в Москву, где уже училась старшая дочь. В городе у моря слишком много мужчин-отпускников с горящими от вожделения глазами. Девочек хоть из дома не выпускай... На деньги за проданный дом с роскошным садом купили двухкомнатную квартиру в кооперативе. Толкались на тридцати метрах втроем, пока Ольга замуж не вышла. Ирина к ним так и не вернулась, уже прижилась в общежитии, потом долго снимала комнатку в центре. Своей квартирой обзавелась не так давно, по ипотеке купила в Кунцево. Виделись редко, но созванивались часто, разговаривали по часу – что-то вместо исповеди. И душе легче, и никуда идти не надо, и наверняка никто не узнает, сестры друг другу верили. Старшая сейчас тоже жила одна: второму мужу собрала чемодан, пока он был на работе, – за это время ей успела позвонить незнакомая девушка и сообщить, что ждет от Алексея ребенка. Почему-то сразу поверилось в это, столько доказательств мгновенно пришло на ум...

Он плакался даже Ольге. С чемоданом приперся, убеждал, что ему жизни нет без ее сестры, но она была оскоблена еще больше: «Мою Иришку на какую-то соплюху променял!» Ей сестра казалась ангелом. Даже внешне – белокурая, в отличие от нее, светлоглазая. В лице что-то невинное, детское – бровки домиком, веснушки... Голос нежный, девчоночий, а самой уже за пятьдесят. Вот он – разлом времени. Не одна Ольга в него угодила.

Подошла к окну, осторожно выглянула: Макс выбрался из машины, стоял рядом, разглядывая их двор и позволяя всем соседкам рассмотреть себя в подробностях. Никаких сомнений не оставил – из Ольгиной машины вышел, ее ждет... Она усмехнулась: теткам на скамейке разговоров на неделю!

Затаившись, следила за ним, еще не переодевшись, не приняв душ. Сунув руки в карманы, Макс задумался, опустил голову, взгляд – в землю. Таким он опять напомнил ей красивого пса. Свистни – и он уже несется черной стрелой. В детстве Ольга любила сказку Джанни Родари о Голубой Стреле. Но когда Пашка был маленьким, эта книга им не попалась, хотя старалась делиться с ним восхищением собственного детства. И сейчас уже и сюжет забылся, и представлялся почему-то не поезд, а настоящая стрела, распространяющая голубоватое свечение, волшебная...

«Она предупредила меня о появлении Макса». Мысль была нелепой, но сейчас показалась правдоподобной. Если верить Коэльо, да и не он первым об этом заговорил, Ольга еще в детстве такое слышала: жизнь постоянно подает нам знаки, надо только замечать их и расшифровывать. Не обратила внимания, не поняла. И потому Макс обрушился на нее лавиной, застал врасплох. Придавил своей мощью так, что нечего и пытаться вырваться.

Можно, конечно, позвонить ему прямо сейчас и сказать, чтобы уходил. Чтоб убирался в свое Переделкино и не показывался больше. Можно. Только не хочется. А ради того, чего хочется, его присутствие просто необходимо. Пресыщение еще не наступило. Возможно ли оно вообще?

Ольга выбежала из подъезда через четверть часа, торжествующе поздоровалась с соседками по двору. Понимала, что слегка поддразнивает заждавшихся новых сплетен гусей, ну да что поделаешь, раз Макс уже всем продемонстрировал свое роскошное тело. Ему улыбнулась с нежностью:

– Я придумала: поедем гулять в Коломенское? Там и пообедаем потом.

Он удивился:

– В Коломенское? Ну, поедем...

– Или можно в Царицыно. И там, и там красота потрясающая.

– Да мы везде можем успеть.

И они действительно везде успели. Даже за билетом до Парижа к ее знакомой, которой Ольга позвонила заранее, заехали. И заскочили в магазинчик, в который по заказу Макса привезли новую модель для его коллекции. Ольга вся обмерла от нежности, увидев, каким стало его лицо, когда Макс молча взял в руки свое новое сокровище, принялся изучать машину со всех сторон, опасаясь найти изъян. Он был так поглощен этим, что она рисковала вызвать раздражение, и все же подошла сзади, обхватила за пояс – так хотелось прижать его именно сейчас, когда он был так занят. Чтобы просто убедиться в том, что не исчезает для него никогда.

И Макс не разочаровал ее, откинув голову, прижался щекой:

– Смотри, какое чудо! У меня аж руки дрожат...

Она расспросила его о деталях, потому что знала, он ждет этого. И ее интерес делает его счастливым. Это ведь так приятно – сделать его счастливым.

Потом они облазили всю усадьбу в Коломенском, пообнимались с вековыми дубами и перебрались в раздольное Царицыно. Прошлись открытыми аллеями, где малыши собирали с оголившихся клумб белые, чуть поблескивающие камешки. Макс присел, тоже сунул в карман один: «Да просто так – на память». Потом вдруг спросил, глядя на нее снизу:

– Тебе совсем не было страшно, когда мы летели сегодня по трассе? Мы ведь запросто могли разбиться.

– Могли, – подтвердила она. – Но мне в это не верилось. От тебя не исходит ощущение опасности. И потом, знаешь, я не так уж боюсь смерти.

– Не боишься?

– Я сказала: не так уж боюсь. Не то, чтобы совсем... Но мне любопытно было бы узнать, что там. – Ольга неопределенно мотнула головой.

– Страшно другое: мы ведь могли искалечиться...

Она улыбнулась:

– У меня чудесная сестра! Она не позволила бы мне сгнить в доме инвалидов. И тебе тоже... Хотя это, конечно, эгоизм – так думать.

Они еще немного постояли возле пруда, молча глядя на серую гладь воды. Но желанной тишины здесь не нашли: в Царицыно вовсю шла реставрация, с треском разлетались искры сварки, стоял железный стук, назойливое рычание моторов.

– Милый пруд, но я люблю море, – сказала Ольга. – Непокой люблю. Ни озера, ни вот такие пруды меня особенно не трогают.

– А я лето на Клязьме проводил, у бабушки. Сейчас там по водохранилищу такие яхты ходят – обалдеть можно.

Внутренним взором она вдруг увидела смеющееся лицо Макса, стоявшего на борту яхты. Обнаженный по пояс, босой, штаны закатаны до колен, и такой же небритый, как сейчас. Красавец-пират. На самом деле они все были беззубыми и страшными...

– У тебя будет своя яхта, поверь мне, – сказала Ольга.

Он заглянул ей в лицо:

– Это шутка такая?

– Нет. Совсем даже не шутка. Иногда у меня бывают такие предчувствия или видения, не знаю, как лучше назвать...

– И ты увидела...

– Да. У тебя все будет хорошо. Даже лучше, чем ты думаешь.

– Это вряд ли.

Чуть приподняв подбородок, Макс, прищурившись, поглядел в ту даль, где еще промелькивали силуэты хорошеньких фрейлин и галантных молодых дворян. В лице его не было ни отсвета грядущей радости.

– Почему? – спросила Ольга с тревогой.

– Поедем отсюда, – позвал он. – Поедем ко мне. Здесь слишком много... всего. Воздуха, воды, пространства.

Рассмеявшись, она откинула волосы:

– У тебя ведь клаустрофобия в детстве была, а не боязнь открытого пространства. Храбрый пират испугался этой лужи!

Резко наклонившись, Макс подхватил ее на руки, шагнул к воде:

– Сейчас искупаю!

Может, он ждал, что она взвизгнет, но Ольга лишь крепче сжала его крепкую шею, уткнулась в нее. И, не донеся ее до кромки воды, Макс замер, продолжая держать ее, наклонил голову, прижался лбом к ее волосам.

«Прощание, – мелькнуло у нее в мыслях. – Вот что сейчас можно лепить с нас...»

Ей показалось странным, что она уже смотрит на мир через восприятие Макса. Не актриса – скульптор. Момент единения и разлуки одновременно. Не в первый раз Ольга сказала себе, что они все равно расстанутся, но сейчас это было не доказательством логики сорокасемилетней женщины, а пришедшим извне очередным прозрением. Только что привиделось его будущее... Теперь общее, которого просто не было.

Своего собственного, отдельного от Макса, ей сейчас знать не хотелось.

– Поставь меня, пожалуйста, – тихо попросила Ольга. – И пойдем отсюда.

Думалось взять его под руку, медленно пройтись до машины. Но в этот момент музыкой Прокофьева из «Ромео и Джульетты» налетел ветер, забросил ей волосы на лицо, заставил схватиться за руку Макса, его потащить за собой. Быстрее, еще быстрее! Нам так мало отпущено. Господи, зачем вообще было встречаться, если уже просматривается линия горизонта, за которой для нас ничего нет. Солнце там уже не взойдет. Какие тревожные, какие упоительные звуки... Как торопит жить эта музыка!

Ее лихорадка передалась Максу, он уже почти бежал рядом, ни о чем не спрашивая. И ведь не любовное нетерпение торопило обоих, этого сейчас и в помине не было. Только попытка убежать от будущего, приближая его, торопя время. Вечные парадоксы отношений двоих...

И опять гонка по трассе, только теперь она за рулем. Указатели режут глаза: еще двадцать километров, еще десять... До сих пор ни словом не обмолвилась о нем сестре – невозможная скрытность! Не то, чтобы опасалась ее неодобрения, просто делить Макса с кем-то, даже рассказывая, казалось немыслимым. На миг повернулась к нему, просто посмотрела: нет, немыслимо. Мой человек.

По его дому кружили, следя друг за другом: кто первым не выдержит? У Макса горели щеки, Ольга тайком прижимала руки к своим – у нее тоже? Подозревая, что он голоден, она нажарила котлет из фарша, который нашелся у него в морозилке. Макс начистил картошки для пюре. И все спрашивал ее, что лучше добавить в мясо, в чем обвалять? В панировочных сухарях? А просто в муке нельзя? Можно, если нет сухарей. Но продается специальная панировка с перчиком, с чесночком...

В этом он не боялся показаться учеником, Ольга сама была осторожна. Вадиму роль учителя в свое время доставляла такое удовольствие, что он указывал ей и как белье стирать, и как посуду мыть. Не говоря уж о сцене... Провести Макса через такое? Дать ему почувствовать себя полным ничтожеством, которое способно только выполнять указания? Ольга зареклась на все отпущенное им время: никогда! Учительствовать не любила в принципе, его же унижать этим казалось просто преступно. Если только сам спросит о чем-то... Хотя что значит весь этот пресловутый жизненный опыт? Только свою жизнь прожила, о других что может знать? Какой дать совет?

После обеда их сморил сон. Настоящий сон, без желания даже прижаться друг к другу. Макс пробормотал:

– Все. Меня плющит...

И упал на постель навзничь. Пока она дошла до кровати, он уже спал, по-детски приоткрыв рот. Раздевшись, Ольга нырнула сначала под душ – смыть запах кухни, потом под одеяло. И уснула мгновенно, даже насмотреться на Макса перед сном не успела. Закружило, затянуло в темную воронку...

Из нее вытащил все тот же Макс, прижался губами к плечу. Она подскочила, увидев темное окно:

– Уже ночь?!

Макс перехватил ее:

– Еще всего восемь. Вечера. У нас уйма времени...

...Когда они вынырнули точно из омута, совершенно ошалевшие, изможденные любовью, выяснилось, что уже почти полночь.

– Куда ты поедешь? – испугался Макс. – Опасно одной.

– Я ведь утром лечу девятичасовым рейсом... О господи, я совсем утратила ощущение времени.

– Переночуй у меня. Я так хочу, чтобы ты уснула рядом со мной...

– Тогда я не успею заехать за вещами.

– Сколько рейсов до Парижа?

– Шесть. Но я всегда прилетала утром, Пашка будет встречать.

– Позвони ему. Предупреди.

– И как я это объясню, интересно? Сынок, извини, но я в постели с таким мужчиной, от которого невозможно оторваться?

Приподнявшись на локте, Макс заглянул ей в лицо:

– Это правда?

– Это правда.

Он сел перед ней и задумался, прекрасный и отрешенный, как Будда. Не удержавшись, Ольга поцеловала его согнутое колено. Макс очнулся:

– Знаешь что? Если тебе действительно так необходимо лететь первым рейсом, мы сейчас вместе поедем в Москву, и я заночую у тебя. Ты не против? Я боюсь отпускать тебя одну в такую темень. А утром отвезу тебя в аэропорт.

– И тебе не лень будет тащиться куда-то рано утром? – улыбнулась она. – В общем-то, в аэропорт я и сама смогу добраться, ты можешь остаться у меня и выспаться.

– Мне не десять лет! – огрызнулся он. – Я вполне могу встать в шесть утра.

Задабривая, Ольга погладила его голую ногу, курчавые волоски которой уже просохли:

– Мой хороший, я не возраст имела в виду. Но ты же художник. Разве ты не привык спать до полудня?

– Я еще и веб-дизайнер, я тебе говорил. Этим я на жизнь зарабатываю. Так что спать особенно некогда.

– Бедненький трудяжка...

Он ловко вытянулся с ней рядом, положил голову на плечо, замурлыкал:

– А лучше бы ты вообще никуда не уезжала... Утром я принес бы тебе завтрак в постель.

– Искуситель! – возмутилась она.

– А у тебя дома я не смогу его приготовить. Не люблю хозяйничать на чужих кухнях.

– Значит, придется мне кормить тебя завтраком. Мой обычно ограничивается чашкой мюсли с йогуртом. Ну, кофе – это святое!

Приподнявшись, Макс требовательно посмотрел ей в глаза:

– Сколько у нас с тобой будет этих завтраков?

– Вот об этом мы гадать не будем, – медленно проговорила она, ощутив такую боль, что сердце сбилось с ритма. – Договорились? Нам хорошо здесь и сейчас.

Он помолчал. Положил руку ей на грудь, прижав к постели, точно опасался, что она тотчас же ускользнет.

– Обычно женщинам требуется определенность...

– Обычно – да. Впрочем, это и есть определенность: здесь и сейчас. Разве нет?

– Ты – не как все. Я – не как все. Мы обречены были встретиться.

– Обречены? Звучит невесело, – заметила она. – Ну что, поехали?

Но Макс не сразу убрал руку. Огладил пальцами ее грудь, прошелся вдоль талии, спустился до колена и перебрался через него на внутреннюю часть бедра. Ольга замерла, предчувствуя укол наслаждения. И подумала равнодушно: «Так я точно никуда не улечу...»

– Я хочу вылепить тебя. Я это сделаю.

– Но не прямо же сейчас...

– Сейчас – нет. Или сотворить тебя из мрамора? Нет, он холодный. Знаешь, твоего тела достойна слоновая кость.

– Слоновая кость?

– Она выглядит теплой. Мне жаль, что невозможно увидеть статую Зевса работы Фидия. Ну, ты знаешь: одно из чудес света... Считается, что ему впервые удалось добиться видимости живой кожи. Ты хочешь золотые одежды, как у Зевса?

– Сейчас я не хочу никаких одежд.

Умолкнув, Макс вынудил ее чуть раздвинуть ноги, огладил влажную кожу, слегка тронул пальцем то, что уже ожидало его прикосновения. Потом нажал сильнее, пустив в ее тело тот разряд, который так и подбрасывал его. Его палец скользнул внутрь, заставив вспомнить одного из Людовиков, утверждавшего, что он – не импотент, пока у него есть хоть один палец.

– Макс, – простонала она умоляюще, – нам нужно ехать.

– Еще полчаса уже ничего не решают, – прошептал он.

Как ни странно, добравшись до спальни в ее квартире, они оба опять уснули мгновенно. Макс только успел восхититься тридцатидвухдюймовым «Филипсом», стоявшим в гостиной, включил его, пришел в восторг от объемности изображения и сочности цветов, пощелкал кнопками пульта.

– А еще и разноцветная подсветка сзади включается. – Она показала нужную кнопку. – Выключи свет, красота будет потрясающая.

Он бегом бросился к выключателю. Уселся с пультом на ковре. Ребенок, дорвавшийся до чуда. С улыбкой выслушивая его восторги, Ольга завела будильник на шесть часов, чтобы еще успеть покидать что-нибудь в сумку. Подарок Софи она надеялась купить прямо в Шереметьево-2. Если не сушки, так что-нибудь исконно русское – метелку какую-нибудь с домовенком, валенки, на худой конец. Где только девочка будет их носить? В Париже зимой хоть выпадает снег? Ольга была там весной и летом и ничего не знала о зиме. Впрочем, злые морозы прошлого года, кажется, сковали не только Москву, но и всю Европу.

Вскочив от пиликанья будильника, она на цыпочках бросилась в душ, только вскользь взглянув на Макса. Руки его кажутся особенно темными на постельном белье... Лицо какого-то восточного ангела. Если только в восточных религиях есть ангелы... В буддизме? Кажется, нет. Никогда особенно не интересовалась им, а ведь такое приятное отношение ко всему миру – главенство наслаждения, и никакого тебе чувства вины. Макс не унаследовал случайно этого мировосприятия? Что за крови намешаны в нем? Кажется, она уже собиралась об этом разузнать, припомнилось Ольге. Теперь, пожалуй, можно и спросить. Потом. Пусть поспит... Он так хорошо спит.

Струи своего душа оказались привычнее. Ольге всегда приходилось делать над собой усилие, чтобы просто выключить воду – такое наслаждение! Но сейчас и на это не оставалось времени, сын ждал ее. Быстро промокнув полотенцем капли воды, она накинула белый махровый халат и выскочила из ванной.

Почему она не спросила у Пашки, что там у них с погодой? Если так же, как в Москве, надо захватить зонт, и любимый свитерок, кстати в Париже и купленный в бутике на rue Grenelle, куда не заглядывали туристы, только французы. Софи открыла ей этот райский уголок парижского шопинга. Удовольствие оказалось по-настоящему дорогим, поэтому Ольга осилила один тончайший свитер. Зато он облегал тело так изысканно, что даже ей самой казалось, будто ее грудь приподнималась от удовольствия.

Надо было взять что-нибудь на случай, если сын пригласит ее в ресторан... Лучше выбрать темное, чтобы не выделяться среди француженок. Слава богу, она не блондинка. Во Франции светлые волосы все равно, что табличка «Чужак». Правда, и у них имеется Катрин Денев... Вот женщина, неподвластная времени! В каком-то фильме у ее героини тоже был роман с молодым мужчиной...

Мотнув головой («Хватит об этом!»), Ольга быстро пролистнула платья: могла бы заранее хотя бы подумать о гардеробе для Парижа! Но ни о чем, кроме своей одержимости человеком, спавшим в соседней комнате, как-то не думалось... Теперь придется выбирать наспех.

Стянула с вешалки платье, купленное у Gucci в Третьяковском проезде, что внушало надежду на подлинность вещи. Хотя Макс утверждал обратное... Правда, он, кажется, говорил не о бутиках «Mercury». Смотрела на него, любовалась, вбирала эту красоту, чтобы наполниться ею, насладиться, а что говорил – толком и не запоминала. Нельзя так. Если он поймает ее на невнимательности, может решить, что ей просто наплевать на его слова. И опять всплывет это идиотское понятие о «мальчике-игрушке», а он может еще и добавить «сексуальной игрушке». Уже сейчас понятно, что невозможно оскорбить его сильнее...

Застегнув сумку, Ольга насыпала в две керамические миски мюсли, залила йогуртом, включила чайник, решив ограничиться растворимым кофе – варить уже некогда. И вдруг замерла, поймав себя на том, что впервые за долгое время готовит завтрак не только для себя. Улыбка тронула губы, да так и осталась. Она донесла ее до постели Макса, позволила себе полюбоваться им еще несколько секунд. Мышцы расслаблены, текучи... Когда он собран, в руках чувствуется сила, совсем не юношеская, только познающая себя, – мужская. Он уже знает, на что способен, но в лице еще сохраняется какая-то особая нетронутость Маугли. С тигром уже сражался, но женщины еще не познал... Зацеловать бы его сейчас до одури, задохнуться его запахом, собрать со всего тела, ничего не пугаясь, ничем не брезгуя. Если любишь человека, в его теле не может быть неприятных мест.

Переведя дыхание, Ольга осторожно коснулась смуглого плеча:

– Мой хороший, пора вставать!

Можно было не будить его, оставить здесь досматривать сон, но накануне Макс так протестовал, чтобы его принимали за мальчишку, которому слабо́ проснуться раньше обычного. Ей не хотелось оставлять в его душе обиду. Если ее самолет так и не приземлится в Парижском аэропорту, пусть Макс хотя бы вспоминает их два дня и две ночи с нежностью...

Он подскочил, растерянно заморгал:

– Что? Я проспал?

– Главное, ты завтрак не проспал. – Ольга поцеловала его горячую со сна щеку. – Вставай, солнышко...

Взъерошенный, полуголый, в одних белых плавках, он выбрался из постели, зевнул во весь рот – сама невинность. У нее сердце зашлось от восторга и нежности. Так и припасть бы щекой к его коленям, распластаться на полу, как перед божеством...

– Ой, извини. – Макс зажал рот ладонью.

Она ласково шлепнула его:

– Беги, умывайся! Пора ехать.

Пока его не было, нанесла легкий макияж. Умела делать это быстро, профессия приучила. Не всегда гримеры оказывались на месте... Француженки позволяют себе днем обходиться без косметики, но Ольга казалась себе не одетой, если на ее ресницах не было туши. Макс не шарахнулся от нее с утра. Кажется, даже не заметил разницы, уже хорошо. Правда, она и не злоупотребляла гримом, этого ей в театре хватало за глаза. Когда появился уже причесанный Макс, она уже была одета и готова к выходу.

«Хоть бы за мою расческу зацепился его волосок». У нее заныло сердце, словно им предстояло проститься навсегда. И точно почувствовав в ней зародившуюся тоску, Макс быстро подошел и прижал ее. Полминуты отчаянных попыток вжиться друг в друга так, чтоб не разъединить...

Ольга высвободилась первой:

– Пойдем, перекусим.

Он покорно отправился за ней на кухню и сел за стол все такой же полуголый, прекрасный и трогательный. Опять с ложечки покормить бы...

– Вкусно! – отозвался он с восторгом.

«Преувеличенно, – отметила Ольга. – Не так уж ему и нравится. Актер из него никудышный. Это хорошо».

И она уже не сомневалась, что Макс не изображает прорывающуюся панику, когда они прощались в аэропорту, стоя за углом киоска с сувенирами. Он цеплялся за ее руки, как ребенок, которого оставляют в незнакомом месте среди чужих людей. Кажется, он даже не замечал, как посматривают на них другие пассажиры, с которыми Ольге предстояло разделить полет. Все то же неодобрительное недоумение. И жадное любопытство: любовник? сын? Ольга спиной чувствовала, как они с Максом притягивают взгляды. Как те впиваются, покалывая, жгут кожу... Она знала, что никто не посмеет что-либо буркнуть им вслед, все-таки не то время, и все равно не могла избавиться от напряжения. От постоянной готовности принять боксерскую стойку.

– Я позвоню тебе, как только приземлюсь.

– Позвони...

– И вечером пожелаю спокойной ночи.

– Пожелай.

– А завтра...

– Господи, какое там завтра! – вырвалось у него. – Я сдохну прямо сейчас, как только ты пройдешь под этой чертовой дугой! Как ты можешь так спокойно говорить о том, что будет с тобой без меня?! Тебе кажется нормальным, что ты – без меня?

– Макс, мы ведь едва знакомы, – попыталась Ольга вразумить его. Как это могло получиться, когда сама не понимала: как это – без него?!

– Все-таки дело в возрасте, да? – процедил он сквозь зубы, весь ощетинившись от злости.

Она только удивилась:

– Ты пытаешься меня обидеть?

– Нет! Но ты за свою жизнь уже столько раз прощалась, что для тебя это плевое дело!

Ольга зажала рукой его искривившийся рот:

– Других нет, понимаешь? Ни людей, ни прощаний. Каждый раз – это первый раз. Ты – мой первый мужчина. Никого не было – до и не будет – после.

Мотнув головой, он высвободился:

– После? Ты уже думаешь об этом – после?

– Я думаю о том, как вернусь к тебе со свежими круассанами в бумажном пакетике. И мы будем пить чай у меня на кухне. А потом поедем к тебе, и ты будешь лепить меня или целовать меня, в общем, делать со мной, что тебе вздумается...

Он уткнулся ей в ключицу, опять напомнив осиротевшего пса:

– Прости меня. Прости, пожалуйста. Я просто с ума схожу от ужаса. Я не могу представить, как я сейчас выйду из аэропорта один. Домой поеду... Что мне там делать без тебя?

– То же, что ты делал позавчера утром.

– Позавчера утром я мечтал, что приду на тренировку и увижу тебя. Я ведь уже знал, что ты тоже занимаешься там...

Ольга ахнула:

– Вот так, да? Ты же говорил, что наша встреча была для тебя полной неожиданностью!

– Я наврал. – Он шкодливо ухмыльнулся. Потом нахмурился: – Ну да, я искал встречи с тобой. Не случай нас свел. Я сам. Это тебе нравится меньше?

– Пожалуй, нет, – ответила она, задумавшись лишь на секунду. – Скорее даже наоборот.

– Что я теперь могу сделать, чтобы уговорить тебя не улетать?

– Солнышко, это всего пара дней. Я должна...

– Да-да-да! – быстро проговорил Макс. Отшатнулся. – Иди.

– Лучше ты иди. Не смотри, как я ухожу.

Он кусал губы:

– Ладно. Все, я пошел.

Не поцеловав ее, он повернулся и бросился к выходу, пытаясь порвать нить ее взгляда, тянущуюся следом. Ольга до боли сжала кулак: «Он никак не может разучиться бегать. Мальчик мой...»

* * *

Макс выскочил из дверей аэропорта, бросился к машине. Позыва к движению не усмирить. Сейчас бы сигануть с холма вниз, так, чтоб ветер в ушах, чтобы сердце у горла. Откуда взялась эта боль?

Он поймал себя на том, что забивает голову всякой ерундой, лишь бы не позволять себе представлять, как Оля проходит паспортный контроль, затихает в «накопителе», отдаляясь от него с каждой секундой. Каждый глоток воздуха в ее легких – уже чужой. Разнящийся по составу с тем, который вдыхал сейчас Макс. И, набираясь этого другого, она и сама становится другой, оправляясь от сиюминутности горя, которое взаправду испытывала, когда они прощались. Париж смутной грезой начинает надвигаться от горизонта, переставая быть таким же недосягаемым. И во взволнованном биении сердца уже больше предвкушения встречи, чем тоски расставания.

Ее «Рено» слушалась Макса, как выдрессированная собака. Кто взял за поводок, тот и хозяин. Уже на Ленинградском шоссе, по дороге к Химкам, Макс вдруг вспомнил, что его ждет и радость, а не только двухдневная апатия. Он ведь задумал сделать своей Оле подарок... Слишком дорогой для него, слишком дешевый для такой женщины, как она.

Китай-город уже притягивал его рождественской елкой, хотя еще и декабрь-то не наступил. Но возможность сделать подарок радовала его куда больше, чем получить его. То рубиновое колье с камнями, ограненными в форме сердца, которое он, забредя ради любопытства, увидел в элитном ювелирном «Chopard», и запомнил еще безо всякой связи с Ольгой, представилось ему, когда Макс лежал на ее груди, вбирая звуки жизни. Преподнести это украшение сейчас значило для Макса перечеркнуть красной (рубиновой!) чертой то подлое подозрение в склонности к альфонству, которое мелькнуло в глазах тупенькой Барби. В ней самой так и сквозила готовность продаться подороже, поэтому на Макса она посмотрела вчера, как на ловкого проныру, успевшего занять тепленькое местечко в постели женщины, истосковавшейся по любви. Или этой дуре пришла в голову мысль лишь о хорошем сексе?

Он поморщился, на миг почувствовав омерзение к самому себе. Разве не он сам месяц назад ни о чем другом и не помышлял? Человеческие тела с их изъянами и роскошью были его профессией. И Макс был уверен, что тело может выразить все, что составляет личность. Как в бронзе отольешь душу? Высечь ее из гранита разве удастся? Только пластикой или уродством можно ее отобразить. Этим он и пытался заниматься. И отдавался изучению тел со страстью. Не маниакально, но с удовольствием, которого не пытался избегнуть.

Как на этот раз ему удалось уловить нечто идущее изнутри? Притяжение биотоков, помноженное на силу таланта. Телесная красота тоже имела место, но не довлела над тем, что было невидимо глазом. В какой-то момент, может быть, еще на спектакле – теперь и не вспомнить, Максу вдруг открылось, что будь эта женщина не так хороша или даже откровенно некрасива, его тянуло бы к ней с той же силой. В ней чувствовалось желание любви. Тоска по той страсти, от которой – и деньги в огонь, и ножом в сердце. После того механического, с жвачкой во рту секса, что был у Макса в последнее время, ее притяжение было почти мистическим. Сумасшедшим – точно. С бредовыми снами, после которых он просыпался мокрым, как в отрочестве. С непрекращающимися мысленными диалогами, уговорами...

Он и повел себя как одержимый – стал следить за ней. Куда направляется после репетиции, с кем пьет кофе... Когда вырисовался «KIMCLUB», Макс был слегка ошарашен. Но и обрадован. То, что Ольга Корнилова, выйдя из образа пластичной Айседоры, отправлялась молотить кулаками, было неожиданно. Зато это давало возможность подобраться к ней поближе. Каждый может заняться боксом. И Макс немедленно вступил в клуб, сам не ожидая того, что уже третья тренировка позволит ему приблизиться к Оле вплотную.

Его ничуть не задевало то, что она не замечает его. Мало ли парней боксирует в зале! Сама сказала: не мальчиков снимать приходила... Такая женщина... Как она вообще позволила сесть ему в свою машину? Не разглядела и намека на опасность? Или что-то все же дрогнуло в ней, отозвалось отголоском желания? Сколько раз за день его испытывает каждый, но едва пробившийся росток засыхает мгновенно: встретились взглядами – разошлись. Соприкоснулись в метро руками – а тут уже станция, и пора выходить. Связь рвется мгновенно, шаг из вагона, и уже пропадает желание даже оглянуться.

Но замкнутое пространство ее машины плюс время, которое понадобилось, чтобы добраться до Большой Дмитровки, позволило интересу с ее стороны разрастись, заставить разволноваться. Двое, отрезанные от мира, обречены увидеть друг друга. Разглядеть то, что на улице ускользнуло бы от взгляда.

Максу уже не требовалось, чтобы открылось новое зрение. Он хотел эту женщину до того, что у него уши закладывало. Если бы вчера в Оле не забродило ответное желание, он, наверное, ушел бы в запой... О том, чтобы взять ее силой, Макс и не помышлял. Кто она и кто он – разве можно покушаться на ее мир? Не дотянешься просто, если она сама не снизойдет.

Но когда возле машины Макс, внезапно утратив контроль над собой, сжал ее руки, не давая пригладить волосы, то готов был впиться в нее губами, зубами, причинить боль, только бы овладеть ею. Но Олин голос прозвучал так жалобно, умоляя отпустить ее, что он мгновенно очнулся. Сердце встрепенулось: «Да что же я делаю?!»

Сейчас он уже понимал, что все сделал правильно. Что этот его безотчетный порыв приоткрыл Ольге, какого накала достигло все внутри его. И это хоть и напугало ее, но и заставило заволноваться. И она увидела его другими глазами: не случайный попутчик, а мужчина, который хочет ее до безумия... Ее взгляды вскользь стали другими, словно Ольга пыталась разглядеть, а как это будет с ним? Есть ли в нем та искра, что распалит ее до того, чтобы уже ничего не стесняться, ни о чем не заботиться?

Они даже слишком не озаботились – никакого презерватива ни в первый раз, ни потом. Даже речи об этом не зашло, хотя Макс никогда не позволял себе рисковать настолько. Но если может заразить *такая* женщина – значит мир точно летит в пропасть. Ольгу он хотел ощутить всей плотью, ради этого и ходил за ней по пятам.

И восторг погружения в ее тепло был именно таким, какой Макс и воображал, мучая себя ночами, а потом бегая в ванную. Белая полоска живота под задранной юбкой слепила его, заставляя жмуриться от наслаждения. Пытаясь проникнуть все глубже и глубже, он мял ее бедра, точно лепил эту женщину, создавал ее сам, отвергая то, что было сделано другими. Сколько мужчин познали влажное тепло этого лона? Максу не было до этого дела. Прошлого не существовало. Ни у нее, ни у него. Время начало свой отсчет сегодня, когда он собрал губами сок, источаемый ее телом, узнал его вкус, языком размазал по деснам, чтобы все скорее впиталось в кровь.

Все ее тело под его руками содрогалось от нетерпения, которое было по накалу вдвое сильнее, чем у тех девушек, что Макс познал до сих пор. Были моменты, когда ему мерещилось, что Ольгино чрево сейчас поглотит его, всосет целиком, чтобы заполниться наконец радостью обретения. И эта ее жадность до страсти, до его тела, которое она покрыла поцелуями, не позволяла видеть те приметы ее возраста, что Оле хотелось бы скрыть. Макс заметил их, но не увидел. Мелькнули перед глазами и забылись. Слишком велик был накал желания.

Он и сейчас, возвращаясь из аэропорта, прочувствовал это так реально, что едва не попытался рукой усмирить то, что опять поднималось в нем. В этот момент перед ним и возникла эта «Газель». Перестраиваясь по диагонали из третьего ряда в первый, фургон застыл посреди дороги, и Макс на скорости влетел в торчавшие на два метра доски. Он успел нажать на тормоз, но оказался уже слишком близко, чтобы его «Рено» успела остановиться. Лобовое стекло машины страшно хрустнуло и пошло трещинами. И в ту же секунду прозвучал взрыв...

На мгновение реальность распалась на атомы. Ни его самого, ни машины, ни «Газели», груженной доской, не существовало. Только черный ужас, который со свистом затягивал воронкой. Секунду спустя опять проступило покалеченное стекло, и Макс почувствовал запах пороха. В бок ему уперлось что-то упругое, но он понял, что машина выпустила подушки безопасности, только когда взглянул. Помрачение сознания.

Оцепенев, Макс сидел, вцепившись в руль, и смотрел не на повреждение даже, а прямо перед собой. «У меня даже прав нет... Я не сказал ей... Не пустила бы меня за руль... Черт, черт, черт!» Он уже понял, что должен делать – лишить себя радости преподнести ей подарок. Все деньги, что были у него отложены и которые Макс захватил с собой, придется потратить на срочный ремонт, если он не хочет испортить Оле возвращение домой. К нему. Он примерно знал, что такое стекло, как здесь, еще недорого можно поставить, но вот вывороченное с корнем правое зеркало и эти дурацкие подушки обойдутся в круглую сумму... Как теперь освободиться от этих непрошеных спасителей?!

Вытащив из внутреннего кармана нож, который всегда носил с собой, Макс нажал на кнопку, заставив лезвие выскочить, и воткнул его в ту подушку, которая давила на ребра. Потом проткнул надутую колбасу, вытянувшуюся над головой. Она была похожа на те длинные шарики, из которых скручивают забавные фигурки для малышей. Макс ожидал, что подушки обвиснут жалкими тряпочками, но парусина все еще топорщилась. Ее оказалось так много, что трудно было понять, где это все помещалось.

Водитель «Газели» уже направлялся к нему с обреченным видом. Увидев в его руках телефон, Макс выскочил из машины:

– Ты уже позвонил?

– Нет пока, – промямлил тот.

– Никуда не звони. Еще гаишников мне тут не хватало... Какого хрена ты раскорячился посреди дороги?

– Так мне вон на поворот надо было. – Тот указал рукой на съезд вправо.

– Вот и тащился бы сразу по первой, чего ты сюда полез со своими досками?

Макс слышал себя как сквозь толщу воды. И смутно понимал, что пытается сорвать на незнакомом парне, который действительно был виноват, злость на себя самого. Не думал бы об Ольге – успел бы затормозить. А с этого «газелиста» что возьмешь? За него предприятие платить будет, если его признают виновным. Живых денег с него не сдерешь.

– Ладно, катись отсюда, – процедил Макс сквозь зубы. – Я свои проблемы сам решу.

Отогнав искалеченную машину на обочину, он достал телефон и нашел номер школьного приятеля, который теперь стал на пару со старшим братом хозяином автосервиса. Откровенно ликовал, когда звонили друзья детства, хотя это почти всегда означало, что очередной из них попал в беду. Зато Валентин сразу чувствовал себя хозяином жизни. В школе его тоже шпыняли и высмеивали за то, что он маршировал на занятиях по военной подготовке – правая рука и правая нога вместе. Никто так и не смог научить его ходить правильно. Не то чтобы он был принципиально против строя, как такового, просто что-то заклинивало у него в мозгу, когда раздавалась команда: «Шагом марш!» И все до сих пор об этом помнили, но это не мешало теперь мчаться к бывшему посмешищу за помощью.

Валька пообещал заменить стекло, найти новое правое зеркало, которое, как оказалось, было разбито вдребезги, и поставить новые подушки безопасности сегодня же. Если Макс заплатит наличными.

– Заплачу, – смирился Макс. – Куда я денусь?

«А у нее не будет этих шикарных рубиновых сердец». Ему хотелось плакать от обиды и злости на себя. Взрослый мужик, называется! Вляпался, как пацан... Дорого собственная глупость обходится.

– А подушки тебе зачем? Бережешь себя?

– Не себя, – ответил он. – Их необходимо поставить. Без вариантов.

Отогнав «Рено» в автосервис на Соколе, Макс добрался на метро до Киевского вокзала и сел в электричку до Переделкино. Ему опять хотелось напиться, хотя теперь уже по другой причине. Его пугала сама мысль о том, что в один ужасный день Ольга тоже поймет, что он – просто незрелый мальчишка, которому опасно доверять свою жизнь. И что тогда? Он согласится на то, чтобы она использовала его только в постели? Чтобы за его счет удовлетворяла свои инстинкты, и материнский в том числе. Мальчик-игрушка... Может, и не первый. Один из множества, поэтому и употребляют это выражение во множественном числе...

Его так и передернуло. Сидевший напротив старик взглянул на него с удивлением и снова перевел взгляд за окно. «Всем плевать на меня!» – подумал Макс с тем отчаянием, которое все разрасталось в нем с той минуты, как он уехал из Шереметьево-2. Он посмотрел на часы: наверное, ее самолет уже приземлился, почему же она не звонит? Даже пока был в метро, где теряется связь с миром, Оля не пыталась с ним связаться: у него была подключена услуга «Вам звонили». Сообщили бы, когда он выбрался бы на поверхность.

«Может, еще рано? – подумал Макс с надеждой. – Я ведь даже не узнал толком, сколько ей лететь...»

Он чувствовал себя осиротевшим. Когда впервые снял комнату и съехал от матери, этого ощущения сиротства нс было. Нс возникло оно и когда сбежал из Кемерова... Сейчас же ему казалось, будто его впустили в роскошный дворец и позволили вкусить незнакомых яств, понежиться на шелковых простынях в широкой кровати с балдахином, а потом выставили за порог. В Ольге Корниловой для него сосредоточилось все, что он мечтал найти в женщине: она была красива и сексуальна, талантлива и известна, неглупа и добра. Она могла быть и ласковой, и резкой. И нетребовательной, и строгой. Формы ее тела были подчеркнуто женственными, мягкими, а она занималась боксом, чтобы, если потребуется, защитить эту свою откровенную женственность, до которой всегда найдутся охотники.

«С кем она рядом сидит в самолете? – проснулась вдруг ревность. – С утра мы ничего не успели... Кто помешает ей заняться этим со случайным спутником? Хотя бы руку его допустить... Говорят, в самолетах такое часто происходит. И я никогда ничего не узнаю. Да она наверняка и не считает себя обязанной хранить мне верность».

Испытывая какое-то извращенное и мучительное удовольствие, Макс представил Ольгу бок о бок с таким громилой, которого она не смогла ударить на тренировке. Рука не поднялась. Зато его рука вполне может быть допущена под коричневую, расклешенную книзу юбку, которую она надела (специально?!), хотя удобнее было бы лететь в брюках. Горячая влажность останется у него на пальцах...

Вскочив, Макс вышел в тамбур и впервые пожалел, что не курит. Теперь он уже наверняка знал, что напьется. Прямо со станции отправится в тот же ресторан «Дети солнца», где они были вчера, и надерется до беспамятства. Чтобы не думалось больше ни о чем. То есть о ней...

Выйдя из электрички, он предусмотрительно позвонил Михаэлю, чтобы тот забрал его из ресторана, в случае если Макс не рассчитает силы.

– А где Оля? – спросил немец первым делом.

– Соскучился? – отозвался Макс со злостью. – И тебе она тоже понравилась?

Михаэль не стал отрицать:

– Очень красивая женщина. В России вообще много красивых женщин.

– В этом ты не патриот, да?

– Нет, – согласился немец. – В этом – нет.

– Так ты не забудешь про меня? Может, присоединишься?

Но тот сослался на работу. И Макс поверил, знал, что Михаэлю приходится и дома возиться со своими переводами.

В ресторане на этот раз было более многолюдно, но столик в зале все же нашелся. Длинноволосая женщина с отрешенным лицом, чем-то похожая на Русалку, пела на сцене под гитару, и некоторые действительно слушали. Плюхнувшись на потертую подушку, которые в этом ресторане набрасывали на диванчики, Макс вслушался в песню: обычная бардовская тоска. Было так хорошо вчера, и так плохо сегодня... А ведь и вправду...

– Эй, Макс, – вдруг окликнули из проходившей по залу компании дачных знакомых. – Тебе слюнявчик подарить?

– А мамочка тебе разрешает одному в кабак ходить?

– Ты ее в дом престарелых отвез?

– Пустышку потерял, Макс!

Он только оскалился в их сторону: началось! Этого следовало ожидать, дуракам только дай повод... К его удивлению, не слишком и задело. Может, как раз потому, что уже ко всему был готов после встречи с Барби – сразу дала понять, как к ним будут относиться те, что с одной извилиной... Как его угораздило познакомиться с ними? Даже ведь не тошнило от их компании...

Когда подошел официант, Макс не мудрствуя лукаво заказал бутылку водки и ту самую гигантскую креветку, которой они так и не отведали накануне.

Пока ждал заказа, он безотчетно шарил взглядом по лицам, пытаясь найти хоть одно, в чертах которого прочитывался бы особый шифр, намекающий на тайну. И выделил пару, похожую на них с Ольгой: женщина лет сорока и его ровесник рядом. Эти тоже шептались, прижавшись головами, совсем как они вчера, и явно не собирались таить то, что их связывало.

«А такая неправильность отношений здорово возбуждает, – отметил Макс. – Оба ведь чувствуют, что вкушают запретный плод. В глазах окружающих для нее этот плод даже более запретен... Неужели Ольгу привлекло во мне только это? Возраст решает все?»

Она позвонила, когда он уже выпил две рюмки. Номер высветился незнакомый, но Макс даже не усомнился, что это Ольга. Схватив пиликающий телефон, он выскочил на веранду, сбежал по ступеням, чтобы затеряться среди деревьев. Зачем ей слышать ресторанный гул?

– Да, да! – прокричал он в трубку. – Это ты?

Послышался ее смешок:

– Я, мой хороший! Что ты так кричишь?

– Почему ты не звонила так долго?

– Разве долго? Нужно было купить здешнюю «симку». Сам понимаешь, я же не могла просить Пашку заняться этим в первую же минуту.

– Почему? – внезапно разозлился он. – Ты собираешься скрывать меня, как позорную болезнь?

Она замолчала. Потом неуверенно спросила:

– Ты пьян?

– Нет, я не пьян. Извини. Извини, ради бога! Я просто с ума сходил тут оттого, что ты не звонишь. Я ведь даже не знал: долетела ты живой или нет?

– Ты мог бы позвонить в аэропорт и узнать.

– В самом деле? Я не додумался. Ну что, ты уже отведала «Божоле»?

– Нет, мы только собираемся в ресторан. Софи пригласила своих родителей, так что будет такой милый семейный вечер.

«Я не вхожу в ее семью. – Ему захотелось швырнуть телефон об асфальт. – Даже если мы будем встречаться с ней год, она все равно не решится познакомить меня с сыном».

– Макс? – позвала она. – Ты куда пропадаешь?

– Я здесь, – отозвался он. – Это тебя нет.

– Ты сейчас в Переделкино?

Макс заставил себя сглотнуть обиду:

– Брожу по лесу. Выпей от души молодого вина за мое здоровье, договорились? Отдохни хорошенько.

– Обещаю. – Чувствовалось, что она улыбнулась. – Привезти тебе что-нибудь с Монмартра?

– Воздуха.

– Хорошо. Я наберу полную бутылку... Макс, я вернусь так скоро, ты отдохнуть от меня не успеешь.

– О чем ты говоришь? Я уже истосковался по тебе.

Он ждал, что Ольга ответит тем же, но она сказала:

– В Париже время течет по-другому. Почему-то мне здесь все время хочется плакать... Даже не знаю – отчего? От великолепия этого? От их музыки? От того что ты всего этого не видишь и не слышишь? Знаешь, здесь на нас не косились бы так, как в Москве.

– А здесь разве косятся?

– А ты не замечал? Мне в самолете попалась статья в журнале. Оказывается, в России к таким парам, как мы с тобой, с неодобрением относится более восьмидесяти процентов населения. В маленьких городках – более девяноста. И в Штатах также. А во Франции таких непримиримых всего тридцать процентов.

– Меняем гражданство? Я готов.

Снова легкий смешок:

– Тебе проще. Ты можешь работать хоть в Таиланде. А кому нужна во Франции русская актриса?

– Ладно, остаемся в Москве.

– Приятно иметь дело со столь сговорчивым партнером!

Это задело его. Макс переспросил по слогам:

– Партнером? Всего лишь партнером?

– Нет. Конечно нет. Солнышко мое...

Теперь улыбнулся он, зная, что она угадает это по голосу:

– Это звучит лучше. Скажи что-нибудь еще?

– Здесь теплее, чем у нас.

– В том смысле, что там ты без меня не мерзнешь?

– В том смысле, что мне не понадобится кто-нибудь, чтобы меня согреть. Тебе ведь хотелось увериться в этом?

– Откуда ты знаешь? – вырвалось у Макса.

– Я тебя чувствую. – Ольга понизила голос. Ему представилось – оглянулась. – И не только душой.

Он не удержался, заныл:

– Господи, когда ты уже вернешься?!

– Да я только улетела!

– Только?! Целый день прошел!

Помолчав, она согласилась:

– Потерянный день – это действительно много.

– Эй! Что ты так посерьезнела? Я не хотел тебя огорчать.

– Реально не хотел, – фыркнула она.

Макс не понял:

– Что?

– Ты часто так говоришь: реально. Так теперь многие говорят.

– Шлепай меня по губам! Я не хочу быть, как многие.

– Целую тебя, – сказала она, явно собираясь закончить разговор.

– И я целую! – заторопился он.

– Я привезу бутылку вина с ежевичным привкусом, говорят, такой в этом году у «Божоле». И мы выпьем ее в постели.

– Пойду, приготовлю ее. Ты ведь скоро?

Они говорили друг другу что-то еще. Нанизывали на нить разговора те мелочи, которые не значили ничего важного, но которые так нужно было высказать в пространство между Парижем и Москвой, чтобы оно могло сократиться...

Когда телефон все-таки замолчал, Макс посмотрел на него растерянно. Но заставил себя улыбнуться: она существует. Она думает о нем. Она прилетит к нему.

Медленно вернувшись к веранде, Макс наткнулся на того парня, чья подруга была заметно старше его. Выпустив дым, тот отставил сигарету и подбородком указал на трубку, которую Макс все еще сжимал в руке:

– Контролирует твоя кугуарша?

– Кто?

– Не слышал такого выражения? Кугуары – дамочки не первой свежести, которые охотятся за молодыми мужиками. Хоть нормально тебя содержит? Не жмется?

– Это ты вообще мне? – От ярости у него зашумело в ушах.

Тот засмеялся:

– Думаешь, откуда знаю? Я вас вчера видел тут. Как вы шуршали под пледом... Кстати, меня Ярославом зовут. Мы тут с друзьями были, а твоя тебя мяском кормила.

– Это я ее кормил, если что...

– Оба-на! – удивился Ярослав. – Она еще и не всегда платит?

– У нас не тот случай, – сухо пояснил Макс. – Не те отношения, что у вас. Как я понял...

– Ты серьезно?! Не доишь ее, что ли? А на фига тебе тогда старуха?

То раздражение, что накапливалось в течение дня, подогревалось глупыми репликами посторонних и собственной неосторожностью на дороге, наконец нашло выход, когда Макс ударил по лицу – неподдельно изумленному, смазливому до отвращения. Поскользнувшись на мокрых ступенях, Ярослав упал, ударившись головой. Сигарета выпала у него из пальцев и откатилась Максу под ноги. Он с яростью растоптал ее.

– Только попробуй еще раз что-то сказать о моей женщине своим грязным языком, – проговорил Макс угрожающе. – Будешь болтать о ней, я тебя раздавлю, сволочь! Как эту сигарету раздавлю. Понял?

С трудом поднявшись и еще больше извозив костюм, который на вид стоил пару тысяч баксов с лишком, Ярослав, сморщившись, стряхнул грязные капли с ладоней, потер голову.

– Охренел совсем? Я с тобой как с человеком хотел поговорить...

– Ты со мной как с альфонсом хотел поговорить. – Ярость уже утихла, и Максу даже стало жаль дурака, не понимающего, за что получил по морде. – А я с тобой не имею ничего общего.

– Ну, и ладно, – обиженно буркнул тот. – Живи, как хочешь. Хотя с твоими данными ты стопудово мог бы весь в шоколаде быть.

В воображении Макса мелькнула картинка: он стоит в том же Третьяковском проезде, куда собирался сегодня, но не доехал, умильно улыбается состоятельным дамам средних лет, выходящим из бутиков Armani и Gucci, ловит их взгляды... Стало смешно, и злость окончательно прошла.

– Это не для меня, – заметил он уже миролюбиво. – А ты, значит, такими делами промышляешь?

Потрогав мизинцем кровоточившую губу, Ярослав с досадой бросил:

– Вот именно. А ты мне фасад портишь.

– Не плачь. Она тебя пожалеет и деньжат подкинет на лечение.

Макс сказал это не всерьез, но тот оживился:

– А ведь реально подкинет! Да ты еще тот знаток женской психологии, как я погляжу... Посидеть бы вместе, только от моей сейчас не отделаешься. А тебя я за наш столик не приглашу, уж извини. С твоей мордой ничего не стоит увести любую бабу. Ты это хоть понимаешь?

– Да ну тебя, – отозвался Макс.

И подумал, направляясь к своему столику: «Неужели я действительно говорю: реально? Как он. Как тысячи других. Никому до нее это не резало слух... Нужно будет следить за собой».

Ему наперерез бросился официант, воскликнул с облегчением:

– Я уж подумал, что вы исчезли. Что-нибудь еще закажете?

– Послезавтра, – пообещал Макс. – Когда я приду к вам с дамой.

Но сам подумал: «Не приду. Надо пригласить ее в другое место. Какие клубы сейчас в моде? «A Priori»? «ДЖЕМ-клуб»? Что-то я отстал от жизни, пока торчал в Кемерово... Там даже лучшая забегаловка и та носит название «Забой»...» У Макса ни разу не возникло желания спуститься в забой.

Или лучше им пойти в ресторан, продолжал раздумывать он? Не в театр же приглашать актрису... Куда? Потрясающий «Турандот» с его эпохой Регентства, ему, наверное, не потянуть. Только в Интернете его и видел. Интересно было бы побывать во французском «В темноте?», но это когда-нибудь потом, когда слегка притупится потребность *видеть* Олю каждую секунду. Что еще? «Пушкинъ»? «Dell Opera»? Слышал про какой-то театральный ресторан «A propos», кажется, итальянский, но не был там. Вроде бы там уютно и кормят вкусно... Вот только решится ли Ольга показаться с ним там, где ее почти наверняка узнают? Не гримироваться же ей по такому случаю... Или же вообще остаться дома, самим наварить спагетти, забраться в постель, и пусть она расскажет ему о Париже...

Он положил телефон на стол, на случай если Оля снова позвонит. Налил себе и выпил, потом еще дважды, почти не делая перерыва, и даже мысленно не произнеся подобия тоста. Макс ничего не отмечал, ему просто хотелось раствориться в беспамятстве хотя бы до утра. Иначе разве уснешь? Водка позволила ему сделать поразительное открытие: он ведь и сам может позвонить Ольге в любой момент. За это, конечно, у него все снимут со счета, но разве оно того не стоит?

Дело в другом – не помешает ли ей этот нежданный звонок? Не отвлечет ли от интересного разговора? Не подумается ли ей, что Макс пытается держать ее в узде даже на таком расстоянии? Его мать ушла от мужа, которого Макс и не помнил как отца, именно поэтому. Когда он подрос, мать объяснила ему, все мужчины, с которыми она ложилась в постель, наутро начинали командовать и давить на нее – мальчики с совковым воспитанием, когда равноправие женщин было не более, чем строкой Конституции. Макса она приучила думать, что свобода распоряжаться своим временем и желаниями нужна женщине в той же степени, как и мужчине. Поэтому он и не торопился ворваться в атмосферу Парижа с назойливым напоминанием о себе.

Взглянул на часы: да еще и часа не прошло с тех пор, как мы разговаривали! Время замедлилось, и надежда была только на водку, которой в бутылке еще оставалось достаточно. Он попытался найти взглядом Ярослава, но их столик оказался пуст. Наверное, подруга утащила его залечивать раны...

Макс усмехнулся: «Это обоим доставит удовольствие. Она что-нибудь подарит ему в утешение». Время от времени он ловил на себе заинтересованные женские взгляды: сидит в углу молодой, здоровый парень и самым свинским образом напивается в одиночку. С каждым глотком Макс рассматривал лица и ноги все откровеннее. Сегодня он смог бы увести с собой любую... Хоть вчерашнюю школьницу с тонким, тугим телом, с грудками, устремленными в будущее. Только куда ее деть утром? Еще вечером, сразу после оргазма – что с ней делать? MTV за компанию смотреть? «Cosmopolitan» листать? На дискотеку тащиться? С такими девочками ничего общего, кроме постели, быть не может. Над его коллекцией она похихикала бы:

«Ты че, в натуре, машинки собираешь? В солдатиков играешь?» Он уже проходил это, и не раз...

– Ну, позвони же мне! – пробормотал Макс, взглядом заставляя телефон завибрировать, запеть от радости.

И случилось чудо: маленький экран вспыхнул оранжевым, приветствуя Ольгу. Едва не бросив рюмку, Макс схватил трубку. Но, едва взглянув, понял: не она. Особую мелодию ей еще не поставил, вот и не распознал сразу.

– Привет, мам, – заставил он себя произнести как можно приветливее. – Я только что собирался тебе позвонить.

– Где ты? – с ходу спросила мать.

Макс насторожился: не в ее правилах было контролировать его.

– А что?

– Мне сказали, что тебя видели с Ольгой Корниловой. И это не было похоже на случайную встречу.

– Обалдеть! – вырвалось у него. – Уже кто-то донес?

– Это правда?

– Это правда. Я и сам сообщил бы тебе.

У нее задрожал голос:

– Ты говоришь об этом так, будто гордишься!

– Не будто, – взъерошился Макс. – А так и есть.

– И что у тебя с ней, интересно знать? Роман, что ли?

– Мам, тебе не кажется...

Она перебила:

– Нет, не кажется! Ты хоть представляешь, сколько ей лет?

– Знаешь, мама, один умный человек... Его зовут Фрэнк Питтман, он – американский психолог или что-то вроде... Мне тут недавно попалась его книжка... Ты слушаешь? Так вот он сказал, что мужчине нужна женщина любого возраста, если она его любит, если ему с ней хорошо и если она его возбуждает...

– Она его возбуждает! – заговорила о нем мать в третьем лице. – Как у него только язык поворачивается?! Она же училась со мной в одном классе!

– Что?

Максу показалось, что он ослышался...

– Ольга Корнилова училась со мной в одном классе, – отчеканила мать. – Она тебе этого, конечно, не сообщила!

Ему пришлось сдавить виски, чтобы скомкавшиеся бесформенной массой мысли вновь выстроились во что-то связное.

– Откуда она могла знать, что я – твой сын?

– Ты даже не сказал ей свою фамилию?

«А ведь и вправду не сказал!» – спохватился он.

– В Москве Кравцовых пруд пруди! Тем более это же не девичья твоя фамилия.

– Не оправдывайся!

– Почему ты никогда не говорила о том, что училась с Ольгой?

– А чем тут хвастать? Она такая же, как и все.

– А вот это ты уже со злости!

– Давно ты с ней встречаешься?

– Давно, – легко солгал он.

– Так ты из-за нее вернулся в Москву?

– Нет. Я узнал ее позднее.

Ему увиделось, как она брезгливо поморщилась:

– Узнал! Какая грязь!

– Какая грязь?

– Не разговаривай со мной моими же словами! Тебе что, молодых девушек не хватает, если уж ты решил вести богемный образ жизни?

Теперь сморщился Макс:

– Ну при чем тут богемный образ жизни? Я никогда его не вел. Я всегда был домашним мальчиком.

Это он произнес с издевкой, позволил себе уколоть мать, которая еще в старших классах все гнала его на улицу: «Что ты все сидишь? Найди же себе друзей!» Макс понимал: ее нетерпение избавиться от него значило, что к ней должен был прийти мужчина. И без возражений уходил, чтобы просто побродить по улицам, послушать звуки Москвы: ее голоса, песни, гудки. Вдохнуть ее запахи... Запомнить краски... Полюбоваться каждым старым домом, лепкой фасадов, изгибами балясин...

В Кемерово он тосковал по всему, что составляло столицу, которую сибиряки не любили как-то озлобленно, приговаривая, что там могут прижиться только люди-селедки, плавающие косяками – в метро, по улицам, вообще по жизни. А Максу нравилось это будоражащее кровь ощущение скорости, с которой жила Москва. Он и на машине любил гонять непозволительно быстро, за это у него как-то раз даже отобрали права. Сам во всем виноват, и в сегодняшней аварии тоже...

– Чем, интересно, она тебя охмурила? – Мать вернула его в сегодняшний день.

Он напомнил:

– Мам, это ты должна учить меня выбирать выражения...

Но мать не услышала. Ее нес мутный поток собственных мыслей, вырывавшийся из их с Ольгой общего детства.

– Ее-то, конечно, понять нетрудно. Вцепилась в хорошенького мальчика, дура старая... Ей сорок семь лет! Ты понимаешь это?

– Я это знал. Она сама мне сказала.

– В чем ее секрет? – произнесла мать почти с мольбой.

И тут его осенило, что ведь она, бедная, безумно завидует Ольге, которая имеет и портреты в журналах, и успех на подмостках, и молодого любовника... Все остальные звезды, которые имели то же самое плюс миллионные гонорары, существовали где-то в другой Галактике, как можно злиться на них? А Ольга была бывшей одноклассницей, может, за одной партой сидели какое-то время, в одних мальчиков влюблялись. Как пережить то, что теперь у нее совершенно другая жизнь? Не очередные куски сериалов вечером, а цветы от поклонников, и ровесник сына, изнывающий от страсти...

Макс проговорил со всей возможной мягкостью:

– Мам, ты тоже вполне можешь позволить себе кого угодно...

– Что? – обиженно вскрикнула она, выдав испуг («Как догадался?!»). – Ты считаешь свою мать шлюхой?

– Я ни одну женщину не считаю шлюхой. Ну, может, только парочку... Но это уже отдельный разговор.

Она произнесла трагическим голосом:

– Мой сын знается со шлюхами.

– Слушай, давай прекратим этот идиотский разговор! – взмолился Макс. – Я сейчас материться начну, если ты не оставишь Ольгу в покое.

– Я позвоню ей!

– Я не скажу тебе ее номер.

– Я пойду к ней в театр. Я знаю, где она работает.

Он исправил:

– Служит. Актеры говорят: «Я служу в таком-то театре».

– Не пытайся меня отвлечь этой ерундой!

– Это не ерунда! У них к этому служению очень трепетное отношение. Я это и раньше знал.

– Я все равно узнаю ее номер, – процедила мать на прощание. – У нас слишком много общих знакомых.

«Надо предупредить Олю, чтобы купила другую «симку». Мать не шутит», – озаботился Макс и уже хотел было вызвать ее, но опять засомневался, отложил телефон.

А через минуту-другую увидел в дверях ресторана Михаэля. Сунув руки в карманы расстегнутой куртки, тот с меланхоличной улыбкой оглядывал зал. Иностранец в нем был заметен с первого взгляда, а вот Деда Мороза так сразу не разглядишь.

– Девки уже стойку на него сделали, – пробормотал Макс. – Знали бы, что у Мишки денег еще меньше, чем у меня...

Он махнул Михаэлю рукой. Серые глаза за стеклами, уголками поймавшими блики света, радостно округлились. Длинная шея торчала из открытой горловины светлого пуловера как-то сиротливо.

– Я пока в порядке, – сказал Макс, когда немец сел за его столик. – Но это здорово, что ты пришел. Хочется наконец поговорить с умным человеком.

– Почему ты пьешь? – спросил Михаэль напрямик.

У Макса вырвался сдавленный смешок:

– Тебе по порядку перечислить? – Он принялся загибать пальцы. – Оля сейчас в Париже... Этого уже достаточно, правда? Так нет, слушай дальше! Я хотел купить ей рубиновое колье...

– А, это как у Куприна! – обрадовался Михаэль.

– Нет, там был гранатовый браслет. Но я все равно не купил это колье. Вместо этого разбил ее машину, и все деньги грохнул на ремонт.

– Грохнул. – Немец попробовал слово на вкус, запоминая.

– Третье. Мать рвется выяснить с Ольгой отношения. Я послал ее подальше...

– Когда ты успел все это сделать?

– У меня был длинный день, – печально заметил Макс. – Никогда не думал, что время может растянуться только оттого, что рядом нет человека, который тебе нужен. Черт возьми, Мишка! Как это произошло со мной? Мне никогда никто не был так нужен! Я не тебя имею в виду.

Короткой улыбкой Михаэль показал, что понял шутку.

– Ты будешь пить, пока она не вернется?

– Она улетела всего на два дня. Может, все дело в том, что она приняла меня таким, какой я есть? Я ведь проверил ее своими моделями. Даже тени усмешки не было, понимаешь?

– Ей было интересно, – подтвердил немец.

– Не просто интересно! Она восхищалась.

– У нее было время узнать, как это бывает, когда тебя... мало ценят, да?

Губы Макса печально изогнулись подковой:

– Наверное. И это удручает. Такая женщина должна принимать лишь восторги.

– Макс, извини... А ты не придумываешь ее?

Михаэль смотрел на него так внимательно, что Макс и сам прислушался к себе: нет? Не придумываю?

– Она реальная лучше всяких фантазий, – заметил он сдержанно. – Не согласен?

– Я не знаю ее как человека, – осторожно сказал немец. – Есть некоторые женщины... ее возраста... которые просто так развлекаются... Только секс и ничего больше.

Макс хлопнул его по руке:

– Стоп-стоп-стоп! Это я уже слышал. Я надеялся, что ты мне скажешь что-нибудь более... обнадеживающее.

– Она вернется.

– А, вот это обнадеживает! Ты выпьешь со мной?

– Если только стопарик...

– Мишка, а вот ты почему не женишься? У тебя же была какая-то подружка... Из Сергиева Посада или из Орехово-Зуево...

Вместо ответа немец протянул свою рюмку и произнес:

– Чин-чин!

– Вздрогнем, – отозвался Макс и выпил залпом. – Гигантскую креветку я тут без тебя сожрал. Хочешь чего-нибудь поесть?

– Нет. Я не женюсь потому, что у меня нет ни своего угла, ни надежной работы. Я не могу позволить себе жениться. Здесь. А в Германии я никого не любил. Тоже препятствие. В этом мы похожи, да? Мы оба не можем жениться на тех, кого любим.

– Приводи ее в мой флигель, – разрешил Макс. – Живите вместе. Это ж такая морока – мотаться к ней туда!

Михаэль виновато поджал губы:

– Она не пойдет во флигель. Не потому, что он плохой! Наташа живет в доме, который еще хуже. Но она так воспитана... Очень строго. Она будет жить вместе только с мужем.

– Вот только не говори, что даже не спал с нею! Ты мотаешься по пять часов в электричке, чтобы просто подержать ее за руку?!

Смущенно усмехнувшись, немец опустил глаза:

– Ну, нет. На это я ее уговорил. Хотя она все равно считает, что мы поступаем нехорошо. Скрывают только преступление, а мы с ней скрываемся.

– И правильно делаете, – мрачно заметил Макс. – Мы всего один раз – первый раз! – пришли с Олей в ресторан, и нас уже засек кто-то из матушкиных осведомителей.

– О! – Михаэль изумленно округлил глаза. – Твоя мама дружит с местными писателями?

– А откуда у нас тут дача, как ты думаешь? Мой затерявшийся на просторах России отец называл себя поэтом. А может, и был им. И остается. У нас в доме нет ни одной его книги. Наверное, матушка развела ритуальный костер, когда отправила его восвояси... А дачу решила не сжигать. Только приезжать сюда не любит. И слава богу! Кстати говоря, здесь не одни писатели ошиваются. Их все меньше становится. Я разве писатель? Ну, ты еще туда-сюда...

Оглянувшись, Михаэль просительно прошептал:

– Пойдем отсюда. Теперь мне кажется, что все за нами следят.

– А я уже не различаю лиц, – вдруг понял Макс. – Вот тебя еще вижу.

– Пойдем. Ты выглядишь как полный отморозок.

– Ух, ты! Какие мы слова знаем!

Михаэль поднялся первым и радостно заверил:

– Я все время учусь. Держись. На воздухе тебе станет легче.

Уцепившись за его руку, Макс поднялся, бросил на стол деньги, взял телефон.

– Она больше не позвонила, – сказал он, глядя в темное окошко трубки. – Не позвонила, и всё тут... Фестиваль «Божоле»!

Он ждал ее звонка весь следующий день. И всю ночь перед предполагаемым прилетом. Но она не позвонила.

* * *

Пешком на Монмартрский холм... Дыхание срывается... Так и видится: Макс забежал бы бегом. Уже поджидал бы ее у знаменитого собора Сакре-кер, опершись спиной о решетку. Рядом – статуя Чарли Чаплина жмет живые человеческие руки и просит поддержать материально. Макс передразнил бы его, тоже поклянчил бы у нее французской мелочи. Без стеснения разыграл бы маленький спектакль. Надо было позвать его с собой, было бы веселее бродить по Парижу.

Пашка с Софи уже поднялись на холм на фуникулере – умный в гору не пойдет. А Ольга решила познать этот город ногами, уже столько отмахала за сутки, самой не верится. Но улицы здесь так и несут вперед, летишь без крыльев над булыжником, над асфальтом, над смешением веков! Легкие вдыхают теплую даже в ноябре смесь сдобы, жареных каштанов, изюма, духов, корицы. Здесь пахнет уютным домом, можно понять, почему сын не захотел возвращаться в Москву, где она не всегда успевала даже обед ему приготовить, какие там булочки... Начать стряпать для Макса? Уйти из театра и постепенно превратиться в бабушку, пропахшую кухней? Ольга испуганно поежилась: только не это. Она будет на сцене, пока не упадет, как ее муж. В день их свадьбы умер, навсегда отменив этот праздник. Перечеркнул черным...

Позвонить в Москву? Несколько раз уже нащупывала во внутреннем (чтобы не достали ушлые парижские воришки!) кармане телефон. Но тут же вспоминалось то, что ожидало за углом, буквально в двух шагах. Надо сначала взглянуть, потом рассказать ему. Сцепив крепкие руки, Мопассан, Дюма, Гюго, Роллан, Миллер, Саган взяли ее в плен, околдовали постоянным ощущением дежавю. Воображаемое еще в юности обрастало живыми деталями, красками, запахами. Она жадно вбирала все, что попадалось, боясь пропустить хоть штрих, хоть один цветочный горшок на окне, хоть маленькую лесенку, ведущую куда-то вглубь, прямо в сердцевину Парижа, скрытую от туристов. Телефон оставался в кармане: потом позвоню. Вечером. Или ночью. Завтра из аэропорта.

То и дело охватывало облегчение: «Я ведь и надеялась спастись от Макса этим городом... Получается!» И уже верилось, что удастся победить зависимость, возникшую против ее воли – пока летела сюда, чуть не умерла от ломки, от тоски по нему. Тепло его дыхания, которое коснулось каждой клеточки ее тела, долетало через километры, заставляя сердце сжиматься так мучительно, что Ольга боялась застонать. Юная соседка подумала бы о приступе: что еще может вырвать стон у женщины, вдвое старше ее? Не любовный же спазм...

Закрыв глаза, Оля откинула голову, пусть думает, что она уснула. Не узнала ее – значит не театралка. Такие девочки знают только Нелли Уварову да Анастасию Заворотнюк – лица сериалов. Вне телевидения для них пустыня... Бог с ними. Бедняжки.

За стеклом иллюминатора – пустота. Облака где-то внизу. Шаг из самолета – и растворишься в ней, превратишься в нее. Ее слегка передернуло: «Нашла о чем думать на высоте десять тысяч метров! Оптимистка...»

В Париже и впрямь показалась себе оптимисткой. Вечером в ресторане, пообщавшись с отцом Софи – Бернаром, которого понимала через слово, Ольга почувствовала, что заболевает от избытка недовольства жизнью, которым он ее окатил. «Божоле» в этом году не удалось... Что это за вкус такой – ежевика? Погода никогда не была такой дрянной, как в этом ноябре... Печень опять шалит от холода. Мусульман в Париже все больше, вас это не раздражает? И даже осенью толпы туристов. К вам, Ольга, это, конечно, не имеет отношения.

«С тоски можно сдохнуть!» – она все пыталась отделаться от него и поговорить с сыном, полюбоваться так, чтоб глаза в глаза, но Пашка без умолку болтал с женой. Разве они уже не пообщались с матерью, пока он вез ее из аэропорта? Софи, умница, хоть туда не приехала, дала ей время насмотреться, потискать своего Пашку, как хотелось... Он смеялся, но уже не отбивался, как в пятнадцать лет. По дороге наспех пересказал ей новости последней недели, так-то обычно созванивались в выходные. С недавних пор сын начал заботиться о том, чтобы мать не чувствовала себя изолированной от их жизни.

В ресторане же Ольге оставалось общаться со своим сверстником, показавшимся ей глубоким стариком. Душистое, только народившееся вино не веселило его, а все глубже погружало в меланхолию: «Что эти мальчики понимают в хорошей кухне? Все талантливые повара – люди нашего поколения. Мы вымрем, гастрономия уйдет вместе с нами». Ее так и тянуло прошипеть: «Уж скорей бы ты вымер!» Теперь она всей душой жалела, что мать Софи сломала палец ноги и не смогла прийти, хотя поначалу рассчитывала слегка пофлиртовать с настоящим французом.

Как-то странно было находиться на этой земле, где любой носильщик или официант выпевали фразы, как любимые шансонье. Ольга работала над произношением старательно, но сама слышала, что в ее исполнении французский звучал делано, неизящно. Невозможно стать музыкантом в сорок лет.

– О, смотрите! – вдруг воскликнула Софи и, подскочив, замахала кому-то рукой. – Ольга, это мсье Бочаров. Он ведь тоже из Москвы. Вы не знакомы?

– В Москве живет свыше двенадцати миллионов человек, – улыбнулся Павел. – Даже моя мама не со всеми знакома.

Он приподнялся, приветствуя Бочарова. Ольга посмотрела через плечо: невысокий, щуплый, рыжеватый, в лице что-то от Бродского, в фамилии – намек на нечто более внушительное. Тайный господин Корейко? Скорее товарищ... Все они так и остались «товарищами», эти бывшие комсомольские вожаки, успевшие хапнуть свой стартовый капитал из казны той организации, что так рьяно проповедовала бескорыстие. Ольга была знакома с некоторыми. Они только пытались изображать «господ»... Получалось не очень.

Паша уже знакомил их, Бочарова представил как Сергея Николаевича. Тот значительно взглянул на нее, припав к руке. Имени он ее, конечно, даже не слышал. Но это даже нравилось Ольге: не так уж плохо в охотку побыть просто женщиной. Она и в Москве не была всем знакома, но в каждом заведении находился хоть один человек, который узнавал. Иногда это напрягало. Перестали бы узнавать – подавило бы...

– Счастлив, – произнес Бочаров, наверняка уверенный, что это вышло любезно.

Она сама ощутила, как презрение проступило в линии рта: еще один самодовольный болван с тугой мошной. Поймала взгляд сына, он чуть заметно покачал головой. Еще не разучился читать ее мысли...

– В гости? – спросил Сергей Николаевич. И тут же отвлекся на бутылку молодого вина: – Вы заказали только одну? Ну, это смешно!

– Мы дегустируем, а не надираемся, – заметила Ольга. – Для этого бочку надо выпить.

– Тогда, может, лучше по-русски – водочки?

– Я не пью водку.

Солгала, конечно. С чего бы русской артистке не пить водку? Но ради этого не стоило приезжать в Париж. С утра ей нужна была ясная голова и легкость в теле – ноги уже зовут ее в путь. Обойти Париж, увидеть его на расстоянии ладони и не умереть, а наполниться тем благоговейным восторгом, который может подарить только этот город.

Она была здесь не впервые, года три назад сын пригласил ее на свадьбу, которая оказалась просто семейным вечером в каком-то маленьком кабачке возле их дома. Сегодня они выбрали ресторан «Божоле». Попали сюда только благодаря старым связям ворчливого Бернара. Когда-то и у него были друзья...

– Красивая женщина, которая не пьет водку, кажется охотницей.

Бочаров все еще был здесь. Бернар же переключился на дочь, которую Ольга от души пожалела. Впрочем, Софи уже должна была выработать иммунитет...

– За вашим прекрасным телом? – Ольга даже не повернула головы.

– За моими деньгами. – Наклонившись к ней, Сергей Николаевич доверительно поделился: – Даже девочки уже совершенно испорчены. Ей еще и семнадцати нет, а она уже заглядывает не в глаза, а в кошелек.

Ольга приподняла брови:

– А вы совращаете несовершеннолетних?

– Ну, почему – совращаю? – обиделся Бочаров. – Вы не знаете нынешних девочек!

– Откуда мне их знать! В нашу богадельню они не захаживают.

Он не услышал. Весь ушел в упоение своим горем:

– Это такие проныры... Мы в их возрасте и не думали о деньгах. Я тогда в стройотряде безвозмездного труда два лета работал, шпалы укладывал. А всю зарплату перечислили в дом ребенка.

Она заметила уже без тени иронии:

– Вам есть чем гордиться.

– Есть. А эти хвастают друг перед другом, кто кого круче раскрутил!

– Ну, прямо и не знаю, чем вам помочь. – Ей захотелось немедленно позвонить Максу, его веселым голосом смыть с себя уныние, которым веяло от этих мужчин. Разговаривали с ним всего пару часов назад, но сейчас Ольга как-то особенно болезненно ощутила, насколько соскучилась по нему.

Не извинившись перед Бочаровым, она встала, улыбнулась сыну:

– Я на минутку.

Он кивнул, не переставая что-то рассказывать Бернару. Когда по-французски говорили так быстро, Ольга переставала понимать. Но это было не важно. Она готова была слушать французскую речь, как слушают музыку, даже если не слишком хорошо в ней разбираются. Впрочем, что значит – разбираться в музыке? Алгеброй поверять гармонию? Душа невежественна и мудра.

Выйдя на веранду ресторана, она сначала с облегчением перевела дух, окунувшись в холодноватую свежесть вечера, напомнившего запах тонких духов, которые здесь – сплошь французские. Но уже через минуту пожалела, что ничего не накинула на плечи – все-таки уже ноябрь. Даже во Франции вечера не назовешь теплыми. Француженки ее возраста уже сплошь в натуральных шубках. Почему не захватила свою голубую норку? Шубку, не закрывающую колен (а зачем?), подарил ей Пашка, когда в прошлом году прилетал в Москву.

«Тебе уже давно пора ходить в норке, – сказал тогда. – У вас это просто правило приличия...»

Она была в полном восторге, только немного царапнуло это «у вас». Сын больше не принадлежал ни России, ни ей.

На ее плечи внезапно опустилось что-то теплое, пахнуло чужим. Она быстро обернулась – Бочаров набросил ей на плечи свой пиджак. В одной светлой рубашке со своими узкими плечиками он выглядел постаревшим пионером.

– Не стоило беспокоиться. – Она слегка напряглась. Благодарности не ощутила.

– В каком смысле? – не понял тот. – Вы позвали, я пошел.

– *Я* позвала?!

– Эти женские хитрости... Никогда не скажете прямо: давай сбежим. Вечно полунамеки какие-то...

– Сергей Николаевич, – начала она.

Он перебил, поморщившись:

– Что мы, как чужие – по имени-отчеству? Сергей я. Серега.

– Сергей, – выбрала она. – Ладно. Никаких намеков я вам не делала, Сергей. Я вышла позвонить.

Он вздохнул, как терпеливый родитель:

– Опять уловки. Хотите, я подарю вам бриллиантовые серьги? Пять каратов как минимум.

– Вы имеете в виду – утром? – заинтересовалась она.

Ей стало смешно и захотелось немедленно рассказать Максу, как в Париже ее пытались затащить в постель. Стоило ехать во Францию, чтобы переспать с русским!

Бочаров вздохнул, пытаясь растрогать ее. Ей мгновенно вспомнилось лермонтовское о половом бессилии: «Нельзя же не вздохнуть...» И стало еще смешнее.

– Ну, целую ночь любви в моем возрасте уже вряд ли кто осилит... – пробормотал он. – А так...

– В туалете? – откликнулась она понятливо. – Может, поэтому девочки и сбегают от вас? Им-то хочется любви от заката до рассвета! Не секса, заметьте, а любви.

– Денег им хочется...

– Все-то вы знаете! Зачем же вы на одни и те же грабли наступаете, если заранее все знаете?

Уверенно протянув руку, Сергей Николаевич погладил ее щеку большим пальцем. Ольга отшатнулась:

– Это еще что?

– Вы же не те грабли... – ухмыльнулся своей шутке. – Ты сама так выразилась, не обижайся. Мой шофер ждет внизу. Пошли.

– Отвали! – отрезала Ольга. – Никуда я с тобой не пойду. И не собиралась.

– Играть вздумала? – Он больно схватил ее за руку. – Я же видел, как ты на меня смотрела...

– Как на идиота назойливого, – прошипела она. – Отпусти руку!

Бочаров резко оттолкнул ее:

– Ну, и сиди тут! Думаешь, кто-то еще позовет? Тебе сколько лет? Девок вокруг полно, кому ты нужна?

– Вот и ступай себе к девкам. – Она на всякий случай отступила подальше.

Молодой голос произнес за ее спиной по-французски:

– Мадам, у вас все в порядке?

Молодой парень, невысокий, но крепкий, уж Бочарова уложил бы с одного удара.

– Благодарю вас, все хорошо. – Она улыбнулась ему с нежностью – привет Максу! И обернулась к соотечественнику: – Вот кому я нужна. У меня любовник моложе сына, если хочешь знать. И он еще долго будет способен подарить мне целую ночь любви. Чего в моем возрасте как раз уже хочется... А в девочках твоих действительно если и проснулась страсть, так пока только к деньгам.

Она быстро прошла в зал, чертыхаясь про себя: помешал позвонить Максу. Так хотелось услышать его голос... Он пожелал ей хорошенько отдохнуть, не пытается посягнуть на ее свободу. Этого она искала в мужчинах и не находила, каждый начинал диктовать свою волю. Даже этот ублюдок Бочаров за пару минут знакомства уже вообразил, что имеет право диктовать ей, что и как делать. Сколько же в любом завалященьком мужичке ее возраста этой омерзительной патриархальной самоуверенности...

К ее удивлению, Бочаров пришел за ней следом, опять уселся рядом. Сын взглядом спросил: «Ты довольна вечером?» Она кивнула. Не упрекать же его, что он совсем не обращает на нее внимания... Получается, что она прилетела за тем, чтобы выпить «Божоле» и полаяться с земляком. Это можно было и в Москве сделать. Сейчас была бы рядом с Максом. Где он? Она глотнула вина. Вкусное, что бы там ни говорил Бернар. А ей впору «горько» шептать... Кричат – на свадьбах.

– Ну, извините. – Голос Сергея Николаевича прозвучал тускло. – Может, я перегнул палку...

– К женщине вообще лучше подходить без палки, – заметила Ольга сквозь зубы.

– Не знаю...

– До сих пор не поняли этого? Так я вам говорю!

– Никогда не понимаешь, чего вам хочется на самом деле! В бизнесе легче разобраться... Там мне все понятно, уже скучно...

Ольга взмолилась:

– Вот только не надо на меня вываливать свою скуку!

– Не желаете слушать? Никто не хочет даже выслушать. У меня впереди уже ничего нового, все пройдено, а никому и дела нет!

«Господи, как хорошо, что у Макса еще все впереди! – подумала она с облегчением. – Хоть ныть не будет... Как надоели эти вечно плачущие над собой мужики!»

Спросила напрямик:

– Жена у вас есть? Ей это может быть небезразлично. А остальные не обязаны страдать, выслушивая ваши жалобы.

– Ты злая. – Он опять перешел на «ты». – А весь мир слюни пускает: «Русские женщины такие добрые!»

– Мы добрые, – подтвердила Ольга. – Но это не повод превращать нас в вечно мокрую от ваших слез жилетку. Найдите себе увлечение, если бизнес уже оскомину вызывает. Коллекционируйте что-нибудь. Стендовым моделизмом займитесь.

– Чем? – протянул он изумленно.

– А вот для начала и выясните, что это такое. – Она показалась себе сестрой милосердия, отыскавшей для умирающего спасительную таблетку.

Поднимаясь на Монмартр, она вспомнила и о Бочарове тоже. Все же ей удалось зацепить его чем-то, и вскоре он их оставил, наверное, чтобы залезть в Интернет и выяснить, что это за штуку имела в виду Ольга. Ей представилось, как он раскрашивает маленького солдата... Смешно, конечно, но это все же куда лучше, чем растлевать маленькую девочку.

Сын с женой уже ждали ее возле собора Сакре-кер, все еще не могли наговориться. Ольга полюбовалась ими издали, пытаясь отдышаться и втягивая запах жареных каштанов, которые уже успела попробовать. Ни Пашка, ни Софи ее даже не заметили.

«Какое счастье – такое упоение друг другом, – подумала она о них с нежностью. – Родиться в разных странах и найти друг друга... Как же им безумно повезло!»

Софи – маленькая, живая, тип знаменитой экранной Амели, желанной героини нашего времени, – такой же блестящий агат глаз и туфли с голой пяткой, как у многих француженок. Не мерзнут они, что ли? Даже в ноябре здесь то и дело видишь детей, играющих, сидя на траве. И мамы бровью не ведут, словно у малышей подушки к попкам привязаны... Или под штанишками памперсы многослойные?

Ожидание уже становилось бессмысленным – эти двое не обратят на нее внимания, даже если она будет стоять в шаге от них целую вечность. Она решилась, окликнула. Они обрадовались так искренне, будто действительно ждали ее.

– Хочешь зайти внутрь? – поинтересовался сын. – Или сначала взглянешь на Париж? Отсюда просто потрясающая панорама.

Последнее слово опять отозвалось воспоминанием – Макс... Попыталась дозвониться ему с утра – не ответил. Отсыпался без нее? Утомила? Или просто бросил где-то телефон, забыв, что она может позвонить... Ольга решила перезвонить после завтрака, который был чисто французским: кофе, хлопья, сок, теплые круассаны. Но, встав из-за стола, Пашка заторопился, ему хотелось, чтобы она увидела как можно больше, разделила его непреходящее восхищение этим городом. За вчерашнего хамоватого официанта в ресторане, чему Ольга немало подивилась, ему было неловко перед ней. Он даже попытался внушить, что не все тут такие, хотя сервис действительно оставляет желать лучшего... Зато как вкусно готовят – с ума сойти! В Москве такой кухни не отыщешь.

Ольга попробовала все, что сын заказал для нее. Софи же ограничилась несколькими ломтиками сыра камамбер с вином. Про себя Ольга оправдалась, что невестку всем этим уже не удивишь. Сын же уплетал с таким удовольствием, что она опять затосковала по Максу – его бы накормить такой вкуснятиной.

И глядя на раскинувшийся внизу потрясающий город, она тоже думала: «Ему бы увидеть все это... Столько скульптур! Ему *необходимо* увидеть их. В следующий раз мы приедем вместе». Но в душе тотчас зародился страх: «Решусь ли? Показать его сыну? Показать себя... Сможет ли Пашка понять? Софи? Она – скорее. Французы лояльны к любым проявлениям любви. Они любят любовь. Они умеют наслаждаться жизнью. Никуда не торопятся, обедают по три часа, каждый кусочек смакуют, каждый глоток. Интересно, как долго у них длится секс? Если ночами, то когда они спят?» Она невольно покосилась на сына: теней под глазами вроде нет. Молодой организм выдерживает испытание любовью?

– Сердце мира, – глядя на город, сказал Павел по-русски.

– А Москва?

– Душа?

– Принято считать так... Далековато сердце от души, тебе не кажется? А должны быть как одно.

– Ты – душа, Софи – сердце, – проговорил он.

От благодарности так и задохнулась. Смогла только улыбнуться ему и вопросительно взглянувшей Софи, услышавшей свое имя.

– Я прилечу на твой день рождения, – неожиданно пообещал он.

В прошлом году не смог вырваться, Ольга и в этом не ждала. Уже через месяц... Если б сказал заранее, может, она и не сорвалась бы сейчас. Зато и не увидела бы этого великолепия... Нет, жалеть не о чем.

– Правда? – заглянула сыну в глаза. Голубые – отцовские. Любимые.

– Постараюсь, – заосторожничал Пашка. – За месяц еще многое может случиться.

«Тогда он и увидит Макса. – У нее холодом обдало сердце. – Не могу же я не пригласить его... Если только... Если у нас есть этот месяц... Хотя бы завтра у нас еще есть?»

– Я должна позвонить. – Она извлекла телефон.

Сын спросил без намека на смущение:

– У тебя роман? Ты все время кому-то звонишь. Это так дорого – отсюда.

– Есть вещи дороже, – отозвалась она уклончиво.

– Так у тебя роман?

– Ты собираешься меня повоспитывать?

– И не думаю. Ты хоть сообщишь, если соберешься замуж?

– О «замуж» речь не идет.

Пашка недовольно сдвинул брови – темные, как у нее самой, только в два раза шире.

– Он что – женат? Мам, зачем тебе эта головная боль?

– Он не женат. Насколько я знаю... Он... – Решившись, Ольга выпалила: – Он намного моложе меня. Но это вообще не повод тебе волноваться! Мы с ним только познакомились, и, может быть, еще ничего путного из этого не выйдет, так что сам понимаешь...

Замолчав, она перевела осторожно дыхание, с трепетом ожидая его приговора.

– Насколько моложе? – не сразу спросил сын.

– Какая разница?

– Есть разница. Вспомни хотя бы «Черного принца». Когда она думала, что ему под пятьдесят, это ее не смущало, но когда выяснилось, что шестьдесят с лишним...

Сжав руку сына, Ольга проговорила умоляюще:

– Давай не будем об этом. Не говори мне, что я спятила на старости лет или что-нибудь в таком духе. По крайней мере, у меня нет денег, за которыми он мог бы охотиться. – Ей вспомнился Бочаров.

– Нет, я вполне верю, что он в тебя влюбился, – отозвался Павел так серьезно, что ей сразу стало смешно.

– Правда? Ну, и слава богу!

– Нет, серьезно! Ты шикарно выглядишь. Среди француженок вообще королева!

– Не при твоей жене будет сказано, – заметила она строго.

Пашка улыбнулся, взглянув на свою маленькую парижанку:

– Ну, она-то у меня прелесть. Но она еще принцесса. Чувствуешь разницу? Королевами становятся в твоем возрасте.

– Спасибо, сынка. – Ольга отозвалась насмешливо, чтобы как-то снизить пафос.

А он вдруг задумчиво произнес:

– Если б ее не было, я, пожалуй, мог бы влюбиться в женщину старше меня...

Ольга обеспокоилась:

– Она совсем не понимает по-русски?

– Знает пару слов... Она хоть не изводит себя диетами, как наши девочки. Пляшешь на костях...

– Пашка! – Она рассмеялась.

– Как его зовут?

«Зачем ему?» – насторожилась Ольга. Потом решила – чтобы ни с кем не перепутать ее любовника, если действительно соберется приехать на день рождения. Она назвала имя Макса и затосковала: произнести бы его шепотом, ему на ухо, разбудить и припасть к горячему телу. Вытянуться на нем, чуть раздвинув ноги, впустить в себя и замереть в наслаждении. Потеребить губами шелковистую мочку уха, еще такого нежного, мальчишеского. Ольга скользнула взглядом по уху сына: тоже еще не загрубело.

– Будем спускаться? – спросила Софи. Она откровенно заскучала в молчании.

Павел тут же обнял ее, быстро заговорил о чем-то, отгородившись от матери языковым барьером. Такая скорость произношения заставляла все слова сливаться в одну мелодию.

На минутку Ольга забежала в собор, осмотрела наспех, не особенно впечатлилась. В прошлом году она успела повидать (и до сих пор не забыла) церковь Сент-Этьен дю Монд – наверное, единственную церковь Парижа, которая внутри была светлой, даже кипельно-белой, отчего сразу захватывало дух. Там Ольгу охватило подобие того благоговейного восторга, который испытываешь в Исаакиевском соборе. Близость Бога – до слез на глазах, до мурашек на коже...

Когда они спустились на фуникулере к «Ситроену» Павла, тот озабоченно спросил:

– Ты в Лувр пойдешь? Там, кстати, можно неплохо пообедать, а я тебя оставлю на часок, ладно? Надо в редакцию заскочить.

– А Софи? – Ольга каждый раз улыбалась, глядя на невестку. Это выходило не натужно, само собой. Просто лицо Софи светилось радостью жизни, которую всегда приятно видеть.

– У нее тоже есть дела. Если ты не против, можно встретиться часов в шесть. Покатаемся на речном трамвайчике.

– Я не против, – тут же отозвалась она.

Ей и вправду захотелось побродить по Парижу одной. С сыном она с удовольствием поговорила бы, устроившись на диване в их гостиной. Очень удобный у них был диван, располагал к душевным беседам. Там можно было прижать своего мальчика, потеребить его темные волосы...

Они оба удовлетворенно кивнули, и Ольга засомневалась: настолько ли уж Софи не понимает русский?

«Джоконда» не имела со своими плоскими глянцевыми репродукциями ничего общего. От нее исходило то магическое, завораживающее тепло, которое Ольга почувствовала лишь однажды, увидев в «Эрмитаже» Ван Гога. Смятение, оцепенение, отблеск счастья: «Я это увидела!» Сразу же родилось: Максу надо рассказать! Но в музее разговаривать было неудобно, а может, и нельзя пользоваться телефонами, она не стала читать правила – тратить время. Пока были на холме, так и не успела позвонить. Французы жили неторопливо, а она летела и все равно ничего не успевала.

Но в этом музее побродила от души, хотя была слегка оскорблена тем, что французы так проигнорировали туристов из России: путеводители на семи языках, а на русском – нет. Но уходить из-за этого, хлопнув дверью, ей не хотелось. Пустившись в путешествие во времени, она даже отыскала ту часть музея, где был представлен Лувр сам по себе, каким был изначально – средневековый, мрачный замок, в котором пугает каждый шорох. Ольга даже стены ощупала... И наткнулась на дверь в маленькую комнату, темную, пугающую подсвеченными физиономиями каменных масок на стенах. Замерев от ужаса и восторга, Ольга смотрела на них во все глаза. Вобрать, запечатлеть в памяти лики страха, злобы, ярости... Может быть, они изображали совсем другие эмоции, она не стала искать русского гида и спрашивать, но ей показалось именно так.

Выбравшись на воздух, Ольга присела на скамье, стоящей на чудной площади Карусель, вытянула ноги – сейчас отвалятся. Гудеж такой, что рядом, наверное, слышно... Она позволила себе четверть часа созерцания. Подумала, что Макса легко представить таким – слегка отрешенным, впитывающим жизнь. Потом он вылепил бы лицо этого древнего города. Или высек бы из серого камня, как Данила-мастер свой гранитный цветок...

Почему она и тогда не позвонила ему? Не сказала, что думает о нем, что пытается увидеть Париж его глазами... Сидела в каком-то сладостном оцепенении, смотрела сквозь струи фонтана на пробегавших мальчишек, на меланхоличных парижан, пила прохладный, душистый воздух, наводящий на мысль, что французские парфюмеры сцеживают знаменитые духи ранним утром прямо из тумана...

Не хотелось ни двигаться, ни говорить. В этот момент она меньше всего желала, чтобы Макс оказался рядом. Чтоб увидел в ней выбившуюся из сил, немолодую женщину, у которой жутко болят ноги, вздуваются вены, и что-то мелко дрожит во всем теле, как бывает, если проснешься часа на три раньше положенного.

Пообедать в Лувре или где-то около, как советовал сын, Ольга забыла. От усталости даже есть не хотелось, только пить. И бутылка минеральной, которая болталась в сумке, уже была почти пуста. Взглянув на часы, она обнаружила, что осталось меньше двух часов до встречи с Пашкой. А она еще не насытилась Парижем, какой там обед! В Москве, что ли, не наестся? Ольга заставила себя подняться, собравшись, как на ринге, стиснув зубы. Оно того стоит.

Почему-то необходимо было еще раз побывать в Нотр-Даме, прочувствовать его трагическую величественность. Конечно, усиленную талантом Гюго, у которого она сама больше любила не этот роман, а «Отверженных». Каждым словом его упивалась, как сейчас городом, который Виктор так любил, собором этим, потрясающими витражами его, готическими сводами.

Испытывая почти детскую робость, Ольга остановилась перед статуей Марии, державшей на руках мертвого Христа. И в прошлый раз сердце сдавило от этой боли. Как жить, похоронив своего мальчика? Чем жить? Какую непоколебимую веру надо иметь, чтобы отдать сына и не проорать проклятья...

В носу остро защипало, глаза обожгло. Никто не обращал на Ольгу внимания, и она могла выплакаться вволю. Может, для того и приехала в Париж, чтобы слиться с его печалью и посеять здесь свою. Москва слезам не верит, это уже всей стране внушили. В Париже грусти говорят «здравствуй».

Она произнесла это слово вслух, поднявшись на смотровую площадку Нотр-Дама. Город уже погружался в сумерки, превращаясь в мечту, в поэму, начертанную в воздухе. Импрессионизм мог родиться только во Франции, потому что здесь видишь по-другому: очертания становятся зыбкими, краски размытыми – будто смотришь на все сквозь слезы. И не надо, как в Москве, цепляться когтями, чтобы если не забраться на вершину, то хоть удержаться на завоеванном уступе. Бежать со всех ног к финишу, не давая себе передохнуть, хотя каждому ведь известно, *что* там – на финише... Французы никому ничего не доказывают – ни соседям, ни себе самим. Они умеют любить и любоваться. По три часа обедать, наслаждаясь и разговором, и самой трапезой. Слушать грустную музыку и читать книги, в которых нет хеппи-энда. Потому что его не бывает и в жизни...

– Тебе не хотелось бы остаться здесь? – спросил сын, когда они заняли место на открытой площадке речного трамвайчика.

Быстрый теплоходик «Batobus» оказался таким низким, что они плыли практически у самой воды. Чистой, почти прозрачной воды Сены, что пахла также приятно, как и город, берега которого она омывала.

– Хотелось бы, – отозвалась Ольга. – Только что я тут буду делать? Просто гулять и наслаждаться? Уже не получится. Мы все заражены московским духом. Члены большого бойцовского клуба... Ты нашел себя здесь, и слава богу. – Она потрепала волосы Павла. – А мне уже поздно прорываться на парижские подмостки. Особенно с моим французским.

Он кивнул, виновато поджав губы, выразительные, пухлые, как у нее самой. Софи села поодаль от них, откинув голову и наслаждаясь ветром. На ее лице застыла счастливая улыбка. Ольга даже позавидовала ей.

– Я все это понимаю, – хмуро сказал сын. – Просто мне неспокойно, что ты так далеко. Этот твой парень... Как его?

– Макс, – произнесла она и ощутила укол: так и не позвонила за целый день.

– Он надежный человек? Он поможет тебе, если что?

– Если – что? Если меня паралич разобьет? Нет. Не поможет. Потому что в таком случае я сама его на порог не пущу. Он ведь не археолог, как муж Агаты Кристи, которому чем древнее, тем интереснее.

Павел засмеялся:

– Да, помню!

– Я не собираюсь цепляться за него, сходя в могилу.

– Мама, о чем ты говоришь! – возмутился сын. – Ты – молодая женщина! Вон боксом еще занимаешься...

Ольга проговорила, размышляя вслух:

– Может быть, я даже не позвоню ему завтра из Шереметьева... Раз я выжила два дня без него – значит протяну и еще два. И еще. По такой системе излечиваются от алкоголизма?

– Алкоголизм неизлечим в принципе, – невесело отозвался он.

– Но можно удерживаться от того, чтобы пить...

– Удерживаться от любви? Ты хочешь попытаться наконец начать жить разумом? Ты никогда так не жила.

– Разве я как-то особенно безумствовала? – Это прозвучало для нее неожиданно.

– Не то чтобы... Но ты никогда не была холодной, рассудительной стервой, каких теперь большинство. Особенно в Москве.

Ее огорчило это:

– Не наговаривай на родной город!

– Думаешь, почему я женился на француженке? Москвички смотрели сквозь меня, понимаешь? Они пытались разглядеть мой счет в банке. А его тогда не было.

Значит, и меня не было. Помнишь Кристину? Я ведь с ума по ней сходил, теперь можно сказать.

Ольга вздохнула, положила руку на его пальцы, сжимающие перила:

– Я и тогда догадывалась.

– Но все эти ее вечные попреки! Что я ничего собой не представляю, потому что – щенок. А у подружек папики все в шоколаде... И они сами соответственно. Что я должен продать душу дьяволу, чтобы купить ей квартиру чуть ли не на Тверской... Она требовала и требовала. Отдавалась только за подарок, как последняя шлюха... Подозреваю, что твоему Максу тоже просто уже осточертели эти девочки с ценниками на заднице.

– Не знаю. Я не спрашивала его о других.

В воде уже заколебались изгибы первых огней. У нее задрожало сердце: «Завтра я буду с ним».

– Ты купила себе духи? – неожиданно перевел разговор Пашка.

– Не поверишь! Не успела.

– И хорошо. Потому что я приготовил для тебя. – Он достал из внутреннего кармана маленькую коробочку. – Купил после нашего разговора... Этот аромат – гимн любви. По крайней мере, так его рекламируют... Amarige – Givenchy. Для счастливых женщин.

Ольга обхватила его шею:

– Спасибо, солнышко!

И подумала: «Пусть от меня хотя бы исходит аромат счастливой женщины! Он поможет мне удержаться, если вновь потянет к нему...»

– Софи хочет сейчас отвести тебя в какой-то массажный салон или салон красоты, что-то в этом духе.

Она отстранилась:

– Я так плохо выгляжу?

– Прекрасно ты выглядишь, я ведь уже говорил! Просто у Софи там знакомая, которая обслужит тебя вне очереди. К ним там записываются недели за две.

– Разве такие салоны еще открыты?

– В том-то и дело. Ради тебя Мадлен задержится после работы. Софи считает, что ты так набегалась за день, что самое то будет расслабиться как следует. Тем более перед возвращением к Максу.

Сын произнес это так многозначительно, что Ольга запомнила: теперь нужно особенно следить за своим телом, ублажать его обертываниями и массажами. Пытаться откупиться от старости всеми возможными способами. А получится ли – время покажет. Может, Макса уже и не будет с ней в это время... Лучше, если не будет.

А ночью ей привиделись маски. Те самые, каменные, из Лувра. Искаженные черты, распахнутые рты. И среди них она узнала лицо Макса, вросшего в стену, слившегося с камнем. Ольга бросилась к нему, от ужаса потеряв голос. Крикнуть – никак, хоть горло распирало. Пыталась выцарапать его ногтями – они ломались. А лицо Макса оставалось таким же окаменелым...

Она проснулась с колотящимся сердцем, схватилась за лежавший на прикроватной тумбочке телефон. Но голубоватые цифры на маленьком экране показывали, что даже в Москве еще непробудная рань. Откинувшись на подушку, Ольга уставилась в темноту: «Только бы не сбылось... Только бы с ним ничего не случилось...» Ее мелко потряхивало от того, что открылось так внезапно: она сама окаменеет, потеряв Макса. Потому что больше в ее жизни не будет такого мужчины...

* * *

Парижскую телефонную карту Ольга отдала сыну еще у них дома:

– Я там не все выговорила. Используй.

Утром уже некогда было позвонить Максу. Разговаривать на ходу не хотелось, тем более в машине – при сыне и его жене, а свободной минутки так и не выдалось.

«Рассказал ли он Софи? – пыталась угадать Ольга по дороге в аэропорт – самый маленький изо всех, что доводилось видеть. – Как она отнеслась к такой новости? Впрочем, ее это никак не может коснуться, с чего бы ей проявлять недовольство?»

Она сама не понимала, зачем открыла свой секрет сыну. Не рано ли? Почему бы тогда с Эйфелевой башни не прокричать? Макс только возник в ее жизни и мог исчезнуть в любой момент. Может быть, он уже – вне. Ночью ей мерещилось: при дневном свете он внезапно замечает, и во всех подробностях, что ей действительно сорок семь лет. И если не шарахается, то чуть отодвигается. Хотя внешне еще рядом, еще прижимается телом, источающим юность, силу, жаждущим и действий, и расслабленности одновременно. Однако душевный восторг внезапно ослабевает. Еще не отвращение, но уже не упоение. И ему уже не хочется лепить ее, и слоновой кости жалко...

«Через подобное я уже проходила, – попыталась убедить себя Ольга, устроившись у иллюминатора самолета. – Скоро я начну ненавидеть дневной свет – он превращает меня в старуху».

Раньше ей нравилась любовь, освещенная солнцем. Ее тело сияло, и у *него* (каждого из тех, что были) дрожали руки – от восторга, от возбуждения. Диван разложен, можно вытянуться поперек, изогнуться с кошачьей грацией, которая и сейчас еще была в ней, это с возрастом не проходит. Режиссерам нравилась Ольгина пластика, некоторым дурманило голову, когда она просто находилась рядом: причесывалась, искала помаду, отвечала через плечо низким своим голосом, в котором всегда сквозила насмешка. Желание видеть в своем спектакле такую актрису легко перерастало в желание видеть в своей постели эту женщину. Если желания совпадали, тогда – разложенный диван, золотистое тело в прямоугольнике солнца, мелодия любви...

Теперь лишь темнота возвращала Ольге ту свободу, которая только и могла привести к наслаждению. Если ты скован, танца не получится. Будет сплошная неловкость, ощущение собственной тяжеловесности, некрасивости, дряблости... Наверное, некоторым удается не стесняться того, как стареешь. Не обращать на это внимания. Или даже гордиться морщинами, которые слишком дорого достались... Такие женщины, как Анна Маньяни, заставляли Ольгу преклонить голову. У нее самой так не получалось. Ей хотелось спрятаться от себя нынешней...

Сын сказал ей напоследок:

– Мам, ты запомни, пожалуйста, что когда мужчина по-настоящему хочет женщину – во всех смыслах, не только физически, тогда ему вообще нет дела до того, сколько ей лет, замужем она или нет и так далее. Наоборот! Чем больше препятствий, тем охотнику интересней. Против всего света в борьбу вступить за свое право на любовь – почему бы и нет?

– Я не ожидала, что ты это одобришь, – призналась Ольга ему на ухо. Прижала так, что не вырвать, если сама не отпустит.

– Почему? – тоже шепотом спросил Павел. – Я ведь хочу, чтобы тебе было хорошо. Чтобы аромат счастья исходил... А с кем ты будешь радоваться жизни, это уже твое дело.

Она опустила руки, посмотрела в его серьезные, отцовские глаза:

– Спасибо тебе. Я не зря прилетела в Париж.

Перед посадкой вернула телефону его московский номер, выяснила, кто звонил за это время, прочитала сообщения. Одно обрадовало: школьная подруга писала, что не может до нее дозвониться, но надеется увидеть ее на завтрашней встрече одноклассников. Никогда раньше они не собирались так внезапно – обычно созванивались за пару месяцев.

Запомнив время и место встречи, Ольга нажала семерку, на которой был запрограммирован вызов Макса, надеясь что-то услышать сквозь внезапно возникший шум в ушах. Если он не откликнется, значит – все. Больше она его не побеспокоит. Сейчас еще можно с этим справиться. Ну, окаменеет... Что поделаешь? Не бежать ведь за ним. Она никогда не была собакой. Кошка.

Но Макс отозвался так быстро, будто держал телефон наготове.

– Ты в самолете? Я вижу его.

– Ты здесь?! – Ольга припала к иллюминатору, будто могла разглядеть его за стеклом аэровокзала.

– А где же мне быть, если ты прилетаешь?

И сразу стало так легко, что смех напал: «Какая идиотка, боже мой! Думала, что могу вытравить его из себя... Мой диковинный плющ, ты опутал меня всю...» Она видела такой на мосту Александра Третьего, когда плыли по Сене. Верноподданническая гордость охватила – наш царь! И такой красивый мост, увитый зеленью.

«Это я – красивая! – неожиданно открылось ей. – Стала такой, когда он окутал меня своей любовью, заштриховал все изъяны... Он же скульптор, он знает, как сделать женское тело прекрасным. И он здесь! Я два дня не звонила, а он здесь!»

Макс выскочил прямо на взлетное поле – как прорвался? Бросив на землю сумку, Ольга стиснула его шею и застонала:

– Наконец-то, я вижу тебя!

– Наконец-то, *я* вижу тебя!

Местные вороны испуганно шарахнулись от них, потом вернулись, настороженно присматриваясь к тому, как эти люди затихли, прижавшись друг к другу, – что бы это значило? Неудержимый ветер аэропорта трепал Ольгины волосы, разнося запах счастья, которым одарил ее сын, который понимал, что, не будь Макса, эти духи не доставили бы ей радости. А ей самой казалось, что пахнет Москвой, своим родным, медовой кожей Макса, который не пользовался ничем, кроме дезодоранта, это она уже заметила. Ей всегда нравился аромат хорошего мужского парфюма, а теперь почему-то безумно радовало, что ничто искусственное не мешает ей познать его...

Удивленные взгляды впивались в их спины, но не могли им навредить. Ей вспомнилось, как их помощник режиссера, тетушка, помешанная на экстрасенсорике, учила ее ставить энергетический, зеркальный экран. Любовь сама окружила их таким?

– Домой? – шепнул Макс.

– Собиралась домой. А у тебя есть другие предложения?

– Что может быть лучше этого?

Она прищурилась затравленным вампиром: солнечный свет... Наглухо задернуть шторы? Или перестать трястись? Насладиться вволю, сколько отпущено. Все равно не на век, это же ясно...

– Поехали! – Она широко улыбнулась, чтобы Макс даже не заподозрил, как ей страшно.

Уже в машине, сев за руль, Ольга заметила в его взгляде то выражение всепрощения, которого и не видела у мужчин:

– Я понимаю, почему ты не звонила. Если б ты и сейчас не позвонила, когда самолет уже приземлился, я послал бы тебе сообщение, где машина, и уехал бы.

– Смог бы? – Она взглянула пристально: может, испытывает?

Он даже не отвел глаза.

– Но ведь это значило бы, что ты – смогла. Ты ведь и улетела в Париж ради того, чтобы освободиться от меня.

Не выдержав первой, к тому же и за дорогой надо было следить – на Ленинградском шоссе вечно аварии, Ольга отвела взгляд и вдруг заметила:

– Ты помыл стекло? Выглядит совсем новым.

У него знакомо вспыхнули щеки. Она тронула его румянец ладонью, засмеялась:

– Вот не ожидала! Спасибо.

– Не за что...

– Да я понимаю, что ты не сам его мыл!

– Не сам. – У него все еще горели щеки и чуть подрагивали ноздри, будто что-то в нем просилось наружу, а он не пускал.

«Ему хочется в чем-то признаться? – Ей расхотелось улыбаться. – Он кого-то успел встретить за эти два дня? Кто-то из прошлого? Или наоборот – из завтрашнего дня? Зачем же тогда приехал?»

– Ты расскажешь мне о Париже? – услышала она вместо признания.

У нее вырвался вздох:

– Ты думаешь, это возможно? Это все равно, что попытаться описать стихи своими словами... Как рассказать, какой там воздух?

– Многие писали о Париже.

Ольга покосилась на него с насмешкой:

– Я читала! Только, когда я увидела его, он оказался немного другим. Выпуклым, понимаешь? По рассказам я представляла его скорее как иллюстрацию.

– Все равно. – Макс знакомо наклонил голову – упрямый лоб вперед. – Расскажи мне о *своем* Париже. Мне ведь это интересно.

Она беспомощно пробормотала:

– Так, на ходу?

– Нет, – тут же передумал Макс. – Когда мы приедем домой. Ты примешь ванну, мы ляжем в постель, и ты будешь рассказывать. Как тебе такая программа?

– Неплохо, – согласилась она. – Только я боюсь, что усну еще в ванне. Следи, чтоб не утонула... Эту ночь почти не спала. Дурной сон разбудил.

– Обо мне?

– О нас.

– С нами не может случиться ничего дурного, – проговорил он уверенно. – Мы встретились в шестом году. Для меня шестерка – счастливое число.

Она засмеялась:

– Бог ты мой! Ты веришь в нумерологию?

Макс невозмутимо продолжил:

– А следующий год вообще должен быть счастливым для всех – семерка!

– Да ты оптимист! Слава богу. – Она улыбнулась ему с нежностью, вспомнив, как тошнотворно действовали на нее хныканье Бернара и патриархальная желчность Бочарова.

– А что был за сон?

Кошмар черной тенью промелькнул перед глазами.

– Не спрашивай. Обычная реакция мозга на переизбыток впечатлений. Каменные маски приснились, которые видела в Лувре...

Его губы так и расползлись:

– И одна из этих морд была моей!

– Ну, прекрати! – взмолилась Ольга. – Мне даже вспоминать это не хочется.

– Знаешь, а мне ведь кажется, что я и впрямь окаменею, когда ты меня бросишь. – Он перестал улыбаться. – Не знаю, как там будет на самом деле... Но сегодня в аэропорту я чувствовал именно это: ты не позвонишь, и мне больше не удастся даже вздохнуть. Какая там эсэмэска?!

Она перебила:

– О чем ты говоришь?! Как ты можешь говорить об этом?

– О том, как ты меня бросишь? Ты ведь сама устроила мне репетицию. Эти два дня – что это было, по-твоему?

– Прости! – произнесла Ольга покаянно. Наспех погладила его колено.

– Стоп! – сказал Макс. – Больше никаких разборок. Знаешь, что я придумал? Сейчас мы устроим тебе постепенную адаптацию к России. Давай тормознем на Большой Садовой? Там на пересечении с Тверской-Ямской есть французская блинная. Называется что-то вроде «Крепери де Пари». Не знаю, что это значит... Была там?

– Нет, никогда, – сообщила она так радостно, будто обнаружила, что хоть в чем-то не грешна.

– Заедем?

В блинной, естественно, звучал Джо Дассен. Для Ольгиных родителей голосом Франции был Шарль Азнавур, для бабушек – Эдит Пиаф. Оля в пятнадцать лет читала о любви под песни Дассена. И писала так и не отправленные письма тому мальчику, который не замечал ее. Теперь думается: слава богу, что не замечал!

Они выбрали столик на первом этаже, в зале для некурящих. Сели напротив, улыбаясь без слов, просто потому, что радостно было видеть друг друга.

– Что-нибудь из этого ты пробовала в Париже? – спросил Макс, пробежав глазами меню.

Она качнула головой:

– Я там вообще мало ела. Жаль было тратить на это время. Хотя французская еда – это тоже песня... Официанты там хамоватые, а повара – на вес золота.

– В Москве теперь тоже есть французские повара.

– Боюсь, это те, кто не нашел работу на родине.

– Я тоже не особенно востребован на родине, – усмехнулся он.

Ольге сразу вспомнилось, что она собиралась переговорить о его персональной выставке. Но теперь это казалось невозможным... Ложиться в постель с другим, пусть и принося себя в жертву? Как это возможно, когда у нее руки дрожат от близости этого мальчика, а внутри все млеет и сердце бешено колотится... Надо придумать что-то другое... К Лужкову пойти, если потребуется... Доказать ему, что Церетели – не единственный скульптор России, хоть очень им уважаемый. Пригласительный на спектакль подарить и снимки работ Макса... Пробиться к мэру поможет знакомая чиновница от культуры. Женщина, слава богу!

– У тебя все еще впереди, – посулила она голосом доброй феи.

Была у Ольги когда-то такая роль в детском спектакле. Для нее сделали розовое прозрачное платье – папы малышей были в полном восторге. Аншлаг!

– Конечно, – не стал спорить он, хотя на этот раз в его голосе не слышалось прежнего оптимизма. – Ты блин будешь или что-нибудь другое?

– В блинной-то? Конечно, блин. Мне с икрой, – сказала Ольга подоспевшей официантке.

Макс закрыл меню:

– Тогда и мне тоже. Жаль, вина за рулем нельзя выпить! Говорят, во Франции полиция к этому более лояльна?

– Не знаю, – засмеялась она. – Там я не водила машину.

За ее плечом раздалось удивленное:

– Да ведь это Оленька Корнилова! Только утром с Полинкой тебя вспоминали...

– Господи, до чего Москва – маленький город, – едва слышно простонала она.

Мягко запрокинула голову: вот он! Один из секс-символов сегодняшнего дня. Хищно-красивый, чуть утомленный, чуть надменный. Глаза с поволокой, будто он всегда чуть обкуренный, хотя Ольга знала, что в этом Тарабыкина нельзя было упрекнуть. Он был из тех счастливых и несчастных артистов, каждый роман которых вызывал слюнотечение у «желтой» прессы. Его развод с женой обсуждался, его тихое пьянство осуждалось, его образ раздражал даже тех, кто не видел его фильмов, не ходил в театры. А Игорь все это время тихо строил загородный дом, чтобы спрятаться в своей крепости, а если получится – спрятать там и любимую женщину, которая то уходила от него, то возвращалась, с удовольствием подбрасывая дровишек газетчикам. Оле всегда удавалось оставаться в добрых отношениях и с Игорем, и с Полиной, хотя друзьями они не были: слишком все заняты для дружбы. Но когда-то она играла с Тарабыкиным в одном театре, и тогда они прониклись друг к другу симпатией. Тем более прочной, что никакие любовные недуги их не связали.

Выгнув шею, подставила лицо для ничего не значащего поцелуя:

– Привет, Игорек!

Она обрадовалась искренне. Даже лучше, что это он первым из театрального круга увидел ее с Максом. По крайней мере, Игорь относится к ней по-доброму. Если и распустит язык, так выскажется в том духе, что: «Оленька наша – молодчина, такого любовника себе отхватила – очуметь! Джуд Лоу отдыхает...» Это может породить не осуждение, а зависть, к которой Ольге не привыкать. Тоже, конечно, темное чувство, но оно хотя бы забавляет.

Косой взгляд на Макса – тот сидит, слегка ошалев от близости скандальной звезды. Ольга, конечно, актриса более высокого полета, но не ее ведь лицо скользит по обложкам журналов...

– Можно? – Тарабыкин уже отодвинул стул, сел. Не привык к отказам – даже мысли не допустил. – Вот, значит, где обитают самые красивые женщины Москвы... Здесь как – не курят?

– Это зал для некурящих. Вот не думала, что ты здесь бываешь.

– Забегаю время от времени. Наш храм же в двух шагах. Или ты уже к нам и дорогу забыла, дочь моя?

Она взглянула на Макса: понял, что речь идет о театре? И за себя же почувствовала неловкость – нельзя ведь в самом деле думать, будто человек глупее только потому, что он моложе! Не всегда это связано напрямую.

– Вообще-то я Полинку искал, – устало сообщил Игорь. – У нее вечно телефон разряжается среди бела дня. Вся моя жизнь проходит в поисках этой женщины. Я уже перестаю верить в то, что мне суждено удержать ее рядом хоть месяц.

– Наручниками к батарее – это не твой стиль?

– Я и попугайчиков в клетке не держу. В детстве у меня жил один, зеленый такой...

Ей вспомнились собственные птички:

– Волнистый, наверное.

Кивнув, Игорь посетовал:

– Улетел, мерзавец, в открытую форточку, так и не нашли, дурака. Теперь понимаю: это был знак судьбы.

– И ты туда же, – вздохнула Ольга. – После «Алхимика» все только и делают, что отыскивают знаки в своем прошлом и настоящем.

Игорь поддержал ее желание сменить тему:

– А что у нас в настоящем?

– А в настоящем я, Игорек, только что из Парижа, – сообщила Ольга.

Подбородок – на согнутую ладонь, хорошая поза для доверительной беседы. Взгляд медленно переплывает с одного мужчины на другого. Быстро стрелять глазками – это из водевиля. Вне сцены это еще смешнее...

– Да ну? – Тарабыкин потянул носом, беззастенчиво потянувшись к ее шее. – То-то я чую – французскими духами пахнет!

– Да ты специалист! – Голос стал на тон ниже. Не кокетство сразу с обоими, просто поддержание формы, чтобы не забывали, что женщина рядом.

– Еще тот! Полинке-то сколько передарил уже...

Но Игорю не давало покоя соседство Макса: кто он такой? Испытующими взглядами правды не выведаешь.

– Не познакомишь?

– Конечно! Это Макс, мой близкий друг. – У нее возникло ощущение, что она сделала заявление для прессы. – Макс, ты, конечно, узнал Игоря Васильевича?

– Просто Игоря, – великодушно исправил тот. – Чем занимаетесь, Макс? Не из наших – цирковых?

– Макс – скульптор. У него потрясающие работы! – не удержалась она и тут же отругала себя за то, что не дала ему рта раскрыть.

Но Макс будто и не заметил этого – никаких укоряющих взглядов. Ей подумалось: «Может, потому что он помнит, что я старше, мне позволяется быть первой скрипкой... Своей ровеснице он вряд ли позволил бы отвечать за него». Она, извиняясь, улыбнулась Максу так, чтобы у Игоря не осталось сомнений насчет их отношений.

Тарабыкин выразительно поиграл бровями. На сцене часто это использовал, вроде как работу мысли изображал этим жестом, или, как сейчас, намекал на что-то секретное, но понятное присутствующим:

– Оленькин портрет в мраморе уже сделали?

– Только собираюсь, – сказал Макс невозмутимо. – Правда, вряд ли это будет мрамор...

– А что? – заинтересовался Игорь. – Бронза? Лед? Песок? Дерево? Теперь ведь в моде деревянная скульптура? В нескольких галереях Москвы выставляются.

– Да ты и в этом просто знаток! – удивилась Ольга. – Снимаю шляпу...

– Я же играл скульптора, когда еще кино по системе Станиславского снимали. Требовалось все узнать о своем герое, чтобы войти в образ.

У Макса вдруг заблестели глаза:

– А вы слышали, что на Старом Арбате поставят несколько скульптур?

– Окуджавы там не хватает? – проворчал Тарабыкин.

Ольга дополнила:

– И принцессы Турандот возле вахтанговского...

– Там еще есть Натали с Пушкиным и корова, – добавил Макс. – Но эти скульптуры будут олицетворять как бы жителей дореволюционного Арбата: там лоточник будет, гимназистка...

– Юная, – вставил Игорь.

Макс засмеялся:

– Да-да. Еще мальчишка – продавец газет, кажется, жандарм... Кто-то еще... А что, по-моему, это интересно.

«Заволновался в присутствии звезды, – усмехнулась Ольга про себя. – Слова-то какие посыпались: олицетворять...»

– И изваяет их, конечно, сами знаете кто, – предположил Тарабыкин, хмуро ухмыльнувшись.

– Не знаю. Слышал, что он будет делать скульптурный портрет...

И Макс назвал фамилию кинорежиссера, который был так полон жизни, что грех было и помышлять о памятниках.

Присвистнув, Игорь переглянулся с Ольгой:

– Дожили!

– Ты блин хочешь? – спросила она, пока ее старый друг не ляпнул что-нибудь еще. Кто знает, какие уши могли быть у этих стен?

– Я, блин, водки хочу! – отозвался он с тоской. – Да Полинке своей побожился – больше ни-ни... Держусь пока. Хотя вот такие новости очень склоняют.

Ольга потрепала его загорелую руку – то ли недавно из отпуска, то ли в солярий заглядывает регулярно...

– Может, это только слух, не впадай в депресняк. К тому же, если разобраться, он заслужил памятника при жизни. Старые его фильмы вспомни.

– Старые-то я помню... А новые?! Лубок! Рекламный ролик!

– Ну, не так чтобы совсем уж...

– Да вам всем он просто как мужик нравится! – отмахнулся Игорь, забыв о присутствии Макса. – Еще бы! Из него энергия так и прет...

Отпираться показалось глупо:

– Конечно, нравится... Но наши режиссеры действительно стареют как-то безрадостно, – согласилась она. – У одного, ну, ты понимаешь, о ком я, ни одного шедевра не родилось с тех пор, как его сценарист умер...

Тарабыкин кивнул. Выдернул желтую салфетку с ажурными краями, скрутил рожком и заглянул вглубь, насмешив Ольгу.

– Лауреаты громких премий вообще ничего не снимают. А другие так лучше бы не снимали...

– В таком дерьме приходится сниматься, уж простите за бедность речи, – вздохнул Игорь. – Вы – счастливчик, Макс, что вне этого бурного потока самых что ни на есть сточных вод. Оставайтесь себе на бережку и держитесь от кино подальше, а то с таким лицом любой кастинг вне очереди пройти можно...

– Ты жизнью недоволен? Дворец себе строишь и не доволен. Ведь есть на что! А я бы до сих пор не скопила на квартиру, если б муж не оставил. Нам когда-нибудь принесут наши блины?!

– Но ты ведь продала свой неземной голос каким-то рекламщикам, – припомнил Тарабыкин.

Она почувствовала, как краснеет:

– Продала. Как Русалочка. За любовь к сыну. Чтобы в Париж слетать, когда захочется. И слетала!

– Ну, и правильно сделала, – одобрил он. – Если гонорар не идет к артисту...

– А что, я очень узнаваема в этой рекламе?

– Ну, я-то с первого вздоха узнал, – он быстро повернулся к Максу. – Только не вообразите, мой друг, что мне доводилось слышать какие-то особенные Оленькины вздохи! Только на сцене, мамой клянусь.

Макс отозвался так безразлично, что ее это даже задело:

– Я ничего и не воображал.

– Макс – святой человек, – съязвила она. – Ему неведома такая болезнь, как ревность.

– Болезнь! Это проклятие, а не болезнь, – простонал Игорь. – Как увидел Полинку полуголой на развороте какой-то дешевки, чуть не спятил, честное слово. Дом свой едва не подпалил! Шестой год строю...

Ольга засмеялась:

– Это она тебе назло снялась! Ты же сразу взвился – и к ней. Правильно?

– Вот это как раз неправильно. Нельзя так людьми манипулировать. Тем более мужиками.

– Почему же – тем более?

Он подмигнул Максу:

– Потому что мы более чувствительные и ранимые.

– Чувственные вы, а не чувствительные!

Ей вдруг показалось, что они уже говорили об этом с Игорем, и теми же словами. Повторяющиеся лица, повторяющиеся разговоры – вот из чего состояла ее жизнь, пока в ней не возник Макс.

– И мы чаще кончаем жизнь самоубийством, – сообщил Тарабыкин с каким-то мазохистским упоением. – Это то последнее, в чем мужчина еще может проявить волю. Остальное за нас уже решают женщины. Вы заметили, Макс, они ведь все напористее сталкивают нас со всех пьедесталов! Они – в политике, они – в бизнесе, о театре я вообще не говорю...

– Тоскуешь о Кабуки? – съязвила Ольга.

Он согласился:

– Не без этого... Они решают, как нам жить и с кем нам жить. Уступают нас друг другу или отвоевывают. Хотят – уходят. Пожелают – вернутся. Сексуальные террористки. Единственное, чего они не могут сделать за нас, это умереть.

– За окном солнце, – заметила она. – С чего ты вдруг заговорил о смерти?

– Кушнера почитай. «Но и в самом тихом дне...» – помнишь?

– А я забыла эти стихи, – огорчилась Ольга.

– Это склероз, старуха, – выдал Тарабыкин и, спохватившись, заговорил о другом: – Макс, вы видели Олю на сцене?

Она с трудом выдержала взгляд, в котором отразилась сама, принадлежащая тому дню. Макс чуть улыбнулся:

– Как раз на сцене я ее и увидел.

– А эту современную пьесу смотрели? – Он защелкал пальцами. – Как ее?

Ольга подсказала:

– «Затмение».

– Не очень удачное название... – проворчал Тарабыкин. – Слишком много было разных затмений... Но ты там, Оля, – это что-то! За такой монолог взяться... И десять минут зал держать, не давать им дохнуть громче положенного, кашлянуть. Они же, черти, все с бронхитом в театр являются! И с шуршащими пакетами вместо сумочек... А тебя слушали, когда я был, как здоровенькие. Храбрая ты женщина, Корнилова! – Он едва заметно указал ей глазами на Макса, давая понять, что не только постановку имеет в виду.

Она усмехнулась:

– Храбрость отчаяния. Если я не решусь, другая решится. Будет чертовски обидно...

– Понимаю, – кивнул Игорь. – И всецело поддерживаю. Так что никого не слушай, если что...

Поднявшись, он протянул Максу руку, и тому тоже пришлось вскочить. Тарабыкин произнес со всей серьезностью, на какую был способен:

– Надеюсь, Макс, вы истинный ценитель драгоценностей. Потому что вам такой алмаз достался – еще поискать!

– Я знаю.

У него слегка дрогнул голос, и это тронуло Ольгу. Но она должна была сбить комический пафос этого диалога:

– Хочешь сказать, Игорек, что я слегка диковата – без огранки?

– Дурочка ты, – ласково отозвался он. – Хотя и олицетворенная женственность.

Она расхохоталась:

– Игорь! Я, между прочим, боксом занимаюсь! Не знал?

– А одно другому не мешает, – отозвался он с той уверенностью в непоколебимой правоте своих слов, которая так бесила многих. Только в данном случае она пришлась Ольге по вкусу.

Стоило Тарабыкину уйти, как им принесли блины с икрой. Оказалось – вкусно. Или это случайный разговор возбудил в ней аппетит? К жизни вообще. Захотелось немедленно промчаться по МКАД, выжать из своей маленькой «Рено» всю возможную скорость... Потом выпить шампанского на Воробьевых горах, жадно вбирая взглядом всю Москву, вдыхая ее родные запахи... И целоваться с Максом на каждом шагу – у всех на виду. Не на зависть всем – на восхищение. Только вряд ли они дождались бы его...

Она смотрела, как он ест – воспитанный мальчик, научившийся скрывать свой голод. Но это – на глазах у других. А в постели он другой. И не думает постоянно, как те, что были до него: «Только бы получилось!» – не сосредоточивается лишь на своей драгоценной проблеме. Потому что у него еще не может не получиться... И он позволяет своим мыслям, своему телу принадлежать только Ольге.

Сжала его руку:

– Поедем ко мне. Доедай скорее.

Едва не подавившись, Макс уставился на нее, но через мгновение уже понял, запихал в рот остаток блина, рассмешив ее. Нашкодивший мальчишка пытается скрыть следы преступления. Ольге захотелось поцеловать его тут же, отгородившись от остальных посетителей французской блинной тем зеркальным экраном, который уже выручал ее. Пусть он воображаемый, но ей самой бы поверить, что они – невидимы.

Притянув Макса за шею одной рукой, она коснулась его губ, еще измазанных жиром, – не успел салфетку взять. Не ожидал. Она и сама не ожидала от себя такой безрассудности, всегда держала свои желания на коротком поводке. На людях – сама добропорядочность. Когда закрывалась дверь в спальню, что-то распахивалось в ней, прорывало плотину чувственности.

Никаких отвлеченных разговоров, кроме одного – на языке движения, жестов.

Ольга научилась понимать этот язык так хорошо, что угадывала, кому из мужчин хотелось бы оказаться с ней наедине, едва входила в многолюдную комнату. Всегда вносила себя, как главное блюдо. И эта ее уверенность в своей всепобеждающей красоте (все чаще – преувеличенная) тотчас откликалась в мужчинах желанием. Иногда и в женщинах тоже. Пару раз ее уже пытались соблазнить те, кого Ольга принимала за новых подруг...

Его губы сперва растерянно замерли, только на секунду, потом отозвались с таким нетерпением, что стало страшновато: а вдруг он не сможет остановиться. Перед глазами мелькнули фотографии с первой полосы, кричащие заголовки: «Известная артистка занялась сексом прямо на столике кафе!», «Животная страсть Ольги Корниловой!» Что-то подобное она сама недавно видела о Брюсе Уиллисе и Дрю Бэрримор. Но им-то все можно там, на Голливудском холме...

Она выскользнула, откинулась на спинку стула.

– Господи, что я вытворяю!

– А что особенного? Ты надышалась воздухом Парижа. Он же пропитан любовью.

Она откликнулась насмешливо:

– Ты-то знаешь это наверняка!

– Я могу себе это представить. Ну что, пошли?

– В койку?

Он сразу съежился:

– Ну, зачем ты так?

– Это ты – так. По-деловому: ну что, пошли?

– Я имел в виду отсюда.

– Считаешь, я уже прошла адаптацию?

– Еще нет? Может, тебе русской водки выпить? А я поведу машину.

Неожиданно для себя Ольга задумалась:

– Водки? А почему бы и нет?

«Она поможет справиться с солнечным светом. Может, даже победит его...» Кликнув официантку, Ольга заказала сто пятьдесят граммов – хватит этого, чтобы вновь почувствовать себя молодой? Заметила внимательный взгляд Макса.

– Я не думал, что ты воспримешь это всерьез.

– Это моя беда, – вздохнула она. – Я все воспринимаю всерьез. Но ты не бойся этого. В твоем случае априори ясно, что между нами должна быть только легкость. Мы будем качаться с тобой на паутинке, невысоко над землей, чтобы можно было соскользнуть в любой момент.

У него болезненно напряглись скулы:

– Почему ты все время думаешь о том, что рано или поздно все кончится?

– Тебя должно было бы испугать, если б я начала подумывать о том, что это не кончится никогда.

Он скомкал салфетку, которой вытирал рот.

– Оля, я должен тебя предупредить...

Сердце замерло: вот оно. Сейчас он скажет то главное и единственное, что разом положит конец их отношениям. Прощание уже сегодня?

Она мужественно улыбнулась:

– Что такое?

– Тебе может позвонить моя мать.

Какое облегчение – и только-то?!

– Ты должна ее помнить... Людмила Хан. Теперь Кравцова, но ты, наверное, знаешь ее как Хан.

У нее опять слегка онемели губы:

– Людка Хан... Людка-китайка? Твоя мать?! Ты – сын моей одноклассницы?!

Макс беспомощно оглянулся:

– Тише.

– О боже, – простонала Ольга. – Вот это я вляпалась...

Оказавшуюся под рукой водку выпила залпом. Попыталась залить ужас.

– Людка-китайка, – повторил он. – Вы так ее звали?

– Что? Да... Извини, это ужасно звучит, наверное? В школе всем придумывали какие-то прозвища. – Опершись подбородком о руку, она вгляделась в его лицо. – Так вот откуда у тебя этот потрясающий росчерк глаз...

– Вообще-то она – кореянка, а не китаянка. А отец у меня русский, – пояснил Макс. – Во мне все перемешалось. Еще и бабушка – узбечка.

– С чьей стороны?

– С маминой.

– Точно, – вспомнила Ольга. – Такая яркая, полная женщина. Она одевалась не в национальное, но все равно чуть более броско, чем остальные. В красное, желтое. Мне нравилось. Она сразу выделялась изо всех. А Люда стеснялась выделяться.

Макс поморщился:

– Она и бабушки всегда стеснялась... Кричала, что она опять вырядилась, как попугай. Я как раз о ней вспомнил, когда Тарабыкин о попугае заговорил... Смешно.

– Бабушка жива?

– Умерла три года назад. Рак. Дед тоже умер от рака. У меня плохая наследственность.

– Зачем ты это сказал?

– Я не хочу детей. – Он смотрел, не моргая, будто гипнотизировал ее.

«Пытается внушить мне, что у нас есть будущее? Зачем ему это?» Теперь она крутила и комкала салфетку, загибала углы.

– Тем более всегда можно усыновить ребенка, если очень захочется.

– Где гарантия, что его наследственность окажется лучше? И потом, знаешь... Свой – это свой. – Ольга судорожно потерла виски. – С чего мы вообще заговорили о детях? Речь шла о твоей матери. Она собирается мне позвонить?

– Кто-то из знакомых видел нас с тобой, – с неохотой пояснил Макс. – Стукнули ей. Она, конечно, взбесилась.

– Еще бы!

Представить Пашку с Людой Хан... Немыслимо! Пальцы стиснула так, будто судорогой сковало. Больно. Не должно быть так больно, не та атмосфера: Дассен напевает что-то легкомысленное, вокруг – стилизация под Париж, который сейчас уже кажется больше видением, чем реальным городом, в маленьком зале гул от болтовни за столиками – оживленные, юные лица. Ее ровесники сюда не заглядывают? Какое счастье, что Игорь забежал – плечо подставил: держись, старуха, я с тобой. Он чуть старше, это у них в студенчестве было принято такое обращение. Но Ольга знала его так давно, что ее это уже не коробило. Разве что при Максе... Может, он и не знает, что так раньше обращались к совсем юным девушкам?

– Я не дал ей твой номер, – угрюмо заверил Макс. – Но она может узнать у кого-нибудь из ваших общих знакомых.

Ольга прошептала, опустив ресницы:

– Так вот почему такой экстренный сбор класса! Мое поведение будут обсуждать на комсомольском собрании... Мы все те же, ничего не меняется. – Она толкнула по столу пустую рюмку – запах раздражал. – Это все какая-то жуткая фантасмагория! И надо же было тебе оказаться ее сыном... Теперь даже мне это кажется инцестом!

– Вы же с ней не были подругами. Я никогда даже не слышал от нее о тебе!

«Это понятно, – подумала она. – Чтобы серая мышка, Людка-китайка, рассказывала о тех, кто уже тогда был и ярче, и интереснее... А это весь класс и был в сравнении с ней. Кого вообще она могла поминать добром? Вот что поразительно: как Людке удалось произвести на свет такую красоту?! Даже мой Пашка не так хорош...»

Смесь ревности и восхищения. Любовник и некровный сын. Внутри дергались чаши весов, задевали сердце, заставляли его кровоточить. Вспомнилось ахматовское: «Ты сын и ужас мой...» Правда, там-то речь шла о настоящем сыне...

Ольга смотрела на его смуглое, точеное лицо поновому, точно лишь сейчас ей приоткрылось главное о нем. А может, это еще и не было главным... Что он делал в Кемерово? Просто так из Москвы в Сибирь не уезжают. Только наоборот.

– Так мы поедем к тебе? – просительно произнес он.

Нашел верный тон – она почувствовала жалость к нему. Сразу же захотелось прижать к груди его голову, излечиться теплом, нетерпением его губ... Животом ощутила упругость его тела, которое ищет ее мягкости, жаждет погрузиться в нее, излиться в глубину, добавить к ее влаге своей... Две ночи без него, тело истосковалось.

Вчерашний массаж, который сделала ей подружка Софи, снял усталость пешеходного дня, возбудил желание. Даже почудилось, будто Мадлен хочет познать ее тело не только руками, так низко она наклонялась, так горячо дышала в шею. Сделай она хоть движение навстречу... Но Ольге не позволило забыться изумление: «У жены моего сына такие подружки?!»

– Ты хочешь ко мне?

– Я хочу.

– Тебе не кажется то, что происходит, каким-то чудовищным извращением?

Он медленно покачал головой.

– Я не твой сын. И не пытайся уравнять нас. Пожалуйста, – смягчил он резкость тона.

– Лучше бы ты не говорил мне, кто твоя мать...

– Лучше бы она сама объявилась? И застала бы тебя врасплох.

– Нет-нет!

Она запустила руки в волосы, сжала голову изо всех сил. Не трудно вообразить этот будущий разговор, свою растерянность, попытки пролепетать что-то, торжество в голосе Людки-китайки. Триумф сегодняшнего дня. Прошлое повержено, серые мышки забрались на троны.

Макс вдруг встал:

– Пойдем.

– Куда? Мы еще не расплатились.

– Да, – спохватился Макс, вытащил деньги, положил на стол, хотя счет им еще не приносили. И протянул руку: – Поехали.

Выбираясь из-за столика, Ольга пыталась протестовать:

– Что за спешка?

– А ты не понимаешь?

Его лицо оказалось так близко – щеками прижались. И отпрянули, точно обожглись. Он стиснул ее руку – движение, уже переходившее в разряд приятных автоматизмов. Мелькнуло опасение: «Так ли ему приятна моя кожа, как мне его?» Она тут же отвергла этот страх:

было бы противно, не тащил бы ее в постель. В машину села как-то машинально, вставила ключ, потом заставила себя собраться – нужно довезти его живым.

– Я же собирался вести!

– Ничего, я справлюсь.

В голове будто желток плавает... На скорости шестьдесят тащиться, чтобы не влететь никуда? «Рено» тоже жалко – другую себе она уже, может, и не купит. Машина еще не знала столкновений, целехонькая. Только на лобовом стекле где-то осталась выбоина от камня. Ольга с гордостью сообщала всем знакомым, что машина прямо из Франции, не из московского салона. Париж, господа!

Пока прогревался двигатель, она поискала глазами выбоину. Сосредоточилась и попыталась найти снова.

– Стоп! Это вообще моя машина?

Быстро оглядела салон, остальное знакомо, в этом нет сомнений. Но лобовое стекло...

– А что?

Голос Макса прозвучал испуганно, это заставило насторожиться. Точно вспомнив, куда влетел тот камень из-под колеса грузовика, Ольга указала пальцем:

– Вот тут была такая выбоинка... Куда она делась?

– Как ты заметила? – простонал он и сполз по сиденью, точно собирался спрятаться. – Одна-единственная фиговинка...

– Макс, что произошло?

Оттолкнувшись ногами, он подпрыгнул, сел на место:

– Я разбил его.

– Стекло? Ты угодил в аварию?! Ты цел? – Ольга схватилась за его рукав, словно у нее еще не было времени убедиться, что он жив и здоров.

– «Газель» чертова встала по диагонали! Я и влетел в доски, которые у нее сзади торчали. Метра на два!

Есть и хорошая новость, как в том анекдоте: подушки безопасности работают...

– Значит, они тебя уберегли... Ты ведь не ударился головой?

– А что, похоже? Они уже на месте. Надеюсь, больше им не придется выскакивать. Такой взрывчик был, я даже подумал, что в меня граната прилетела.

– В Москве – запросто. Бедненький мой... – Она медленно провела ладонью по его щеке. – А кто платил за ремонт? У меня же страховка! Почему ты не позвонил? Ты сам, что ли, заплатил?

– Я надеялся, что ты и не заметишь, что случилось. А то больше не доверишь мне машину, а я свой «Ниссан» в Кемерово оставил. Ты не сердишься?

Усмехнувшись, щелкнула по стеклу пальцем:

– За подарок?

– Я и хотел сделать подарок. Не такой, конечно.

– А какой же?

Он издал смешок:

– Ты спросила об этом, как девчонка. Такая любопытная-любопытная!

– С возрастом и не перестаешь чувствовать себя девчонкой. Трагедия старения во все большем расхождении души с телом. Поэтому в конце концов они и расстаются.

Макс несогласно кивнул головой:

– Некоторые уже в шестнадцать лет становятся стариками.

«Твоя мать была такой тихонькой старушкой, – захотелось сказать Ольге. – Ее вечно сажали с двоечниками на заднюю парту, потому что за ней не нужно было следить. И списывать она тоже никому не давала. У нее как-то быстро просить перестали... Как же ты, такой неправильный, мог родиться у этой тихони?»

– Это будет даже забавно. – Ольга сама услышала, что голос напряжен – не соответствует словам.

– Ты о чем?

– О встрече с одноклассниками. Я пропустила прошлую – пять лет назад, на гастролях была. Ты ведь знаешь, что мы собираемся каждые пять лет.

Макс огрызнулся:

– Я не отслеживал ваши встречи! Ты теперь будешь относиться ко мне только как к ее сыну?

– А ты предлагаешь мне просто проигнорировать это?

– Тебе обязательно встречаться с ними? – спросил он, помолчав. – Ты не можешь просто не пойти?

– Чтобы они решили, что я струсила? Будто я чего-то стыжусь?

Губы приоткрылись в ожидании:

– А ты не стыдишься?

Ольга вдруг заметила:

– Ты ни разу не сказал «реально»!

Фыркнул, как жеребенок:

– Развиваюсь!

– Ты – умница. – Она коснулась его темных волос, скользнула пальцами по щеке. – Ты такой талантливый... Даже страшно подумать, каким ты станешь, если будешь развиваться и развиваться!

Макс посмотрел на нее без усмешки:

– Может, тогда я наконец буду тебя достоин.

* * *

Сестра сказала ей:

– Мне за тебя страшно.

Сидели вдвоем у Ирины на кухне – маленькой, светленькой, в искусственной зелени и бабочках на прозрачных шторах. Восьмой этаж, не от кого закрываться. Над головами светящийся шар из папиросной бумаги, такие в «Икее» продают – люстры для бедных. А смотрятся хорошо, даже как-то романтично. Особенно в сочетании с этими разноцветными бабочками, которых Ирина в цветочном ларьке накупила.

Сестра поднялась, чтобы снова включить чайник, потом вдруг прижала к животу Ольгину голову:

– В такой омут ты шагнула... В нем ведь и жить тяжело, и выбраться невозможно. Как ты будешь?

Ольга потерлась об нее щекой:

– Говорят, человек ко всему привыкает...

– Но ведь не жить в безвоздушном пространстве!

– О чем ты? Он – мой воздух. Так глубоко я еще не дышала.

Вернувшись на свой табурет, Ирина принялась загибать края бумажной салфетки. Всегда ее тянуло сложить какой-нибудь кораблик из любой бумажки, попавшейся под руку, даже автобусные билеты сворачивала. На Ольгу она взглянула с состраданием:

– Может, это просто классный секс?

– Нет. – Она едва качнула головой. Начнешь горячиться и доказывать – выйдет неубедительно.

Потом все же добавила:

– Хотя и это тоже. В нем кровь так и кипит, понимаешь? А руки такие, что у меня все тело эрогенной зоной оборачивается, когда он меня гладит. Может, потому что скульптор? Или это природные токи какие-то... В то, что это от Людки-китайки передалось, даже не верится... Она-то всегда была амеба амебой!

– Может, они все сейчас такие? – предположила Ирина. – Эти ребята двадцати с чем-то лет...

– Думаешь, только в возрасте дело? И любой способен такие взрывы в нас вызывать?

Сестра погрозила пальцем:

– Говори за себя. Меня никогда на мальчиков не тянуло.

– А Владик? – Ольга насмешливо прищурилась: сейчас смутится.

Быстро заморгав, Ирина схватила другую салфетку, начала складывать что-то невообразимое. В результате получилась птичка какая-то...

– Владик был всего на четыре года моложе меня.

– Но тебе это казалось гигантской пропастью! Ты вспомни!

– И он был женат.

– Вот это было настоящим пороком, – согласилась Ольга. – С женатыми мужиками – одна морока... Их все время тянет поговорить о жене, правда? Себя оправдать. Чем Вадим, интересно, оправдывался? Чем я оказывалась так плоха в его подаче?

Ирина вдруг швырнула птичку в ведро:

– Вот гримасы судьбы! Сегодня мы в роли обманутой жены, завтра – уже любовницы женатых...

– Макс не женат, – напомнила Ольга. – Он всего лишь непозволительно молод.

– Оленька...

«Брови поднялись шалашиком, – отметила Ольга отстраненно. – Сейчас скажет что-нибудь неприятное...»

– Солнышко, ты великолепно выглядишь, намного моложе своих лет, но ведь, наверное, все равно заметно, что он еще моложе?

– Заметно, – заставила себя Ольга признать это.

– Ну, и зачем тебе выставлять себя на посмешище? Люди ведь злые, они усмехаться вам вслед будут. А ты начнешь нервничать, комплексовать.

– Начну? Я, наоборот, уже успокаиваюсь...

Удивление Ирины неподдельно, лицемерить никогда не умела:

– Правда? Так ты уже справилась с этим? Так быстро?

– У нас все быстро... Времени нет размазывать, понимаешь? Я ведь не идиотка, понимаю, что нам немного отпущено. Но почему нельзя взять это немногое, раз оно не принадлежит никому другому? Ухмыляться вслед будут? Кто? Тетя Клава какая-нибудь? Актриски наши, которых выпускают на сцену только вазу с цветами поставить – молчком! Да плевать я на них хотела! К любой из них такой Макс подошел бы, она так и растеклась бы по тротуару... Я, Ириша, зависти никогда не боялась, ты знаешь.

– Я знаю.

– Чего ж мне теперь начинать бояться?

– Не бояться, нет! Просто поберечь себя. Ты ведь у нас – сокровище. – Сестра погладила ее руку. Опустила глаза: – Знаешь, ты вот Владика вспомнила... Я тогда даже тебе не говорила, но когда он перестал приходить, я ведь хотела газом отравиться.

– Да ты что?! – ужаснулась Ольга, теперь сама схватилась за ее руку.

Ирина усмехнулась:

– Да я ведь жива осталась. Уже подошла к плите, пустить газ хотела... И тут вспомнила, что надо мной, на девятом, маленькая девочка живет, тогда только родилась. Много ли ей надо, чтобы отравиться? Вдруг по вентиляции затянет? И не повернула вентиль... А вены резать мне просто страшно было. За таблетками в аптеку идти нужно было, а за окном дождь лил. Вот так и выжила – от собственной лени. Но я что сказать-то хотела... Знаешь, почему именно из-за него – так?

Ольга не отрывала от нее взгляда:

– Ну? Почему?

– В голове все вертелось, что он сбежал от меня, потому что я – старуха. Вот что всего ужаснее было. Он, может, так и не думал обо мне...

– Да ты и сейчас на сорок лет выглядишь!

– Но мне не сорок. Когда от меня в молодости мужчины уходили, я заставляла себя думать, что жизнь еще долгая, и обязательно встретится кто-нибудь... А после Владика – пустыня, понимаешь?

– Но у тебя же потом был этот латыш! И...

Ирина согласилась:

– Были. Но я же не могла знать, что они еще будут. В тот момент, когда хотела открыть газ, я казалась себе старой настолько, что мне о любви даже помышлять смешно, не то что...

– Ну вот, – сделала Ольга совсем не тот вывод, к которому ее подводила сестра. – Тем более. Если Макс – мой последний мужчина, как я могу отказаться от него? И ради чего? Чтобы вслед не усмехались? Вот это как раз и будет смешно!

Но она все же опасалась этих усмешек, которые всегда ранят душу, как ни подготавливай себя. И собираясь на встречу с одноклассниками, Ольга нервничала, как никогда. Была уверена, что сегодня ее встретят как изменившую их стае, их возрасту...

Встретиться договорились в ресторане «A propos» во Фроловом переулке – поближе к Ольгиному дому. Догадалась: все для того, чтобы только она пришла. Судилище затевается? Макс умолял ее не ходить – недоброе предчувствие.

– Ничего доброго я и не жду, – отозвалась она, одеваясь.

Здесь не Париж, можно пойти и в светлом – более триумфальный цвет. Чтобы с порога все поняли: у нее никаких угрызений совести. Не малолетнего же совратила... В возрасте Макса у нее уже был сын... Ольга выбрала брючный костюм, чтобы никакая досадная мелочь, вроде дырочки на чулках от упавшего пепла, не могла вывести ее из равновесия. Чтобы ни малейшего недовольства ни во взгляде, ни в линии рта. «Она идет по жизни, смеясь...»

Вчера хохотали в постели, даже не вспомнить – над чем? Захлебывались ощущением счастья, у которого нет ни возраста, ни родственников. Напряжение спало: всё, они вместе. Да будет так! Она попыталась уйти от того внезапного, что с ними произошло и чего Ольга никак не планировала, – не вышло. Не излечил ее Париж. Не смог вытравить Макса из души. Ведь каждую минуту вспоминался: «Ему показать бы... Он должен это увидеть!» Как он успел пробраться так глубоко, что слился с ее собственным «я»? Теперь всё – на двоих. Впечатления, боль, смех. Кажется, они почувствовали это одновременно, когда наконец очутились в ее постели. Ольга неслась к дому так, будто Макс мог передумать, выскочить на ходу.

Оказавшись в ее квартире, они почти не разговаривали. Он бросился готовить ей ванну, как обещал, она – снять дорожную одежду. Хоть и не в карете добиралась, чтобы запылиться, а все же хотелось ощутить кожей домашнее, уютное. С облегчением перевести дух: «Наконец-то дома!» Никогда не думала, что возвращение к себе может быть таким радостным... Это после Парижа-то! В прошлый раз, помнится, недели две приходила в себя, на репетиции являлась сомнамбулой, только роль заставляла встряхнуться.

«Это он помог, – благодарно подумала о Максе. – Как назывался тот фильм? «Дом там, где сердце»? Сюжет забылся, а название зацепилось. Неужели теперь этот мальчик – мой кров, моя родина?»

Завернувшись в халат и присев на край постели, Ольга попыталась понять: откуда взялось это ощущение глубинного родства с ним? Ведь мгновенно возникло – мой человек. Наверное, так и должно быть, подумала она, просто узнать, увидев. Других замечаешь, но даже если мордашки нравятся, этого совпадения с единственно возможным образом не происходит. Не придумываешь его – сам пробивается из небытия прошлой жизни, из прочитанных в юности книг, из услышанных историй...

Ей только сейчас вспомнилось, как волновало и восхищало ее в детстве, когда мама рассказывала про свою тетушку из Чебоксар, которая целую жизнь прожила с человеком на восемнадцать лет моложе себя. Предчувствие? Все родственники ждали, что эта пара распадется через год. Через семь лет. Ну, хоть через пятнадцать! А он похоронил ее уже глубокой старушкой и доживал свой век в одиночестве.

«Теперь, наверное, они опять вместе». Ей стало грустно и радостно от этого воспоминания – значит возможно! А ведь это было в те годы, когда такая разница в возрасте казалась просто чудовищной! Сейчас на многое стали смотреть проще. Хотя не настолько, чтобы они с Максом могли быть застрахованы от усмешек за спиной.

– Ванна готова, моя королева! – объявил он, возникнув на пороге.

Обнаженный по пояс, мелкие капли на смуглой коже, голова почтительно склонена... Слуга-индус, да и только! Вспомнив слова сына о том, что как раз в ее возрасте и становятся королевами, Ольга царственным жестом протянула руку. Подхватив игру, он поцеловал ее, опустившись на одно колено – уже не слуга, рыцарь! И повел ее в ванную, которую пару лет назад Ольга отделала роскошно, себе на радость. Тогда у нее случился неудачный роман, вызвавший только досаду и омерзение. И она поняла, что обязана чем-то компенсировать себе то, что этого богатого жлоба привлекал только ее рот и ничего больше. Кажется, он всерьез воображал, будто и Ольга от этого получает удовольствие.

«Ладно, черт с ним, – запретила она себе любые воспоминания. – Зато ванную мне отделали на славу! А то еще сто лет не собралась бы затеять ремонт».

Макс принял халат, придержал ее за локоть, когда Ольга шагнула в пену, застонав от наслаждения, вся ушла в нее. Скрытая волнами пузырьков, она чувствовала себя спокойней. Присев на край ванны, он следил за ней, улыбаясь.

– Ты жмуришься, как довольная кошка.

– Кошки не любят воды. А я – обожаю!

– Ты не Рак по гороскопу?

– А ты и гороскопами увлекаешься? – поддразнила она. – Нет, я – Стрелец.

Он приподнял ровные брови:

– Значит, у тебя скоро день рождения?

– К сожалению... Через месяц. Пятнадцатого декабря.

– Я напрашиваюсь на приглашение.

Прислушалась к себе: никаких сомнений, что через месяц они еще будут вместе. И через год. И он похоронит ее глубокой старушкой...

– Ты приглашен. Ты подаришь мне мой же скульптурный портрет?

Это слегка смутило его:

– Ну, не знаю... Если успею. Это же дело такое – как накатит.

– Я постараюсь тебя вдохновить, – вкрадчиво посулила она.

Он тут же полез к ней в ванну, заставив расхохотаться. Сел напротив, поймал ее ногу и принялся массировать ступню, скользкую от пены. Она закрыла глаза: «Хорошо, что мне вчера сделали педикюр... А то натопалась по Парижу».

Макс услышал ее мысли:

– Когда ты расскажешь мне о Париже?

– Ты говорил: в постели.

– В постели я уже не смогу просто лежать и слушать!

Ольга капризно надула губы:

– А ведь обещал!

– Ты хочешь, чтобы я просто лежал рядом?

– Нет, – ответила она не сразу, прикинувшись, будто раздумывает. – Пожалуй, не хочу.

Отняв свою ногу, Ольга провела ладонями по его торчавшим из воды коленям – вниз, потом вверх. Черные волоски облепили ноги Макса остроконечными сосульками. Ей пришло в голову, что она давно не видела мокрого мужчину, с другими в душ ходили по очереди. Внезапно утратив способность стесняться своего тела, она встала на колени перед Максом, вынырнув из воды. Только пузырьки пены по коже... В его лице что-то дрогнуло, когда ее руки скользнули вниз. Откинув голову на бортик ванной, он закрыл глаза, а Ольга с восторгом ощутила, как ее пальцы творят метаморфозы с его телом. Ничто другое в человеческих руках не растет так стремительно...

– Здесь тесно, – шепнула она. – Пойдем в постель.

Макс запахнул ее в полотенце вместе с собой, прижался к спине, бережно промокнул грудь, живот. Его пальцы не желали ждать, они уже узнавали ее сегодняшнюю – другую после разлуки. У нее ослабели колени.

– Я не дойду до спальни...

Он подхватил ее на руки, уронив полотенце на пол. Оно так и валялось там беспомощным комком, когда они вернулись, чтобы смыть с себя следы любви. Для вещей, их окружавших, ничто не могло измениться за это время. Они же сами каждый раз становились иными, пропитываясь друг другом еще больше, проникая еще глубже.

Был момент, когда Макс чуть не откусил ей ухо, но сперва анестезия возбуждения не позволила ей почувствовать боль, потом заныло. Он поцеловал маленькую раковину:

– Прости. Во мне в такие минуты настоящий зверь просыпается, самому потом страшно. Все время сдерживаться приходится, никак не расслабишься по полной... А то на куски могу разорвать...

– Ты меня пугаешь!...

На них напал смех, в котором было больше облегчения. Они хохотали во весь голос – можно, день за окном, соседи не начнут стучать в стену. И находились все новые предлоги посмеяться, такие же глуповатые, как могло показаться им в другое время, но эйфория погрузила их в то состояние, когда пальчик покажи...

Потом она все же рассказала ему о Париже. Как Макс и представлял: прижавшись друг к другу, вытянувшись на постели. Не утаила, как ей хотелось показать ему этот город... Каждый художник должен побывать в Париже, как мусульманин в Мекке.

– Мы еще съездим туда вместе, – пообещала Ольга. После разговора с Пашкой она поняла, что это возможно хоть завтра.

Но Макс еще беспокоился о нем. Поглаживая пальцем его лицо, она передала смысл того, о чем рассуждал сын, и это обрадовало Макса так, будто он обрел друга. Или брата. Никак не сына, конечно...

...О его матери они вновь заговорили только на следующий день, когда Ольга, как на бой, собиралась на встречу с одноклассниками. Кольчугу бы под одежду... А весь вчерашний вечер на Варварке гоняли на картах, как ошалелые друг от друга подростки. Ольга опасалась, что будет выглядеть смешно, когда явится в картинг-клуб не ребенка прокатить, как бывало когда-то, а чтобы самой забраться за руль. Но там никто и бровью не повел: видно, какие чудики только сюда не являются.

Когда выбирали цвет комбинезонов, Ольга опять вспомнила о Шумахере, облачилась в красное. Макс признался, что тоже всегда болел за Михаэля, особенно после того, как у него появился собственный немец. И она обрадовалась этому, как очередной улыбке судьбы: мы из одной команды. Шлема Ольга не примеряла с юности, когда гоняла с мальчишками на мотоцикле. Споры о том, что круче – «Ява» или «Чизетта», были бесконечными... Натянула перчатки с обрезанными пальцами, пошевелила ими, растопырив.

– Классно выглядишь! – просиял Макс. – Ну, по коням?

– Всего десять минут, – заранее огорчилась Ольга.

Но оказалось, что этого времени хватает за глаза. Ольге кричать хотелось оттого, как дух захватывало от восторга и страха. Сама себе удивилась: Пашке, который визжал от удовольствия и звал ее, ни разу не составила компанию, стеснялась. А ведь тогда насколько моложе была... Почему же сейчас – все нипочем? Успела ответить себе перед лихим виражом: уже перешагнула рубеж, Макс перетащил через него. Все прочее настолько пустячно в сравнении с тем, что Ольга уже позволила себе.

Перед стартом Макс дал ей некоторые наставления: использовать только педаль газа, во время поворота отклоняться в противоположную сторону, сбрасывать скорость перед виражом. Но Ольга то и дело нарушала то одно правило, то другое. Такая жизнь пошла... В очередной раз пойдя на таран, боднула карт Макса. Блеснули его глаза: «Ага, ты так?!» Чуть толкнул ее боком. Ольгу слегка отбросило, ударилась ребрами, но боли не почувствовала. Погналась за ним, удирающим: «Я тебе!»

Потом, ночью, он лечил ее занывший бок и мышцы рук, разболевшиеся от напряжения (давно не тренировалась), поглаживал кончиками пальцев. И действительно снял боль – восточный кудесник. Хотя Ольга и не жаловалась – смеялась над этим. Они оба хохотали, цепляясь друг за друга, когда выползли из картинг-клуба. Два охмелевших от скорости существа без возраста, живущие только здесь и сейчас. Время ускользнуло от них, позволило насладиться безграничностью. Прорвались на скорости! Разве было вчера? И будет ли завтра...

...Назавтра он постанывал, валяясь поперек кровати, лицом вниз:

– Может, ты все-таки не пойдешь на эту дурацкую встречу одноклассников?

Рядом на полу стояли три банки пива, и время от времени Макс отхлебывал из последней.

– Макс, я уже все решила! Я не собираюсь ни от кого прятаться. Если тебе неловко, то...

– Что?! – Он так и подпрыгнул. – Да как ты можешь так думать? У меня в жизни не было ничего более достойного, чем эти дни с тобой. Ты – мое оправдание перед Богом.

Съежившись, она замерла перед зеркалом: не ожидала таких слов. Они прозвучали клятвой у алтаря, к которому Ольга не пойдет, конечно, чтобы не связывать его. Она должна быть мудрее и сдержаннее, хотя как раз этого – ох как не хочется! А хочется действительно плюнуть на все возможные встречи, никому ничего не доказывать, а завалиться на кровать рядом с этим чудным мальчиком, в теле которого запрятан источник наслаждения. Он смотрит на нее так, что Ольга кожей чувствует его желание. Но костюм от «Версаче», который сын подарил ей на прошлый день рождения, уже надет, источает легкий аромат счастья, который должны уловить ее школьные друзья. И она говорит только:

– Извини, мой хороший. Я не хотела тебя обидеть.

Проходя, вскользь кончиками пальцев погладила его щеку. Потом сама поняла – как свернувшегося на покрывале кота приласкала. После его слов о Боге это могло показаться ему оскорбительным.

Сев на постели, Макс посмотрел на нее угрюмо:

– А мне что делать? Работу я сегодня сдал в контору. Шефу вроде понравилось. Пригласил на корпоративную вечеринку. Но это еще не скоро...

– Здорово! – откликнулась она. Подумала, что ему придется пойти одному, вряд ли захочет шокировать своих коллег, пробиваться в центр внимания. Не для него все это...

Неожиданно Ольга поняла, что даже не знает, над чем он работал. Раньше не спросила, а теперь неловко было выяснять. Хотя, с другой стороны, если не поинтересоваться хотя бы сейчас, он может решить, будто ей вообще нет дела до того, чем он занимается вне постели. Опять эти дурацкие «toyboys» в голову лезут...

Интересно, подумала Ольга, много ли женщин, которые относятся к юношам именно так? Мужчины легко позволяют себе сексуальные игрушки – девочек, которым ломают жизнь и душу. Такому дела нет до того, что он вытолкнет из своей постели законченную стерву, для которой лучшими друзьями станут бриллианты... Но ведь женщины, у которых не отняли женственность, не могут не привязаться сердцем к тому, с кем оказалась в постели. Хотя бы поверхностно... Или это как раз бывшие «toygirls» забавляются? Подсознательно мстят за то, что когда-то их пользовали, как хотели. Теперь пусть этот мальчуган отдувается за весь мужской род...

«Самая бессмысленная война!» Ей вдруг стало по-настоящему горько, сама ведь принимала участие в сражениях. Не погибла, выжила, хотя временами старые раны побаливают, как у ветерана. И Максом только слегка подлечиться хотела, а он в сердце запал, где после Вадима никого и не было. Отторг саму ее мысль сделать его такой вот игрушкой...

Она подбежала к Максу – профессия научила двигаться легко, присела перед ним, сжала лицо обеими руками.

– Хочешь, пойдем сейчас со мной?

– Ты собираешься произвести фурор?

Ей опять стало весело:

– Знаешь этот старый анекдот, как беседовали две дамы? «Ах, я вчера произвела в свете такой террор!» – «Дорогая, не террор, а фураж!»

– Знаю, – не улыбнувшись, ответил он.

– Откуда? – смутилась Ольга. – Мне кажется, я его еще в детстве слышала...

– Ты говоришь так, будто между твоим детством и моим – какая-то непреодолимая пропасть. Нет этого. Ничто нас не разделяет. Разве ты ощущаешь родственную душу во всех, кто родился с тобой в один год? Я – нет. Ты мне в тысячи раз ближе, чем мои одноклассницы.

– Ты мне – тоже...

– Тогда зачем ты идешь к ним?

– Макс! – растерялась она. – Но мы ведь не можем спрятаться с тобой от всего мира.

– Нет?

– И провести всю жизнь в постели? Это утомит уже через неделю. Человек устроен так, что его мозгу нужны впечатления, как еда желудку. Общение, дело, наконец! Разве ты готов отказаться от своего творчества, от моделизма даже ради того, чтобы проводить все время со мной?

Он отозвался уныло:

– Глупо устроен человек. Ради второстепенного он добровольно отказывается от главного.

У нее уже ныли колени, пришлось подняться, разжав руки, которым нравилось касаться его кожи.

– Это не второстепенное, – возразила она, подойдя к большому овальному зеркалу.

Продолжая говорить, тщательно осмотрела всю себя – от небрежно разбросанных прядей до острых кончиков кремовых сапог. Сегодня ей, как никогда, хотелось выглядеть безупречно. Не для всех старых друзей... Сейчас ей не давала покоя только Людка-китайка.

– Наша профессия, наши друзья, наши интересы, даже развлечения – это такие же составляющие жизни, как и любовь. Человек ощущает наполненность жизни, только если в ней присутствует все, чего просит его душа. Хотя моменты счастья от этого, конечно, не зависят, они вообще не подконтрольны сознанию... Луч скользнул по лицу, птица запела в ветвях аллеи – и пронзило счастьем. Но это редкое, ускользающее мгновенно.

Макс тоже поднялся, отошел к окну, которое выходило во двор дома на Трубной улице. Оттуда доносились детские голоса – стеклопакеты Ольга так и не собралась поставить. Да не особенно и хотелось, ей нравилось слышать звуки жизни. И проникающий в тонкие щели воздух радовал свежестью. Она любила, когда в доме много воздуха. У Макса ей понравилось тем же.

– Обычно женщины пытаются ограничить свою жизнь любовью, – сказал он.

– Не встречала таких женщин, – отозвалась Ольга.

Это прозвучало резче, чем она позволяла себе с ним разговаривать. Но она не могла позволить ему опуститься до традиционной мужской точки зрения. Почему-то они полагают, что им известно все о женских желаниях и мечтах. Что тут все просто – любовь и только любовь. Ну, семья, дети, как следствие... А все эти попытки последнего десятилетия завоевать позиции в бизнесе и политике продиктованы не чем иным, как желанием захапать мужчину получше. Он один, венец природы, – достойная награда за то, что пришлось как следует поработать локтями.

Макс обернулся:

– Я тоже.

– А ты надеялся, что я такая? – спросила она со страхом.

– Увидев тебя на сцене? Нет. Ты – это Космос. Это мне сразу стало ясно.

– Не преувеличивай, – успокоилась Ольга. – Так ты куда сейчас? Можешь у меня остаться.

– После твоей укоризненной тирады? Фигушки. Работать поеду. Потопаю сейчас на метро.

– Да я довезу тебя до вокзала!

– Не надо. Я люблю ездить в метро. Не веришь?

Прислушавшись к себе, она обнаружила, что верит всему, что он говорит. В первый день опасалась подвоха с его стороны, желания как-то использовать ее и надсмеяться. В какой момент этот страх вдруг рассеялся? Когда они вместе наблюдали за рождением нового солнца? Когда Макс признался, что тайком отремонтировал ее машину на свои деньги? Поставил для нее новые подушки безопасности, хотя можно было и без них... Ольга уже выяснила, во сколько это обошлось ему — ужаснулась. Альфонсы не ведут себя так.

— Тогда давай прогуляемся пешком, — предложила она, уже предвкушая восторг — с ним под руку по Рождественскому бульвару на Сретенский и до Фролова переулка...

Жаль, что клены уже облетели, пройтись бы по разноцветью листьев, слушая шепот осени, в котором не столько грусти, сколько умиротворенного покоя: мы выдержали зной сердца, переживем и заморозки... Старость не так пугает тех, кто познал страсть — одна буква, похожая на ноль, ничего не значащая, выпала из слова, две другие перепутали места. Вместо восемнадцати — восемьдесят один. Перевертыш. Усмешка судьбы.

И что? Что такое старость? Все также на рассвете жмуришься от первого солнца, улыбаешься ему сквозь сон, особенно если оно после ненастья... И все так же хочется размазать по нёбу кусочек молочного шоколада... И всплакнуть над «Обществом мертвых поэтов», хотя никаких перекличек с собственным детством. И компания у них в школе была попроще, стихов, собравшись, не читали, это уж точно. И никто не запрещал стать в жизни той, кем хотелось по-настоящему. И мальчиком никогда не была. И не хотела.

Вот тот, за чей локоть сейчас ухватилась, вот он был мальчиком. И теперь уже кажется — несчастным до невозможности! Каким еще можно было расти в доме Людки-китайки, живущей тише воды ниже травы? Чем она занимается теперь?

– Ты хочешь спросить о ней?

От суеверного страха у Ольги похолодели руки:

– Ты читаешь все мои мысли?!

– Только те, которые так и пульсируют. Она – врач. Гомеопат. Ты не знала?

– Да, точно. Кто-то мне говорил... Волшебные крупинки раздает?

– Это лучше таблеток. Хотя я чаще глотаю аспирин...

– Она замужем? В смысле, твой отец...

– Они давно развелись. В нем слишком явно стали проступать черты диктатора.

Ольге было трудно поверить: серая мышка научилась бунтовать? Пять лет назад Ольга пропустила традиционную встречу. А когда встречала школьных подруг, о Людке-китайке конечно же не расспрашивала. Вообще забыла о ее существовании.

– Так она боролась за независимость?

Это прозвучало с непозволительной издевкой, Ольга тут же одернула себя: все-таки она его мать. И заметила, что Макс тоже говорит о матери только «она», избегая слова «мама». Ольга быстро взглянула на его точеный профиль: «Меня щадит, отдаляя от нее? К себе притягивая... Мы вместе, а она – по другую сторону... Пусть так и будет».

– Тебе это кажется смешным? – В его взгляде проступила обида.

– Нисколько, – заверила она. – Хотя бороться за независимость вообще противоестественно. Это должно быть нормальное состояние человека. Данное природой.

«Только бы он не подумал, будто я читаю ему нравоучения, – спохватилась Ольга. – Что-то я слишком много рассуждаю при нем. Кажется, это беда всех пар, где один откровенно старше, не важно, мужчина то или женщина. Старший инстинктивно берет на себя роль учителя. Вот только кому нравится, когда его учат? Только не такому мужчине, не художнику! Он уже вполне может желать учить сам. Почему он не выбрал именно эту роль?»

– В природе животные тоже зависят от вожака, – возразил Макс.

– Только те, кто сбивается в стаи.

– Если б ты не была человеком, то родилась бы кошкой. Пантерой.

– Я такая хищная и черная?

– Ты такая же красивая и дикая. «So beautiful and wild...» Слышала такую песенку?

– Я – домашняя, – заверила Ольга. – Правда, только наполовину.

– Пустишь меня на ту половину?

– Я тебя и на вторую пущу...

Улыбкой подтвердила, в которой постаралась выразить и нежность свою, и восхищение. Никакой игры, ничего искусственного, все это действительно накатывало всякий раз, как оборачивалась к Максу, заглядывала в его глаза. Только на него и смотреть бы, но привычка рассматривать людские лица отвлекала. Ей все время мерещились знакомые... Кажется, кто-то оглянулся, проезжая мимо. Кто-то свой... Узнать не успела, только взгляды встретились. Нужно приготовиться, что завтра в театре уже могут знать. Серпентарий оживится... Пусть их! Макса они не достанут, а ей не привыкать. Столько выдуманных сплетен о себе выслушала, что хоть книгу опровержений выпускай! Было смешно. Ни разу не огорчилась, что ее оклеветали, даже когда ей в любовники записывали людей, с которыми лучше не шутить. У их окружения чувство юмора отнимается при поступлении на службу.

– Ты позвонишь завтра? – спросил Макс, когда они остановились на углу Фролова переулка.

– Я еще сегодня позвоню.

Он усмехнулся:

– Это вряд ли...

– Я не люблю много пить. Меня в сон тянет, что за веселье?

– Тогда позвони. Я не буду тебя беспокоить.

Ольга притянула его, взявшись за ворот короткой спортивной куртки:

– Ты меня никогда не побеспокоишь своим звонком. Запомнил? Ни звонком, ни появлением. Я хочу тебя видеть в любое время суток и при любых обстоятельствах.

И услышала, как в нем отозвалось: «Тогда почему ты не останешься со мной?»

Когда простились, она задержалась, посмотрела ему вслед, и сердце защемило. «Разве можно хоть на час отпускать от себя такого мужчину?!»

Ольге самой стало смешно: «Боже мой! Любовь действительно вызывает размягчение мозга». И заторопилась – бегом от этого безумия! Бегом к своему детству, которое было ясным, прозрачным. Родители теперь старенькие, седые одуванчики, осторожно несущие себя по жизни. Надо бы позвонить им... Далековато живут – в Чертаново на «Пражской». Этот район уже и Москвой многие считают с натяжкой. Ольге в юности было обидно это слышать, но когда перебралась к мужу, от радости кружилась по комнатам. Если никого не было, конечно... Потом обычную маску бедности натягивала: ваше богатство нас ничуть не поражает, не повергает в трепет.

Сейчас тоже необходимо натянуть маску, особенно когда с Людой придется здороваться. Ольга глянула на часы: ну, конечно! Она опоздала. Китайка наверняка успела оповестить всех, кто еще был не в курсе Ольгиного коварства... Заводилы узнали раньше, это понятно. Иначе все произошло бы не так скоропостижно, опять раскачивались бы пару месяцев, ресторан выбирали. Она как-то устранилась от этого, приходила на готовенькое, и к ней не предъявляли претензий, все слышали, как актеры загружены: репетиции, спектакли, гастроли, съемки...

Последнего у нее, правда, давно не было. Сама не хотела. Ни один из сценариев не вызвал душевного отклика. Ей малышей не кормить, можно и не переступать через себя. Слава богу, главреж их театра – красивый, вельможный старик Яснов, когда его упрекали в плохом чутье на конъюнктуру и приводили в пример другие сцены, отвечал сквозь зубы: «Это пусть у них бегают голыми и разговаривают матом. А у нас – театр!» И было ясно, что это слово даже произносится с большой буквы.

Ольга преклонялась перед Ясновым. Это был один из немногих людей, ради единства с которыми она легко могла пожертвовать той самой кошачьей независимостью... У нее что-то напряглось в груди: «А что он скажет, когда узнает про Макса?» Она, конечно, не отказалась бы от человека только потому, что Яснов этого не одобрил, но ей было бы горько. До сих пор она считала себя его единомышленницей.

Правда, на репетициях иногда позволяла себе спорить с ним. А еще яростнее – после репетиций, когда никто не мог их слышать. Иногда они орали друг на друга до двух часов ночи, и потом Ольге приходилось доставлять его на Большую Якиманку, потому что Яснов боялся водить машину. С министром сражаться не боялся, а за рулем его охватывала почти детская беспомощность.

На правах любимой актрисы Ольга пыталась учить его сама, увозила за город, чтобы Виктор Александрович не опасался столкновения, но он и тут не мог согласовать действия рук и ног: то бросал руль, то не вовремя отпускал педаль. Потом и вовсе выбирался из машины, садился на краю поля, покусывая соломинку. Она присаживалась рядом, и они молча слушали музыку лета, от которой так легко было впасть в оцепенение и не шевелиться до самого сентября. Здесь они редко разговаривали, признавая ничтожность даже своего великого искусства перед лицом той, что создала их самих.

* * *

Ольга вспомнила все это за те несколько минут, что ей потребовались, чтобы дойти до ресторана. Она и раньше бывала в этом заведении, занимавшем первый этаж театрального комплекса – владений Александра Калягина. Ей нравился небольшой зал, мягко задрапированный, погруженный в сливочно-кофейные цвета, как определяла их реклама ресторана. Круглые столики, покрытые белым, высокие мягкие стулья с горделиво выгнутыми спинками. Уже звучал рояль, белый, как крыло чайки – привет Чехову! Хотя с блюзом Антон Павлович вряд ли был знаком...

Ольгу кольнуло: Макс назвал его стариком. Как он мог допустить такую бестактность? «Непростая жизнь предстоит, – подумала она мрачно. – Особенно ему: следить придется за каждым словом, чтобы впросак не попасть, не обидеть. С ровесницей ему было бы куда проще... Не хочет этой мнимой простоты!»

Пианист приветливо кивнул ей: они были знакомы еще с тех времен, когда Ольга училась в Щепке, а он – в Гнесинке. Их компании пересекались, перетекали друг в друга, менялись парами. Она всегда здоровалась с ним, несостоявшимся солистом, уступившим славу более честолюбивым, а вот имя вспомнить уже не могла. Если б оно значилось на афишах...

Компания ее одноклассников обнаружилась за общим столом в дальнем углу – чтобы вдоволь поорать от восторга. Это происходило с ними каждый раз: каждая минута все неуклоннее затягивала их в прошлое, когда их голоса звучали громче, а смех был открытее. С тех пор все они научились подавать себя другим сдержанными и чуть утомленными жизнью – мол, многое пришлось повидать. Но, собираясь вместе, так быстро сбрасывали с себя все наносное, что к концу вечера уже любили друг друга, как тридцать лет назад.

– Корнилова! – завопил кто-то.

Она не заметила – кто первым обрадовался ей, и пожалела об этом, как об упущенном открытии. Что-то новое в человеке прошло мимо нее.

– Олюська! Звезда наша!

«Успели выпить, – отметила она с облегчением. – Значит, стали добрее. Может, мне не так уж сильно достанется...» Сама почувствовала, что улыбка стала более искренней, тело расслабилось. Назвали звездой – давай, соответствуй. Здесь не сцена и не постель, и переиграть не грех.

Эдик Стаценко, когда-то рыжий, теперь скорее пегий, поймал ее руку, усадил Ольгу рядом с собой. Словно простенькими конфетти осыпал теми банальными комплиментами, которые она слышала от него и десять лет назад. Хотя в душе все равно шевельнулось благодарное... Сейчас ей как никогда хотелось слышать, что она классно выглядит и стала еще моложе. Это не было правдой, но комплимент ее и не подразумевает.

– Каре ягненка будешь? – Он с удовольствием процитировал: – «Со средиземноморскими травами, приправами и оригинальным соусом из свежего инжира».

Слушая его, Ольга улыбалась всем сразу, взгляд держала, как на сцене, и махала рукой тем, кто сидел далеко. Люда Хан сидела далеко. Ольга постаралась улыбнуться ей так лучезарно, что самой тошно стало. Та что-то изобразила в ответ, но только пара человек из полутора десятка проследила за тем, как эти две женщины встретились взглядами.

«Неужели остальные еще не в курсе? – Сдержанность Людмилы показалась ей неправдоподобной. – Что же, она не собирается отправить меня в конце вечера на эшафот? А я-то уже шею приготовила...»

– Давай, заказывай. – Она позволила Эдику опекать себя на этот вечер.

И подумала, что все Эдики остались в их детстве, сейчас так уже не называют. Это от Хиля наплодились тезки, их мамы были от него без ума. Интересно, слышал ли Макс хотя бы имя этого певца? Пока их миры не обнаружили зияющих несовпадений, Ольга сознательно этого избегала. Никаких кумиров прошлого, названий книг, модных четверть века назад, восторгов по поводу фильмов того времени: «Вот в наше время!» Это сразу определит ее в разряд родителей, которые вечно сетуют, что юность их детей бедна и убога по сравнению с их собственной. И наоборот. А истина, как убедил агент Малдер, всегда где-то рядом...

Вот здесь, среди своих школьных – она уже снова поверила – друзей, можно было и «Семнадцать мгновений весны» повспоминать, и опять поспорить, кто лучше – «АББА» или «Бони М»... О чем все говорят так громко? Почему – так громко? Да как раз потому, что ликование так и распирает каждого: я снова в своем времени, о котором каждый здесь знает то же, что и я. Не надо объяснять, что значит «поехать на картошку» и почему они не отказывались от трудовых лагерей летом... Флирт на грядках – такая романтика... Пластиковый пакет как предмет невозможной роскоши. Разве Макс может поверить в такое?

Ее подруги тех лет, Света и Таня (тоже почти невозможные сегодня имена!), наперебой кричали Ольге через головы разделявших:

– Мы тут вспоминаем, как портвейна в первый раз нахлестались после ноябрьской демонстрации!

– В восьмом классе, – вспомнила и она. – У твоей бабушки, Тань?

Эдик услышал:

– Я тоже там был. Ты, Таня, еще курить нам не давала в квартире.

– Ага, курить вам! А я потом проветривала бы сто лет. Моя мама и так прибежала проверить.

– Ты еще по одной доске перед ней ходила, трезвость демонстрировала! – Ольге стало весело, она уже успела выпить рюмку «за встречу!».

– А теперь Танька дымит, как паровоз, никак не могу ее отучить, – пожаловалась Света.

Они до сих пор были вместе, правда, в несколько ином качестве: Света стала хозяйкой мебельного салона, а Таня работала у нее уборщицей. С душой работала, у Ольги была возможность убедиться в том, какая чистота у них в туалете. Ей до сих пор было немного обидно за Таньку: когда-то пела так, что вся школа замирала... Просто не решилась поступить в институт культуры без аттестата музыкальной школы. До того не верила в себя, что предпочла ведро и тряпку, которые хорошо хоть подруга дала, не чужая тетка, которая еще и наорать могла. Светлана кричать не умела, так казалось Ольге. Наверное, Танюхе не так уж и достается от нее...

Но сегодня не могло быть никаких социальных ступеней, все сидели за одним столом. Не замечая того, они постепенно переходили на тот язык, который был принят в общении тогда, и уже зазвучали словечки «клево», и «чуваки»... Ольга была в восторге: давно так не хохотала в компании, и не с кем было вспомнить свое детство. А здесь все помнили то же, что и она, и даже больше – актерская память была перегружена ролями, которые вытеснили что-то важное. И Ольга ловила лепестки неожиданных открытий о себе самой, складывала их бережно: теперь уже не растеряю.

Ягненок оказался нежным – еще одна радость. Эдик ухаживал за ней ненавязчиво: все они братья и сестры, так всегда ощущалось, инцест недопустим.

– Как сама? – поинтересовался Эдик. – Замуж снова не вышла?

– Да пока нет. – Ольга улыбнулась со значением, чтобы он не подумал, будто у нее и претендентов нет.

– А бойфренд имеется?

– Ты имеешь в виду любовника? – отвергнув английский заменитель, уточнила она. – Не без этого.

– Молодец! – обрадовался Эдик. – Да по тебе видно, что у тебя во всем полный порядок.

– Я его сама навожу. Полезно для здоровья.

Недавно прочла, что и в прямом смысле полезно наводить порядок в доме самой, не прибегая к услугам домработницы – рака груди не будет. Регулярные физические нагрузки.

– Ты почему в кино редко снимаешься? – спросил Эдик тихо, чтобы другие не услышали, если этот вопрос ее ранит.

Ольга пожала плечами:

– Любовницу киллера играть? Не то кино, Эдик... Хотя иногда я все же снимаюсь. Что-нибудь видел?

– Видел, конечно. Классно смотришься на экране.

– На сцене не хуже. У меня мой театр есть, и слава богу! Знаешь, не к лицу мне уже девчонок локтями расталкивать. Они все тонюсенькие, прозрачненькие...

Он оживился:

– И не говори! Такая красота кругом ходит... И ведь они – все наши.

– В каком смысле?

– В том, что у их мальчишек карманы пустые. Нужен такой друг девочке, у которой попка звенит, когда щелкнешь?

– Часто щелкаешь?

– Скажем, не отказываю себе... Эти девочки сами к нам тянутся. К тем, кому за сорок. У нас уже и деньги есть, и положение кой-какое...

– И жены, и дети... – напомнила Ольга, хотя понимала, что глупо об этом говорить, Эдик не хуже ее понимает, чем рискует.

Она посмотрела на него внимательнее, уже не дружеским взглядом – женским: брыли висят, как у старого пса, седой весь, уши закостеневшие и волоски торчат... У Макса уши нежные, мочка бархатистая, так и тянет поласкать ее губами, втянуть, как розовую карамельку.

Эдик наклонился пониже:

– Я только тебе скажу...

«С чего бы это?» – чуть не вырвалось у нее.

Но пояснение уже последовало:

– Потому что ты и сейчас красавица, тебе не обидно будет слышать. Пластику делала?

«Так я и призналась!» Ольга спрятала усмешку за стаканом с соком.

– Пока нет. Так держусь. Так, что ты хотел сказать?

– Моей жене сорок пять лет.

– Меньше, чем тебе, – заметила Ольга.

– Но для женщины это... Сама понимаешь...

– Не понимаю! Самый расцвет сексуальности. Пик формы. Твои девочки со звенящими попками, они ведь только изображают страсть, им ее и не хочется, уж поверь мне. Для них ведь любого папика вроде тебя раскрутить вроде азартной игры – кто больше вытянет. Они по телефону друг перед другом хвастаются, сама в театре не раз слышала.

Не приглашая ее присоединиться, он выпил водки, тяжело засопел. Подцепил маринованный грибок, но до рта его не донес, грибок скользнул между зубцами вилки, и Эдик оставил эту затею.

– Да хрен с ними, пускай хвастают. Я ведь тоже могу похвастать, какая девочка у меня была вчера! Понимаешь, Оленька, если я могу позволить себе свежачок, пусть и с переплатой, зачем же мне живые мощи?

– Моему любовнику двадцать два года, – разозлившись за «живые мощи», процедила Ольга.

Он не поверил:

– Сколько?!

– Ты слышал. И он от меня без ума. Девочки у него были, можешь не сомневаться. Ничего потрясающего он с ними не испытал.

– Может, это просто ты такая потрясающая? – задумчиво произнес Эдик, разглядывая ее с новым интересом.

– Отвали, – сказала она уже без прежней злости. – Меня потасканные мужики не интересуют.

Он уцепился:

– Ага! Тоже на свежачок потянуло? А мне говоришь...

– Говорю потому, что это вообще не важно, сколько ему лет. Было бы и пятьдесят, я все равно в него влюбилась бы.

– Врешь, – безразлично отозвался Эдик. – К пятидесяти он станет таким же потасканным, как мы все. Тебя же это не устраивает!

Ольга подняла рюмку:

– Давай лучше выпьем. Нашли о чем спорить! Каждый ищет по себе...

Сидевший с другой стороны Дима Савенков, который когда-то был влюблен в Таню, подхватил свою рюмку.

– Такой тост будет...

«А Димка – молодцом, – разглядела Ольга, пока он говорил. – До сих пор в баскетбол играет, на велосипеде гоняет. Он всегда лучше всех в классе выглядел в спортивной форме. И сейчас... в форме. Танька в седьмом классе предложила ему дружить, тогда это так называли, а он еще и не помышлял о девочках, отговорился тренировками. Забавно! А если б сейчас ему принесла свое сердечко такая юная Танька?»

– Димка, ты женат? – спросила она, когда он закончил грузинский тост, и они выпили. Чуть наклонилась к нему, чтобы всех не втягивать в этот разговор.

– И давно уже, Оль.

– Все хорошо?

– Да просто отлично! Только что новоселье отметили, в Люблино квартиру дали.

– Дали?! – не поверила Ольга. – Сейчас еще кому-то дают квартиры?

Эдик расслышал:

– Димка же у нас Джеймс Бонд. Не знала, что ли?

– Серьезно? Нет, ты, правда, в органах? А почему раньше не говорил?

– А я в первый раз на такой встрече. Ты просто не заметила, Оля. Мы с тобой не виделись лет двадцать.

Она пристыженно пробормотала:

– Не может быть... Почему же я тебя сразу узнала?

– Ты бы летом его видела! – вмешалась Таня. – С бородой и в темных очках – такой кент, что ты!

Эдик шепнул:

– Не все потасканными выглядят, а?

Она хотела ему что-то ответить, о чем сразу же забыла, увидев, как Людмила встала из-за стола. Всем мгновенно заволновавшимся нутром Ольга почуяла, что та направляется к ней. Но дождалась, пока мать Макса приблизится, остановится за спинкой ее стула, милицейским жестом положит руку ей на плечо:

– Поговорить не желаешь?

Ольга искусным движением запрокинула голову, подарила ей улыбку:

– А ты желаешь? Ладно, пойдем, поговорим. Извините, мальчишки. Выпейте тут пока за наше здоровье...

Через зал она прошла первой, посмеиваясь, что несет себя как флаг перемирия – вся в светлом, тяжелые волосы ласкают плечи. Сама ощущала себя красавицей в этот момент, разлившаяся по жилам водка придавала уверенности. Людмила, стриженная под мальчика и в чем-то пестреньком (не было времени разглядеть), шла за ней следом. Отставала – на каблуках держалась не так свободно, как Ольга. Усмирить шаг? Пожалеть ее? Или сразу ткнуть носом: ты, может, и старуха, а я просто лечу по жизни!

Колебание было секундным, Ольга чуть замедлила свой полет. Внешне – для того чтобы снова махнуть пианисту. Но этой паузы Людмиле хватило, чтобы догнать, пристроиться рядом.

– Куришь? – спросила она, когда они оказались около входной двери.

Ольга качнула головой, тронула горло:

– Давно бросила. Связки берегу.

Спрятав сигареты, Людмила заметила неодобрительно:

– Ты вообще себя бережешь, я смотрю. Холишь и лелеешь.

– А почему бы и нет? Я лицом работаю, и оно не должно вызывать отвращение. Все просто.

Лицо Людки-китайки за эти годы стало похоже на сморщенный коричневый изюм. Маленькая, несчастливая женщина... Но недобрая, в голосе ненависть:

– А может, тебе просто больше нянчить некого? Сын-то в Париже. Хорошо пристроила!

Ольга восхитилась:

– Все-то ты обо мне знаешь!

– Пришлось узнать.

– Только сына я не пристраивала, он сам себя нашел.

– И жену француженку!

– Каждый имеет право выбирать лучшее. – Ей надоело ходить вокруг да около. Разговор не об Ольгином сыне предполагался, так чего тянуть?

Людмила приняла вызов:

– А вот мой сын, похоже, не лучшее выбрал.

«На себя посмотри!» Ольга удержалась, не огрызнулась. Только заметила:

– На вкус и цвет, как знаешь...

У китайки внезапно сдали нервы:

– Какой там вкус, на хрен?! Ты совсем обалдела, что ли? Двадцать пять лет разницы! Его же рано или поздно стошнит в постели.

«Я сама этого боюсь!» Ольга сжалась только внутренне. На лице не позволила дрогнуть ни одной жилке. А-ля гер ком а-ля гер. На войне как на войне. Тоже из фильма их юности, должна бы помнить.

– Ну, как врач, ты должна лучше меня знать, что как раз его и мой возраст совпадают по степени сексуальности. Пик, так сказать.

– Так тебе от него только секс нужен? – Ликование в голосе: надо открыть глаза сыну! – Денег нет, что ли, профессионала заказать?

Ответить не успела, Людмила вдруг сменила тактику, заговорила проникновенно:

– Зачем ты портишь парню жизнь? Сама подумай, какое у него с тобой будущее?

– То, которого он захочет. Я захочу. Если желания совпадут, будущее прорисуется само...

Того, что думала на самом деле, так и не сказала: нет будущего, это ясно. Главное, не упускать этого из вида и относиться к этой радости, как к временной. Насладиться напоследок кипением жизни кто ей может запретить? Хоть месяц, хоть год, хоть десять... Сколько Бог даст.

Дверь в ресторан открылась, заставив их отступить, пропустить новую пару. Безупречную: оба молодые и красивые, только ростиком не вышли – эльф с Дюймовочкой. Ольге показалось, что девочку она где-то видела. Подумала: «Возможно, наш человек, артистка...» Тонюсенькая и прозрачненькая – идеал Эдика и иже с ним. Даже странно, что рядом с ней не их ровесник и не совсем уж слепой нудный крот. Может, это брат? Одинаково вертятся у зеркала, прихорашиваясь. Крылышки в гардероб сдали.

Еще не дождавшись, пока они скроются, Людмила снова вонзила в нее пронзительный взгляд узких глаз. Ольга только сейчас заметила, что левый больше скошен к переносице. Пожалеть бы ее, да не получается... Нападает, как моська:

– Да при чем тут ваши желания! Вы животные или люди? Вы же должны иметь хоть какую-то моральную ответственность!

– Ответственность? Перед кем? Мой сын ничего не имеет против.

– А его сына ты спросила?

Это уже было. Мгновенное смещение реальности. Все чуть сдвигается, и ты оказываешься в другом мире. С парализованными губами.

– Что будет с его мальчиком без отца, тебя не волнует? Макс отпирается, говорит, что не из-за тебя уехал из Кемерова. Но с чего бы тогда ему уходить из семьи?

Отголосок пронзительного: «Я не хочу детей! У меня плохая наследственность...» Она даже не усомнилась, что рядом с ней свободный человек, даже не спросила... У нее и раньше были женатые любовники, но ей никогда никого не хотелось уводить из семьи. Не любила настолько, чтобы идти на терроризм, судьбы детей взрывать...

Сейчас Ольга почувствовала себя, как на ринге: собраться после нокдауна нужно мгновенно. Поплыла, не без этого. Соберись, не подавай виду, что удар дошел до цели. Людмила не должна пронюхать, что она была в полном неведении. Обрадуется: «Так он и тебе наврал! Значит, ничего серьезного! Если б любил – не стал бы скрывать, что женат».

На удивление быстро Ольга нашла уязвимое место:

– Макс ведь тоже вырос без отца. Ты его лишила. Ничего, мужчина из него получился что надо!

Злорадно отметила, что китайку аж передернуло от последнего замечания. Ольга сама признавала, что прозвучало пошловато, но когда пытаешься не завалиться в нокаут, все средства хороши. Еще и добавила:

– Спасибо тебе!

– Перестань! – вдруг вырвалось у Люды надрывное – из той глубины, где болело по-настоящему. – Как ты можешь играть жизнями нескольких людей! Может, это для тебя в порядке вещей, но я прошу тебя: пожалей ты моего мальчика, оставь его в покое! Я же чувствую, он подсел на тебя, как на наркотик. Сам не излечится. Прекрати все это, пока не поздно!

– Что может быть – поздно?

– Потом метастазы пойдут, уже не вылечишь...

– Фу! – Ольгу передернуло. – Ну тебя, с твоими медицинскими ассоциациями! Что за бред... И послушай меня, пожалуйста. Я не играю вне сцены. Никогда. Это непрофессионально. Хорошие повара дома не готовят, спроси у Марко Яккета.

– Кто это?

– Шеф-повар этого ресторана. Кстати, попробуй его таяту из тунца с апельсином... И десерты итальянские здесь потрясающие! Так вот, все, что я делаю вне стен театра, – абсолютно искренне. И я искренне пыталась дать Максу шанс исчезнуть из моей жизни. Я улетала в Париж, и если бы Макс меня не встретил, я приняла бы это с облегчением...

Ей показалось, что это задело Людмилу. Она откликнулась с плохо скрываемой обидой:

– Вот так, да?

«Если б мне кто-то сказал, что пытается отделаться от Пашки, я тоже разозлилась бы на него», – согласилась Ольга. Но вслух подтвердила:

– Да. И никогда даже не позвонила бы ему.

– А он об этом знает?

– Он об этом знает. Но он приехал меня встречать. Вот и все.

– Не все. Ты и сейчас можешь не открыть ему дверь.

Ольга усмехнулась:

– Поздно. Я дала ему запасные ключи.

– Можно поменять замок!

– У меня стальная дверь. И я уже делала перекодировку. Так что всю дверь менять придется, а это проблематично.

– Значит, это проблематично, а ребенок без отца – это нормально!

Вздохнув, Ольга с тоской посмотрела сквозь верхнее стекло бордовой двери. Но маленький переулок уже погрузился в ночь, ничего не разглядишь.

– Ваш с Максом пример тебя не убедил? Люда, я же не спорю: конечно, ребенку лучше жить и с матерью, и с отцом. Но только при условии, что они любят друг друга. Иначе – это ад кромешный! Вспомни, что у некоторых из наших ребят дома творилось. – Она головой указала в сторону зала, где продолжали шуметь их одноклассники.

– А ты вспомни Сережку!

– Какого Сережку?

– Матвеева. Забыла, чем для него кончился роман его отца?

– Не забыла.

Сережку хоронили всем классом. Ревели так, что все Чертаново слышало и содрогалось. В свои шестнадцать он мог бы с головой уйти в собственную любовную историю, а Сережа обезумел от того, что отец предал их, кстати, чуть ли не с ровесницей сына, ушел из семьи. Матери пришлось устраиваться еще на полставки – и чтобы прокормиться, и чтобы унять работой тоску. Она поздно возвращалась домой. Оказалось, слишком поздно – Сережа порезал вены и истек кровью еще до ее прихода. И даже не сразу заглянула в ванную, пренебрегла золотым правилом, которое, как все родители, вдалбливала сыну: «Руки мой перед едой, руки мой, когда приходишь ты домой».

– Макс действительно уехал из Кемерова не из-за меня. – Ольга постаралась унять нервозность. – Я не спрашивала – почему. Значит, не заладилось что-то. Но мы в то время даже не были знакомы, так что ты обстреливала меня вхолостую.

У нее заныло в груди: «Зачем я оправдываюсь? Его оправдываю. Он ведь обманул меня... Хотя, с другой стороны, если там для него все было кончено, не обязательно и сообщать сразу. Если разобраться, и сейчас-то мы знакомы всего несколько дней. А я тоскую по нему так, будто всеми корнями вросла, отдалилась – и больно!»

– Ну ладно, допустим, – приняла Людмила. – Но вернуться он не может именно из-за тебя.

– А ты спроси его: хочет ли он возвращаться? Почему ты вообще вмешиваешься? Ему не двенадцать лет и даже не восемнадцать. Что ты его все нянчишь?

– Ты своего зато сбагрила парижанке и живешь в свое удовольствие!

– Чего и тебе желаю. Почему бы тебе тоже не пожить, наконец, в свое удовольствие? Ты вырастила классного парня, выполнила долг и перед ним, и перед Богом. Ну и расслабься! Если б он хотел, чтобы ты продолжала возиться с ним, так он и жил бы с тобой, а не в Переделкино.

В какой-то момент Ольга ощутила, что этот спор может тянуться бесконечно, он неразрешим в принципе. Каждая будет держаться своей правды до последнего.

Она попыталась поставить себя на место Людмилы: нет, не выходит. Ольге всегда было, по сути дела, все равно, кого любит ее сын, лишь бы Пашка был счастлив. Решит он уйти от Софи – его дело. Какое ей дело до Софи? Хорошая девочка, но раз ему другая по сердцу... А был бы у них ребенок, Ольга уж постаралась бы, чтоб малыш не почувствовал пустоты после ухода отца, собой заполнила бы ее, пока Софи не подыскала бы того, кто сможет любить ее сына не меньше, чем ее саму.

Это она и посоветовала Людмиле, заставила узкие глаза расшириться от изумления:

– Мне, что ли, в Кемерово ехать?!

– Забери их к себе, если так волнуешься о внуке. У тебя же не маленькая квартира.

– Это он тебе сказал?

Обида в голосе, точно сын совершил очередное предательство. Пришлось опять вступиться за Макса:

– Это легко предположить по тому, что раз у тебя есть дача в Переделкино...

Людмила перебила:

– А почему я должна идти на какие-то жертвы? Ребенка к себе поселить... А вы будете в койке валяться в это время!

– Твоя христианская и родственная любовь заканчивается на пороге твоей квартиры? – Ольга улыбнулась, что должно было отозваться новой вспышкой ярости. – Как, кстати, зовут твоего внука? Почему ты все время говоришь о нем как-то абстрактно? Сколько ему лет?

– Почти три года, – буркнула Людмила. – Илья его зовут. Тебе-то что?

Внутренне согласилась: «Действительно, мне-то что? Зачем мне понадобились эти живые подробности, от которых все становится реальным?» Пожалела с опозданием: пусть бы мальчик оставался безымянным – смутным укором, который маячит издали. А теперь уже никуда не денешься, уже видится черноглазый Илюшка, которому не с кем поиграть в солдатиков, мяч погонять...

– Почему ты не устроила такие разборки, когда Макс вернулся в Москву? Почему не выяснила сразу, в чем там дело? Может, по глупости расстались, еще можно было уговорить его вернуться. Что ж ты тогда так не озаботилась судьбой внука? Макс тут уже три месяца. И только сейчас ты обнаружила, что Илюшка осиротел!

– Нечего тут язвить, – огрызнулась Людмила. – Он меня обманул. Сказал, что приехал подработать. В Кемерово, мол, для него не нашлось ничего подходящего. Или все приличные места заняты, город же небольшой. А деньги им нужны были...

– А я ведь когда-то была там на гастролях! – осенило Ольгу. – Почему-то только сейчас вспомнила.

Уже увиделся фонтан перед огромным театром со сдержанно поблескивающими колоннами, красивая улица, уводящая к реке. И называлась она как-то красиво... Весенняя, кажется. Помнится, ей тогда понравился диковатый берег за рекой – крутые, грубоватой лепки обрывы, сосновый лес наверху. Тот самый бор, о котором говорил Макс... И сразу же захотелось посидеть там, на самом краю, слушая неспешный разговор крепких деревьев за спиной, глядя на реку, которая была, правда, высохшей, несчастной на вид.

У нее так и не хватило времени перебраться на другой берег... Так много всего остается несбывшимся. Вот такое простенькое, счастливое, упущенное, – не оно ли вспомнится в беспомощной старости сожалением, уже бесполезным? Когда были силы, не поспевала за временем, появится время – обнаружится, что силы уже ушли в землю, перетягивая все тело... Кто тогда удержит его здесь, если Макса не будет рядом?

Она ужаснулась: «Это еще что за расчет?! Немощность свою грядущую на него свалить? Заставить сто раз покаяться в том, что однажды попросил ее подвезти... Нет, мой хороший, – ей так ясно увиделось его лицо. – Я не обреку тебя на это».

Произошло невозможное: воображаемый образ вдруг материализовался. Ей понадобилось несколько секунд, чтобы справиться с потрясением, понять, что это – живой, реальный Макс заглядывает с улицы. Кажется, он был изумлен не меньше, никак не ожидал, что она окажется рядом с дверью. Свою мать он увидел только, когда вошел, сияя той улыбкой, от которой у Ольги дух перехватывало.

«Можно понять, почему она так цепляется за него, – впервые подумала она о Людмиле с состраданием. – Даже просто видеть его и то – наслаждение!»

Но в ответном взгляде понимания не нашла, Людмила смотрела на нее с непрощением проигравшей. Не ради нее сын здесь. Не ее хотел видеть с такой силой, что ничего не постыдился.

– Вот где, оказывается, самый роскошный мужчина в этом ресторане! За дверьми, – засмеялась Ольга, чтобы снять напряжение. – Как ты здесь оказался?

– Я... – Макс осекся, не сразу решился договорить при матери. – Я просто не смог уйти. Оставить тебя здесь. Я так и ходил кругами... Привет, мам!

Не отозвавшись, Людмила неловко, хотя задумывалось – стремительно, развернулась на каблуках и заторопилась в зал. К своим. Эти двое теперь чужие, потому что они заодно – против нее. Ольга проследила за ней с жалостью: «Ножки коротенькие – семенит.

Была тихой мышкой – стала агрессивной, вот и вся перемена».

– Ты чуть не выставил меня перед ней дурой, – тихо сказала она, взявшись за рукав Макса, чтобы отвести его в сторону, подальше от чужих ушей.

– Прости. Прости меня!

Взгляд – в ворот серого свитера, нет сил посмотреть ему в глаза, будто сама виновата.

– Хорошо, что я привыкла импровизировать. Партнеры по сцене иногда такие ловушки устраивают! Как-нибудь расскажу тебе... Но в жизни я этого не люблю. Если бы ты сказал мне всю правду, ей не удалось бы застать меня врасплох.

Это же она просила у Пашки: «Я должна знать, что с тобой происходит, чтобы помочь, если понадобится! Как я спасу тебя, если ничего не знаю?»

– Почему нужно было скрывать, что ты женат, что у тебя есть сын?

Выговорила через силу, такой вдруг невозможной сделалась эта фраза. Макс сжал ее замерзшие руки, легонько растер.

– Во-первых, я не женат. Официально – нет.

– Но ребенок-то есть?

– Ребенок есть, – у него перехватило горло, откашлялся, отвернувшись. – Мать тебе уже все рассказала?

– Зовут Илюшкой. Ему три года. Почти.

– А главное?

– Что еще? – напряглась Ольга и поняла с ужасом: та женщина в Кемерово беременна. Вот чего она еще не знает...

Но Макс произнес то, чего она не ожидала.

– У него лейкемия.

– О боже!

– Я уверен, что все дело в этой чертовой наследственности. Вот почему я говорил, что не хочу детей.

– Но ты не сказал: не хочу других детей! Ладно, что уж теперь... Струхнул, да, Макс? Это я понимаю. Я другого не понимаю: почему тогда ты здесь, а не в Кемерово? Господи, как же ты мог бросить больного ребенка?!

«Да он ведь сам еще ребенок, – успела ответить себе. – Не выдержал такого испытания...»

– Я не бросал, – проговорил он сквозь зубы. – Она сама...

– Как ее зовут? Называй ее по имени!

– Катя. Она сама... Катя не хотела меня больше видеть. Она тоже уверена, что это из-за меня наш сын заболел. Мои гены сказались. Она считает, что я вообще не имел права на зачатие. Что это было преступно.

– И ты сам тоже...

– Да! Я тоже так считаю. Именно поэтому я и приехал в Москву. Здесь у меня есть знакомый, который и сделал мне вазэктомию. Подпольно, конечно, потому что мне еще нет тридцати пяти, и двоих детей у меня тоже нет.

Ольга похолодела, угадав:

– Вазэктомия? Это ведь...

– Стерилизация, да. Теперь я никому не искалечу жизнь. Триста пятьдесят баксов – британские расценки, и мир спасен. – Он зло усмехнулся. – На остальных функциях, как ты уже убедилась, это не отражается.

С трудом освоившись с этим открытием, Ольга спросила, попытавшись голосом смягчить упрек:

– Почему же ты не возвращаешься туда? К ним.

– Я же сказал тебе, что она... Катя не хочет меня больше видеть. Она почернела вся, когда мы узнали диагноз. Сразу постарела лет на десять... Я для нее теперь только убийца ее ребенка, понимаешь? Как она может жить со мной в одном доме? Готовить для меня? Спать со мной? Это все немыслимо!

Она поняла:

– Ты, конечно, сам и сделал предположение насчет своих генов! А Катя не усомнилась... Но разве вы могли быть на сто процентов уверены, что это именно твоя наследственность сыграла роль? В Кемерово ведь тяжелая экология. Там же, кроме шахт, еще и химия, кажется...

– Ты успела так много узнать о Кемерово?

– Я вспомнила, что была там... несколько лет назад. И нас еще таскали на какое-то предприятие. «Азот» или что-то вроде этого. Там был такой воздух, что у нас слезы из глаз лились, не говоря уж о кашле... Как в таком городе могут рождаться здоровые дети?

– Не поверишь – могут! У всех наших знакомых были абсолютно здоровые малыши. Наверное, родители уже переработали все эти вредные вещества и обратили их на пользу. А я оказался не готов к этому.

«Ну, как еще переубедить его? – затосковала она. – Он уже так сжился со своей виной, что их и не разделишь...»

– Как же Катя справляется одна? Ты хоть звонишь им?

– Они сейчас в больнице. Илюшке сделали химиотерапию.

– Надежда есть?

– Надежда есть. Это ведь теперь излечимо... В половине случаев. В Штатах – восемьдесят процентов детей выздоравливает. Только для меня это ничего не меняет.

– Разумеется. – Ольга заставила себя выговорить на одном выдохе: – Ты должен быть с ними в любом случае. Мало ли что Катя наговорила тебе в отчаянии! Ей ведь невыносимо бороться с такой болезнью в одиночку... Ты должен вернуться к ним.

Осознание было почти безболезненным: «Ну вот, я и сказала это. Теперь не на кого пенять... Бороться за него с умирающим ребенком? Немыслимо... Не по-человечески. Лучше отдать сразу. Не резать хвост кусками».

Его лицо сморщилось, как от внезапной боли, которую нужно было перетерпеть во что бы то ни стало. Без крика.

– Я так и знал, что ты это скажешь. Поэтому я и не хотел тебе говорить. Я и сейчас только потому все выложил, что решил: мать тебе уже обо всем рассказала.

– Странно, что она не упрекнула меня еще и этим...

– Значит, она и сейчас побоялась, – проговорил Макс как бы про себя. – Она вообще не может говорить на эту тему. У нее просто панический страх, что она сама может заболеть... Маниакальный психоз. Все-таки это ее родители умерли от рака. Когда я заговариваю об этом, у нее просто истерика начинается – кулаки сжимает, ногами топает. Даже не верится, что врач.

– Ее психоз отразился в тебе клаустрофобией? А боязнь темноты как называется?

– Не знаю, – отозвался он угрюмо. – Я не изучал медицинские справочники, если что...

Из зала выскочили Ольгины одноклассницы, заметив их с Максом, остановились в замешательстве, потом чинно прошествовали в туалет. Оттуда донеслись возбужденные голоса.

– Ваши? – спросил Макс, проводив их взглядом. – Ты с ними останешься или...

– Пожалуй, останусь. – Она решила это только сейчас. – По-моему, нам обоим сейчас нужно подумать.

Мне – сжиться с тем, что я узнала. Это слишком даже для меня...

– В каком смысле – даже для тебя?

– В том самом... Не первый день живу. И даже не первое десятилетие.

Он опять поймал ее руку, сжал робко, как школьник на первом свидании, большие пальцы заскользили, поглаживая:

– Я все хотел тебе сказать... Если тебя что-то мучает насчет возраста... Знаешь, ты по всему моложе Кати, кроме даты в паспорте. Это не комплимент. Я о ней ничего плохого не скажу, тем более сейчас, когда ей так хреново... Думаешь, мне самому ее не жаль? Она вообще не знает, что такое радость. Еще до Илюшкиной болезни так было. Как предчувствие, что ли... Она всегда боялась этой жизни. Всего в ней, даже хорошего. А у тебя глаза блестят, волосы развеваются, ты все время в движении – боксируешь, летишь в Париж, бежишь на сцену... Тебе интересно жить, правда? Вмешиваться в эту жизнь, менять ее, что-то создавать, придумывать.

– Вот только сейчас я ничего не могу придумать, – созналась Ольга и прижала его пальцы, которые пытались задобрить ее. – Я не вижу выхода, который позволил бы нам остаться вместе и не чувствовать себя подонками.

Он опять взглянул исподлобья уже знакомым ей взглядом сильного, но несчастного пса:

– Я тоже. Наверное, я все равно не смог бы это скрывать от тебя долго. Меня так и подтачивало изнутри... Ты разрешишь мне остаться с тобой до дня твоего рождения?

– Милый ты мой. – Она медленно провела оборотной стороной руки по его щеке. – Я бы рада оставить тебя навечно... Но разве... там счет не идет на дни?

– Меня все равно не пустят к сыну, он сейчас в боксе. Зачем мне без толку торчать в Кемерово? Потом, может быть...

У нее заболело сердце: «Я могу подарить себе этот месяц? Может быть, это будет последний мой месяц счастья... Какого черта?!»

– Ладно, – решилась Ольга. – До дня моего рождения. Я хотела познакомить тебя с Пашкой. Хотя теперь это уже бессмысленно.

– Кто знает... – пожал Макс плечами. – Больше всего я сейчас хочу, чтобы Илюшка поправился, и они отпустили бы меня без обид. Ты примешь меня назад?

Она выжала улыбку:

– Смотря сколько лет пройдет...

– Ты не станешь ждать долго? – не понял он.

– Не в этом дело. Я ведь не молодею, Макс. Если я начну шарахаться от зеркала, то...

Он воскликнул слишком горячо, но ей не показалось это притворным, от фальшивых интонаций Ольгу так и корежило.

– Ты и в шестьдесят будешь моложе всех! Я просто не представляю, что ты можешь угаснуть.

– Дай-то бог, – отозвалась она с опаской.

Оглянулась на дверь туалета: девчонки так и не вышли – опасались потревожить их? Она усмехнулась:

– Пойду, расставлю все точки над «i», а то они скончаются там от любопытства.

Слегка шевельнула пальцами, не решившись поцеловать.

– Оля, – позвал он. – Ты позвонишь мне, как освободишься?

– От друзей? Ты требуешь непомерной жертвы.

Это было совсем не так, но Ольге вдруг захотелось чем-то уколоть его напоследок. Ей и самой-то сегодня причинили боль. Имеет право на ответный удар... Сегодня ей целая ночь понадобится, чтобы притерпеться к тому, что случилось с ее жизнью. Хотелось обернуться и крикнуть ему: «Зачем? Какого черта ты полез ко мне?! Ты-то ведь все знал про себя! Я ведь не девочка, которой такие трагедии только на пользу – сердце взрослеет... Что мне теперь делать со своим сердцем?!»

Она не обернулась. Все упреки утащила с собой, чтобы, сполоснув руки под холодной водой, смыть их, как дурной сон. Злость – то же наваждение, нужно избавляться от нее сразу же, пока не зацепилась за душу, не ввинтилась в нее. Такое отверстие проделает, что все доброе со свистом вылетит...

Девчонки (до сих пор говорили друг про друга только так) замолчали, когда Ольга вошла. Она отвернула кран, намочила кончики пальцев, энергично стряхнула воду. Рванула рулон бумажного полотенца – край получился рваным.

– Оль, ну ты давай, признавайся! Это твой парень? – наконец не выдержала Таня.

Она сказала не «парень», простецкое словечко подобрала. Свои, мол, чего церемониться? Все матерились когда-то... Челку обесцвеченную откинула, сигарету зубами зажала – настоящая пиратка. Татьяна всегда была самой отчаянной из их компании. Дралась даже в десятом, когда ходили на каблучках и в коротеньких формах. Вся школа сбегалась посмотреть на такое зрелище, которое тогда еще никто не называл «шоу». Кто бы мог подумать, что боксом будет заниматься не она, а Оля, которая никого и пальцем не трогала. Невозможным казалось: как это – ударить человека? Вся мировая литература, заложенная в ее памяти, вскипала от возмущения. Со временем прошло...

– Можно сказать и так, – сдержанно отозвалась Ольга. Хотя сама Макса никогда бы так не назвала.

– Охренеть! – Танька все же вытащила сигарету. – Ему сколько, а? Лет восемнадцать?

– Двадцать два.

– Ну, я ж говорила, – вставила Марина, которая когда-то была юристом и имела наметанный глаз. – Кать, это как с медицинской точки зрения?

Катерина, к которой они все время от времени бегали на прием (свой гинеколог – это просто подарок судьбы!), охотно поделилась своим профессиональным мнением:

– С медицинской точки зрения – самое оно.

Они уже столпились вокруг Ольги, как в детстве от нетерпения дергая то за рукав, то за лацкан жакета.

– Эй, девки, потише! – взмолилась она. – Это же Версаче!

Татьяна тотчас переключилась:

– Настоящий? Не подделка? Пашка, поди, привез? Дай хоть рассмотрю.

– А то ты на мне никогда не видела, – ревниво отозвалась Света. – Тань, ты хоть здесь не веди себя, как дикая. Перед мальчишками неудобно, как ты материшься.

– Ой, а они, можно подумать, слов таких не знают. Чего выделываться-то? Сорок лет друг друга знаем. – Она вспомнила о Максе. – Так он кто такой, ну давай, рассказывай!

– Он сын Людки-китайки.

Пауза была такой насыщенной, что любой режиссер позавидовал бы. Ольга с завистью к себе самой подумала, что на сцене ей никогда не удавалось вызвать такого потрясения. Как она и думала, Таня очнулась первой.

– Ну, ты даешь, мать, – протянула она укоризненно. – Не, ну был бы просто пацан, так ради бога! Правда, Свет?

– А что такого? – Светлана пожала плечами. – Он же совершеннолетний. А Оля не замужем. Если их все устраивает, тебе-то какое дело?

Тихий голос Марины вмешался в спор, заставив других прислушаться:

– Да тут ведь вообще дело не в том, чей он сын... В любом случае у него была бы мать, которая вряд ли пришла бы в восторг.

Света блеснула зубами, которые у нее всегда были лучше всех в школе. До сих пор было видно, что свои. Или уже так удачно подделали?

– Мы с вами, девочки, уже не в той возрастной категории, которая приветствуется матерями, – заметила она.

– Да ну вас всех! – фыркнула Женька. – Положа руку на сердце я тебе завидую, Оль. И остальные тоже, только выделываются, дурочки. Чего скрывать-то? Хоть неделю бы с таким мальчиком оторваться... Только у нас духу не хватит. У меня, по крайней мере...

Оля улыбнулась ей. И стало жаль, что Женька уже не та кудрявая хулиганка, которая могла забраться на крышу школы, чтобы подслушать, что про них говорят на родительском собрании, и подставить в журнал целую россыпь пятерок. Летом бабушкой стала, с ума сойти!

– Главное, заразу от него не подцепи, – предупредила Катя.

– Ой, уж это она, поди, и без тебя знает! А чего делать будешь, когда он тебя бросит ради какой-нибудь шлюшки малолетней?

– Ну и что, Тань? – Света тоже достала сигарету – допекли такими разговорами. – Оля-то что потеряет?

Остальные подхватили:

– Зато хоть удовольствие по полной получит, а не как с нашими старичками – по большим праздникам, если хорошенько раскочегарить.

– Вон мой старше почти на десять лет, и что хорошего? Я, дура, этому радовалась еще, когда замуж выходила.

Татьяна стояла на своем. Знакомо округлила глаза, дымом – всем в лицо:

– Ага, он все время будет на тебя, как на старую дуру, смотреть!

– А это уж как ты сама о себе думать будешь, так и он тебя будет воспринимать, – заметила Светлана. Затянулась и бросила сигарету, заметно стало, что отвыкла уже.

Женька протяжно вздохнула:

– Можно подумать, ты, Таня, отказалась бы, если б такой мальчик в тебя влюбился!

– Ну, только не говори мне, что это он тебя в постель потащил!

– Я больше вообще ничего говорить не собираюсь, – заверила Ольга. – Это – мое, понимаете? Я вам сказала, кто он такой, только потому, что Люда все равно всех оповестит.

Света кивнула:

– Я уже знала. Это же она и настояла на этой встрече, с Олей хотела повидаться. У вас до мордобоя не дошло?

– А он чего сюда приперся? – опять встряла Таня. – Соскучился, что ли?

– Не поверишь. Соскучился.

У нее благодарно дрогнуло сердце: одно его появление подняло ее в глазах одноклассников на вершину хит-парада. Желанная женщина, да еще желанная молодым и красивым. Преступно молодым и неправдоподобно красивым. Самой до сих пор кажется нереальным, где уж им с ходу поверить?

– А за душой-то у него что-нибудь есть? – поинтересовалась молчавшая до сих пор Лена.

В школе она всем давала в буфете в долг, но собирала потом всю мелочь до копейки. Сейчас у нее уже была своя фирма, ставившая стальные двери. Ольге тоже она поставила – со скидкой. По этому случаю и виделись в последний раз. А когда-то они были просто неразлучны...

Таня хмыкнула, пустив дым:

– Да она и сама не бедная! Вон в голубой норке пришла! А я в пуховике китайском... Ты ему, надеюсь, хоть не платишь?

– Тань, ты в своем уме? – одернула ее Светлана. – Он же не из борделя!

Вздохнув, та пробормотала:

– А все равно это извращение какое-то, скажи, а? Мужик должен быть старше. Всегда так считалось, вспомните!

– Да ты, оказывается, консерватор, – попробовала пошутить Ольга.

– Да при чем тут! Просто нянчиться с сосунком...

Ей тотчас возразили:

– Ты со своим Мишей, можно подумать, не нянчишься! Он у тебя на кухню только пожрать и заходит.

– Ну, правильно! А что ему там делать? Мужик он или нет? Еще у плиты стоять не хватало.

– Конечно. Мужицкое дело на диване лежать!

«Опять эти дурацкие многовековые споры, которые никогда не приводят к истине, – подумала Ольга с тоской. – Зачем делать какие-то общие выводы, устанавливать правила? Все равно найдутся двое, которым захочется нарушить их все разом. Мы – эти двое. Но мы можем себе позволить это, лишь когда дело касается человеческих правил. Однако есть и закон Божий...»

Это он и заставил Макса не просто уйти сейчас – начать главный уход. Ему потребуется на это месяц? Ей уже стало больно: «Будем надрывать живую ткань по сантиметру в день?» Представилась настоящая пуповина, которую предстояло перегрызть зубами. Не потому именно это увиделось, что по возрасту Макс ей в сыновья годится. Эта пуповина возникает всякий раз, когда рождается любовь. И тут не имеет значения, сколько кому лет. Время текуче и пластично. И это делает с ним человек – не наоборот. Лермонтовские безграничные двадцать шесть против ста четырех безвестного дедушки Васи. Жалко дедушку... Страшно уподобиться ему.

Таньке – не страшно. Она же всегда была храброй. Огрызнется: «Да ну вас на хрен с вашими заморочками!» – и усядется сериал смотреть. Времени – океан. А у Ольги каждая секунда на счету. Охраняется законом Божьим...

* * *

Оказалось, что это не так просто: делать вид, будто срок не назначен. Не думать о нем постоянно. Пытаться вести себя, как будто они уже не уткнулись в стену, где дальше пропускали по одному. Ольга сдалась в очередном модном клубе. Они пришли на концерт Аманды Лир, которой Макс никогда не слышал, ведь он только родился в конце семидесятых, когда звезда диско потихоньку начала угасать. Ольге хотелось, чтобы он узнал, как звучит самый низкий голос мировой поп-сцены. Хотя понимала, что это наверняка уже не тот голос... На концерт «A-ha» как-то сходила – чуть не плакала от жалости.

Неделя до этого прошла в лихорадочной попытке напихать в оставшийся временной отрезок побольше впечатлений – чтоб было, что вспомнить потом. Все время держась за руки, точно опасаясь потеряться еще раньше, они метались по Москве: надо успеть вместе послушать концерт Плетнева и многоголосье в «Театроне» на Большой Садовой; купить Максу ботинки нового сезона в ГУМе и пальто «Andrew McKenzie» в «Седьмом элементе» – в Кемерово тоже модно одеваются, он утверждал, что даже лучше, чем здесь. И девушки там красивее... Поразительно просто, как вырастают такие диковинные цветы на отравленной химикатами почве? Он говорил об этом с отстраненностью художника, которая не может вызвать ревности.

Они побывали даже на десертном балу – Ольга раздобыла приглашения. Повеселились там, наблюдая буржуазию Бунюэля в российском варианте. В его фильме герои никак не могли насытиться, в реальности московского ресторана посетители набросились на десерты раньше, чем ведущий жизнерадостно пригласил разрезать красные ленточки. Потрясающая фантазия кондитеров была вмиг смята, изувечена, растерзана жадными лапами тех, кто совсем не выглядел голодающим Поволжья, как говорили в Ольгином детстве.

– Мерзость какая. – Ее и вправду чуть не стошнило. – Пойдем отсюда.

Они утешились в «ДЖЕМ-клубе», где был вечер салонного джаза. Разглядывая птичек, зависших над их головами, Ольга вдруг почувствовала себя одной из них: ее полет прервался, едва начавшись. Пришпилена, даже дышать больно, куда уж тут лететь. Как ощутимо вдруг стало сердце – ноет и ноет. И слезы все время где-то на подходе. Только бы не прорвались...

– Иван Новоженов этот клуб оформлял, – назвал Макс известного художника.

Она спросила, чтобы только поддержать разговор:

– Ты с ним знаком?

– Нет. У меня вообще не так уж много приятелей.

– Я заметила. Ты не любишь сближаться с людьми?

– Я люблю наблюдать за ними.

– Ты – созерцатель. Лучше бы ты и за мной следил издали.

– Ты жалеешь? – Его лицо напряглось.

Качнула головой, не улыбнувшись, чтобы он поверил – это всерьез:

– Нет. Это счастье, что ты случился в моей жизни.

– В перерывах между репетициями и спектаклями...

У нее вырвался нервный смешок:

– А ты хотел, чтобы я все бросила ради этого месяца? Может, я и бросила бы, если б меня потом назад взяли. Так ведь не возьмут. Ты не представляешь, сколько радости будет, если я уйду.

– Кто будет радоваться?

– Актриски наши. У меня ведь сплошняком главные роли. Им бы хоть по одной растащить, и то счастье...

«Это сплошное безумие, – продолжая говорить что-то, думала Ольга. – Его ребенок умирает где-то в Сибири, мы оба с какой-то одержимостью проматываем деньги, которых и так немного после Франции... Мне нужно работать над новой ролью. А у меня в голове постоянно вспыхивает табло: осталось столько-то дней... Зачем я вообще согласилась на этот месяц?! Правда, тогда не случилось бы вчерашней ночи...»

Накануне они опять приехали в Переделкино, но не сразу пошли в дом. Долго бродили среди сосен и лиственниц, отыскивая зеленую траву, которая упрямо лезла наружу, ничего не желая знать о том, что уже конец ноября – тепло стояло чуть ли августовское.

«Эта осень не кончится, пока мы не расстанемся, – вдруг подумалось Ольге. – Зима – это в Кемерово. Если наступит зима – значит этот далекий город победил. Он вытянулся через Урал и достал нас. Пусть не кончается эта осень шестого года!»

Но уже вспомнилось о маленьком мальчике, который смотрел в другое небо и ждал московского самолета. А может, уже спал – четыре часа разницы. Когда Макс улетит туда, их ритмы перестанут совпадать.

Все это время она говорила и говорила. То о рассказах Казакова, которых Макс, как выяснилось, не читал. Как и Маканина, и Аксенова, и Трифонова... И «Зима тревоги нашей» тоже еще не состоялась в его жизни... Даже «Кентавр» прошел мимо. Вот «Волхв» Фаулза оказался пересечением их реальностей, и оба обрадовались тому, что сошлись именно на этом романе, из-за которого Ольга не спала две ночи. А вот «Башню из черного дерева» открыла ему она, и «Коллекционера», заставившего ее задыхаться от обиды: самое лучшее и светлое в этом мире способен уничтожить любой мерзавец!

Откуда вдруг взялось это неудержимое желание перелить в Макса все то в себе, чем она наполнилась еще до его появления? Уже не опасалась взять на себя роль учителя – все равно расставаться. Пусть он увезет с собой хоть часть Ольгиного мира, ее самой, чтобы не иссох без любви, как умирают от обезвоживания. Пусть послушает Рахманинова, когда станет невмоготу, погрузится в любимые Ольгой звуки...

А если настроен не так серьезно, то лучше – «A-ha» и «Pet Shop Boys». Последним всегда хватало иронии называться мальчиками из зоомагазина, их не смутишь насмешливым «toyboys» в их адрес, что так разозлило тебя, Макс. Послушай их, милый, когда меня не будет рядом, прошепчи вслед за Нилом Теннантом: «Твоя любовь – это освобождение...»

То, что он говорил это мужчине – не имеет значения. Любовь не имеет пола, она принадлежит мужчинам и женщинам в равной степени. Любовь не имеет возраста. Когда ты касаешься моих пальцев, чуть сжимаешь их, на ходу ловя озябшую руку – перчатки остались в машине, – мое сердце замирает в сладком спазме, которого не испытывала лет с тринадцати. В такую минуту все эти годы перестают быть преградой. Впрочем, мы с тобой разрушили ее с ходу. Что значит маломальская боксерская подготовка...

Любовь – это освобождение. Он прав, этот грустный английский клоун. Ведь не сама по себе я освободилась от многочисленных комплексов: боязни света в постели и осуждающих взглядов на улице, и прочего, прочего... Ты освободил меня. Ведь я каждую минуту помнила, что ты хочешь меня со всеми моими изъянами, и пальцы моих ног нежишь губами, чего никто не делал до тебя. Я думала, это будет щекотно. И немного стыдно... Я совсем ничего не знала о любви. А еще самонадеянно полагала, что смогу чему-то научить тебя...

Твоя любовь стоит того, чтобы снести презрение пожилой соседки, которая еще вчера носила мне варенье: «Покушайте, голубушка». Теперь уже не «голубушка» — обезумевшая мартовская кошка. Ею и останусь даже после того, как ты уйдешь из моей жизни. Люди не прощают откровенного счастья. Она увидела и уже не забудет того, как сияли мои глаза, когда мы с тобой вышли утром из подъезда. И было ясно, что ты не мог приехать в гости спозаранку... Твоя любовь стоит всего...

Это шипение вслед: «Совсем сдурела!» – оно лишь фальшивый звук в симфонии твоей любви. Существующий вне ее, не способный испортить настоящей музыки. Ты – музыкант от Бога. И скульптор. И повар, когда готовишь спагетти после того, как мы выбираемся из постели. Бывает, что она вся покрывается тончайшей шелухой – иногда нет сил встать, и мы перекусываем арахисовыми орешками, которые я обожаю. Я собираю вкусные, солоноватые крошки с твоих десен, вылизываю тебя, как щенка. Но и ты делаешь то же самое, в очередной раз ломая возрастную преграду, разделяющую нас. Где в такие минуты те двадцать пять лет, что я прожила на свете, на котором тебя еще не было?

Она вдруг заметила, что Макс совсем замерз:

– Господи, я заморозила тебя! Побежали греться!

– Ничего. – Он передернулся всем телом.

Но шаг все же ускорил, позволил Ольге тащить себя к дому. Она бегом заволокла его в спальню, сама раздела и затолкала под одеяло. Сунула туда руки, растерла его ледяные ступни.

– Окоченел совсем. Еще и холодов настоящих не было, а ты уже мерзнешь. Как ты выживешь в Сибири?

– Знаешь, как там говорят? Сибиряк не тот, кто не мерзнет, а тот, кто тепло одевается.

– Ты уже все знаешь о сибиряках...

Она пыталась приучить себя к тому, чтобы говорить об этом, не задыхаясь от боли. Как сжиться с мыслью, что скоротечность любви – благо? Затянулась бы на года – истончилась бы так, что рано или поздно порвалась... Но сама в это не верила, ведь мужа своего любила столько лет, сколько отмерил им Бог. Но оказался бы Макс способен на это? Что сделалось бы с его любовью, когда из примы ведущего театра Ольга превратилась бы в пенсионерку? Не так уж много лет осталось...

У нее опять, как часто в последнее время, навернулись слезы. Чтобы Макс не заметил их, она села в изголовье кровати и прижала его голову к своей груди. Пусть смотрит в темное окно, пусть рисует на нем эскиз ее портрета, который уже начал лепить, только Ольге не показывает. Перебирая его темные волосы, хранившие запах лета, которое они провели по отдельности, она прошептала:

– Тебе нужно перевезти их сюда. И как можно быстрее. Малышу хорошо будет в этом доме.

– Нет! – вырвалось у него. – Никогда. Кроме тебя, я ни с кем не смогу тут жить. Это твой дом. Уж лучше я продам его, если на то пошло. Деньги мне не помешают.

– Ты найдешь там работу? В маленьких городах с этим сложно...

Макс отозвался безучастно:

– Что-нибудь найдется...

«Само, – уточнила Ольга. – Ему хочется, чтобы все происходило само по себе. Чтобы жизнь складывалась вокруг него, а он сидел бы в центре и наблюдал. Странный он все-таки парень... Даже не думает рыть землю носом, чтобы пролезть наверх золотой пирамиды. Мои ровесники на это все силы отдали... А Макс как хиппи шестидесятых. Мир спасет любовь. Если бы все подхватили этот лозунг! Но этого даже тогда не произошло. Он – человек вне своего поколения, которое тоже нарыло себе уже... Может, поэтому мне с ним так легко? Он – человек на все времена...»

Ей было невдомек, что Макс сейчас вспоминал сегодняшнее утро, когда он пришел в свой офис и еще из коридора услышал:

– Извращение какое-то... Геронтофилия, да и только. А казался нормальным мужиком.

– Может, его в детстве бабушка совратила, вот он теперь и бесится, – заржал кто-то.

В лицо пахнуло жаром. Макс притормозил у порога, но его уже заметила Люська Смолина, сделала испуганные глаза и неловкий жест, обращенный к тем, кто был рядом. Тишина была красноречивой: только что говорили именно о нем.

Он заставил себя перешагнуть через порог (не убегать же!). Мимо него молчком просочился Глеб Ерошкин, даже не поздоровался, хотя еще вчера трепались с ним о новом изобретении BMW, позволяющем использовать энергию торможения. Макс неловко сглотнул – это стало слышно, хотя Люся уже активно зашуршала бумагами, изображая деятельность, которая вообще была ей несвойственна.

– Привет! – сказал он, пытаясь поймать хоть один взгляд. Но глаз не было.

– Привет, – отозвалась только Люся и решилась посмотреть на него. С болезненным любопытством, как на урода из Кунсткамеры.

Макс, в свою очередь, осмотрел ее: бесцветные сосульки волос, вечные джинсы, в которых ножки кажутся отвратительно тонкими, грудь – только намеком. Если возьмешься лепить такую, можно просто, как делают дети, скатать «колбаски» и соединить их друг с другом.

– Кто-то умер? – спросил он.

Все уже старательно щелкали «мышками», что-то искали на своих столах, кому-то звонили. Будто и не было того секундного провала сознания, куда ухнули все возможные дела и где копошилось одно только брезгливое изумление: «Так он – извращенец?! Нормальные девушки его не интересуют?» Макс почувствовал, как задергалась щека: «Я должен объясняться? И не подумаю».

– Вчера «Остров» Лунгина смотрели, – изображая продолжение разговора, сказала Люся. – Это что-то!

Макс обернулся:

– Тебя интересует жизнь монахов? Не знал.

Его распирало от злости: «Они считают себя вправе подглядывать в мою спальню? И откуда узнали? Хотя мы ведь и не скрываемся... Нечего скрывать».

Никто так и не заговорил с ним об этом. И Макс уже позволил себе расслабиться, плюнуть решил на дураков, когда шеф, которому он показал последние работы, после их одобрения, заметил:

– Насчет завтрашней вечеринки... Ты или один приходи, или... У нас не клуб для тех, кому за сорок.

Макса опять настигла жаркая волна.

– Может, мне сразу уволиться? – спросил он сквозь зубы. – Если я вас компрометирую своей личной жизнью...

– Увольняться не надо, – спокойно отозвался Анатолий Васильевич. – Ты мне нужен. Но своих тараканов держи при себе. Бахвалиться этим ни к чему.

В дверях Макс обернулся – не выдержал:

– Анатолий Васильевич, а вам сколько лет? Вы не женщина, можно спросить...

– Сорок шесть, – невозмутимо отозвался тот.

– А вашей жене и двадцати нет, да?

– Ошибаешься. Двадцать один.

– Четверть века, – прикинул Макс. – Это вам кажется нормальным?

– Это – нормально. А вот когда в другую сторону...

Макс не дал ему высказать мудрую мысль:

– Понятно. Если у всех глаза голубые, то карие – это уже вырождение. Фашистская идеология. Это мы проходили.

– Что? – задохнулся шеф. – Ты кого фашистом называешь?

– Всех, кто не может принять иного, чем у него, образа мыслей, – отрезал Макс. – Я сам ухожу из вашей конторы. Мне противно с вами работать.

Заявление он оставил у Люси. Ушел, не попрощавшись. Задняя мысль о том, что еще неизвестно, как он повел бы себя, если б все равно не нужно было возвращаться в Кемерово, конечно, копошилась, мешая считать себя героем. Потому и Оле ничего не рассказал. Да и ранить ее лишний раз не хотелось, она и так против волн плывет, последние силы тратит. С чем она останется, когда он уедет? Как выживет?

– Как я могу вернуться в Кемерово?! – вырвалось у него безо всякой видимой связи.

Но она тоже думала об этом постоянно:

– Как ты можешь не вернуться?

Было, конечно, что-то материнское в том, как она нежила его голову, запуская в волосы длинные пальцы, легкими движениями массировала кожу. Но внутреннее чутье подсказывало Максу, что тут дело было не в возрастной разнице: Ольга точно так же ласкала бы его, если б этой разницы не было вовсе.

– Ты перестанешь меня уважать, если я этого не сделаю?

– Ты сделаешь это. Ты же все это знаешь, насчет того, за кого мы в ответе...

– Себя ты не включаешь в этот круг?

– Я не трехлетний ребенок.

Она попыталась улыбнуться, хотя Макс не видел ее лица. Только смутное отражение в темном окне, которое было слишком далеко. Большая комната...

– Я тоже, – откликнулся он тихо. – Но мне хотелось бы остаться в кругу тех, за кого ты чувствуешь себя в ответе. Навсегда остаться, понимаешь?

– Ты и останешься в нем. Разве ты можешь перестать существовать для меня оттого лишь, что будешь находиться в четырех часах лета? – У Ольги дрогнули губы – то ли усмешка, то ли гримаса боли. – Наверное, у меня такая карма: мои любимые мужчины живут в других городах...

Макс опять запрокинул голову:

– Я еще здесь.

– Да, – согласилась она невесело. – Но если ты останешься здесь, ты потеряешь себя. Самоуважение потеряешь. Мое уважение или неуважение тут ни при чем. В первую очередь ты должен сам гордиться собой.

И спохватилась:

– Только не подумай, ради бога, что я читаю тебе нотации! Просто я насмотрелась на этих вечно заискивающих мужичков, которые ползать готовы перед директором театра, перед главным режиссером... Им плевать на то, что никто и не может их уважать, но ведь они и сами себя ни во что не ставят. Помнишь, мы недавно были с тобой в мастерской Ханурина.

– Смешная фамилия...

– Он и сам смешной. И картины его в чем-то нелепые. – Ее пальцы замерли. – Но Витька за всю жизнь ни разу не изменил этой своей нелепости, не устыдился ее, не подстроился под модный лад. Живет черт-те где и черт-те как... Но он себя сохранил. Душу свою. А это главный итог жизни, как ни крути. Так и в десятом веке было, так и сейчас. Это не меняется от того, что прогресс рвется вперед. На Страшном суде ни звания, ни удачные сделки, ни миллионы твои никого интересовать не будут. Ну, может, лишь спросят, как ты раздобыл их...

Спохватившись, Ольга опять начала гладить его:

– Это примитивно и банально – то, что я сейчас говорю. Сама понимаю. И ты все это, конечно, знаешь не хуже меня... Но я подумала, что иногда необходимо услышать со стороны прописную истину, чтобы вспомнить о ней. Она живет в твоей памяти, нужно только извлечь ее из запасников, чтобы понять, как на самом деле все просто. У тебя есть сын, он болен, и ты должен быть рядом с ним. Спасать его. Он ведь не виноват в том, что мы с тобой встретились.

– Я вернулся сюда еще до того, как мы встретились.

– Это еще хуже, – вздохнула она. – Значит, ты просто сбежал... Хорошо, что ты хоть признаёшь это.

– Я ведь уже объяснял тебе! Катя не хотела меня больше видеть.

– А я объясняла тебе, что женщина не может не ждать помощи от отца своего ребенка, когда тот болен!

Она ни разу не произнесла слова «умирает». Пугалась его черной пустоты. Хотя где-то в такой же черной глубине сознания то и дело давала о себе знать мыслишка о том, что, если бы Илюшка умер, Макс освободился бы ото всех обязательств. Ольга гнала эту мысль от себя, но она нет-нет и всплывала.

«Нет! – вскрикивала Ольга про себя, а если находилась одна, то и вслух. – Я не хочу этого! Это дьявол нашептывает... Я не хочу его слушать! Господи, спаси этого мальчика... Спаси мою душу!»

Она посылала и посылала SOS, надеясь на все сразу одновременно. Хотя понимала, что невозможно и ребенка спасти, и Макса удержать рядом. И Ольга разжимала руки, отпускала: «Беги, спасай своего сына!» А он не уходил. Вернее, уходил, но очень медленно. Ему требовался целый месяц, чтобы перешагнуть за грань ее жизни.

В эту ночь Макс так и уснул у нее на груди, как младенец. Она осторожно переложила его голову на подушку, подоткнула одеяло. Морщась от слез, которые опять были тут как тут, Ольга свернулась клубком и подумала, что не надо было соглашаться на этот месяц расставания. Не дай бог, мальчик умрет за это время, они же не простят этого друг другу. Она сама себе не простит... Побаловала себя за счет жизни ребенка. Своим малодушием Макса лишила возможности подержать слабенькую руку сына. Мало ли, что это он настаивал... Где же вся та хваленая мудрость, которая должна была появиться с годами?!

И следующим вечером, когда они слушали Аманду Лир, о которой Макс сразу же сказал, что она полукровка, вроде него самого, Ольга призналась:

– Я купила тебе билет до Кемерова. На послезавтра. Я не могу так больше. Я не думала, что прощаться – это так мучительно.

Макс уставился на ее пальцы, которые крутили кольца. Камень вниз-вверх, вправо-влево.

– Как ты могла купить билет без моего паспорта?

Он заговорил не о том, но Ольга понимала, что сразу о главном слишком трудно.

– У меня родственница в авиакассе. Если помнишь, мы ездили к ней за билетом на Париж.

Макс поднял голову:

– Как я уеду? Я не успел купить тебе рубиновое колье.

«А ты хотел?!» – радостно встрепенулось в ней и тут же угасло. Зачем ей это колье без него? Куда ходить?

Ольга призналась с раскаянием:

– Я не успела организовать выставку твоих работ.

– А ты собиралась? Что ты! Не надо. Это должно произойти само собой.

– Мой хороший, само собой в этом мире ничего не происходит. Нужно постараться как следует, чтобы что-то хотя бы сдвинулось с мертвой точки.

Опять этот взгляд исподлобья:

– Нужно работать. А не суетиться вокруг выставок.

– Правильно, – согласилась она. – Твое дело – работать. Я же и не предлагала тебе заниматься этим! Я хотела сама. Не думала, что нам отпущено так мало времени.

– Времени у нас столько, сколько мы захотим.

– Ты опять? Не надо, прошу тебя.

Его ладони сомкнулись «лодочкой» возле рта. Он смотрел на нее такими несчастными глазами, что у Ольги сдавило сердце: «Что же я делаю?! С ним. С собой...»

Макс опустил руки:

– А ты уверена, что он еще не забыл меня? Я притащусь туда, а Илюха меня и не узнает.

Не чувствуя никакой уверенности, она все же покачала головой:

– Я уезжала на гастроли, когда Пашке был год. Он ждал меня две недели. Когда я вернулась, он спал на нашей кровати. Я легла рядом, чтобы он проснулся и подумал, будто я никуда и не исчезала. Он открыл глаза и сразу сказал: «Мама». И обнял меня за шею. И так крепко держался, что мне пришлось вставать с ним вместе. Он так и висел на мне...

Макс сжал ее руку:

– Он звонит?

– Вчера звонил. – Ольга сдержала непрошеные слезы. – Он уже не так уверен, что сможет прилететь на мой день рождения. Намечается какая-то работа в Швейцарии, ему это безумно интересно. Мне будет достаточно, если он позвонит в этот день.

«Если ты позвонишь!»

Теперь он теребил, тискал ее руку, взглядом умоляя пожалеть, не гнать прочь.

– Значит, мне улетать?

– Послезавтра, – уточнила она, будто лишний день был настоящим даром судьбы.

– Я не могу поверить, что ты меня выпроваживаешь.

– Нет! Если бы речь не шла о жизни и... Я не могу так, Макс. Не могу наслаждаться любовью, все время помня о том, что краду у твоего сына и этот миг, и следующий...

– Ты ничего и ни у кого не крадешь. Ты и не хотела всего этого. И не искала. Я только пытаюсь тебе подарить себя. Навязать. Не велик подарок, конечно.

Он вдруг поднялся:

– Ты доберешься одна?

– Что? – Ей показалось, что она ослышалась.

– Раз тебе не терпится, чтобы я ушел, то я лучше уйду прямо сейчас.

Лицо в напряженном ожидании: «Скажи, что ты не хочешь этого. Что мне вообще не нужно уходить! Не только сегодня – никогда!» Губы растянуты, но это не улыбка, ничего общего. Никогда его губы не казались такими бледными, хотя яркими и не были – на смуглом лице.

У Ольги зашумело в ушах: решать нужно прямо сейчас. Если удержать, зачем ломала комедию? Если уйдет...

Она едва расслышала свой голос:

– Прощай, Макс.

Ни слова в ответ. Повернулся и быстро вышел из зала, унося с собой радость двух недель, боль четырнадцати дней, каждый из которых ранил в отдельности. Ее пальцы сцепились сами собой: «Вот как бывает, когда разрывается сердце...» Ольга столько раз пыталась это сыграть, но ее никто никогда не оставлял, она сама уходила от мужчин, которые становились ей в тягость. Только сейчас узнала, что в этот момент боишься шевельнуться, как при сердечном приступе, дышишь мелко-мелко, по-старушечьи... Так бабушка ее частенько начинала дышать, хотя прожила почти девяносто лет. Только бы не в нее пойти... Как жить еще сорок лет с такой болью?!

Машинально выпрямив спину, она сидела, не шевелясь, не слыша Аманду Лир, не замечая больше огромных плазменных панелей, о которых Макс сказал, что они устарели. Теперь все переходят на жидкокристаллические, как ее телевизор. Вот отныне ее любовник на каждый вечер: зовут «Philips», внушительных габаритов, брюнет. Яркий и громкоголосый. Что еще нужно стареющей женщине? Раз в неделю, по выходным — звонок от сына.

Оставаться до окончания концерта — невмоготу. Ольга потихоньку выбралась из клуба, хотя всегда презирала зрителей, которые покидали зал во время действия. И только оказавшись в саду, поняла, что еще надеялась на то, что Макс дожидается ее здесь. Погорячился, выскочил, но студеный воздух способен быстро охладить любой гнев. Почему же он не очнулся? Не испугался того, что лишает их обоих целого дня счастья? Последнего.

Как дошла до машины? Как завела? Очнулась, когда уже выехала на Каретный ряд, благо ночью почти свободный.

— Вот так и становятся лунатиками, — произнесла Ольга вслух, голосом пытаясь восстановить ощущение реальности.

Но тишина в ответ прозвучала пугающе. Постоянный монолог – вот теперь будущее. Сколько она еще продержится в театре? Лет десять – невозможная мечта! А потом? Девочки уже топчутся за спиной, пытаются столкнуть со сцены. А ролей для старух теперь почти не пишут, и на них целая армия претенденток, пропахших нафталином... Чем жить?

Попыталась ухватиться за что-то более, чем осязаемое, – бокс. Так иногда прилетает по шлему, что звон в голове. Порой Ольга нарушала все правила, просила партнерш не бить по лицу – ей же работать вечером. Но некоторые нарочно старались рассечь бровь или губу, с такими она больше старалась не боксировать. Гримеры, конечно, замазывали, но ворчали, говорили, чтоб дурью не маялась...

Ей не хотелось объяснять всем и каждому, как время от времени мучительно хочется выплеснуть накопившуюся в теле тоску. И хотелось по-настоящему избить ни в чем не повинную партнершу только за то, что у той в жизни мог быть мужчина, который и без бокса способен снять это напряжение плоти.

В последнее время и для самой Ольги эти бои во спасение самой себя (все-таки жестокие, чего уж скрывать!) перестали быть необходимыми. В «KIMCLUB» носа не казала с того раза, как встретила там Макса. И он, кажется, ни разу не был на тренировке, будто лишь для того и ходил туда, чтобы подобраться к Ольге.

– Будем возвращаться к реальной жизни, – сказала она себе. И сообразила: – А ведь он больше не говорит этого «реально». Хоть какая-то от меня была польза...

Откликнулось такой болью, что она тут же запретила себе думать. О чем угодно, только не о Максе. Даже не пытаться представить, где он сейчас? Отправился ли в свое Переделкино или ночует у матери?

В такое время электрички, наверное, уже не ходят. Не думать, не думать! Пашка летит в Швейцарию. Замечательно! На горных лыжах покатается. Они с Максом тоже хотели... Не думать! Садовое кольцо неслось навстречу. Единственное кольцо, которое он ей подарил... Не думать. Это ведь так просто – не думать.

* * *

Среди ночи вскочила, будто колокол над головой грянул. Не может быть, чтобы он так и уехал... Что же это было тогда, если ни пары слов на прощание? Насмешка? Какой-нибудь их пацанский спор? Но это коллизия из пьесы, из фильма – кто в жизни заключает такие пари? На идиота он никак не похож... А на кого? Кто проникает в постель заслуженной артистки России, чтобы повошкаться там немного, а потом молчком сбежать?

– Фу! – вырвалось у нее.

Села на постели, прижав к животу скомканное одеяло. Это «фу» – к себе самой относилось: как можно было допустить такое подозрение?! Низость какая... Ведь видела же его глаза – сплошное страдание. Сказала бы: «Оставайся!» – и Макс погубил бы свою душу с радостью, взял бы на себя грех предательства больного ребенка. Только она-то знала, что через несколько лет, а может, уже и месяцев, он припомнил бы ей эту потерю себя самого. Ради себя самой будущей нужно было отпустить его, насильно вытолкать, раз уходить не хотел. Только... Он ведь мог хоть что-то сказать напоследок? Так заведено. Чтоб потом было чем жить. Тешить себя этими словами.

Не сделал ей столь щедрого подарка... Рубиновое колье – бог с ним! Это у пухлогубых блондинок лучшие друзья – бриллианты, а ей бы несколько слов, чтобы перебирать их пустыми ночами. Бриллианты она и сама купит, или сын подарит. Который тоже не с ней... Снова одна в замкнутом пространстве. Привычное состояние, которое никогда не давило. Нужно просто заново научиться дышать, не пытаясь схватить воздуха больше, чем примут легкие. Успели сжаться, как желудок без еды. Всего-то несколько часов прошло...

Ольга проверила телефон – никакого сообщения. Пальцем не шевельнул, чтобы она улыбнулась сквозь слезы. И продолжала бы так жить: улыбка сквозь слезы. Не самый плохой вариант. Есть в этом что-то весеннее, обнадеживающее. Хотя на что можно надеяться в их случае? На то, что умрет маленький мальчик?! Даже звучит чудовищно...

Слоняясь по квартире, она пыталась решить, что же ей делать, если Макс не позвонит и завтра, вернее, уже сегодня днем. И перед отлетом не наберет ее номер. Хотя бы для того, чтобы помолчать в трубку, как баловались они в детстве, когда и телефоны-то не у всех были. Забирались с девчонками, с той же Ленкой, которую, несмотря на скуповатость той, любила больше других, теперь даже не перезванивались. Ничего не случилось, просто жизнь развела. Даже с любовью это случается...

Или тогда они проделывали эти номера с Танькой? Набирали по блокнотику номера мальчишек затаив дыхание, слушали голос того, кто снился в ту пору. Или произносили какую-нибудь глупость измененными голосами... Такие дурочки были! Кажется, Светка в таком не участвовала, она всегда была чуть взрослее их всех. Когда они особенно глупили, она проводила с ними психотерапевтические беседы. Почему не стала исповедником в белом халате? Сейчас позвонила бы ей, напомнила, что зря она не пошалила в детстве от души: воспоминания – солнечными зайчиками по душе.

Улыбнулась, ощутив сердцем тот свой восторг, когда в трубке слышался желанный голос. Сейчас также замерла бы, услышав голос Макса. Кто мешает позвонить самой? Не двенадцать лет, чтобы гордячку играть. Наигралась уже за жизнь... Что она – в грязи вываляется, что ли, если позвонит первой, предложит проститься по-человечески? Чтобы никаких обид не осело пеплом на сердце, сделав его поседелым.

Почти бегом вернувшись в спальню, Ольга нащупала в темноте трубку, лежавшую на тумбочке. Свет включать не хотелось, ей почему-то казалось, что без него разговор получится более искренним. Вдох-выдох, как перед прыжком с вышки – ездили с девчонками в бассейн чуть ли не через всю Москву. Лучше всех плавала Женька – гибкая, жилистая. Теперь рассекает по разным морям, у нее своя туристическая фирма. А Светка при своих ста пятидесяти восьми лучше других в баскетбол играла, между ног у верзил прокатывалась и точно попадала в корзину. Глаз верный был. Правда, в любви ее снайперское зрение давало осечку, никогда разглядеть вовремя не могла, чем дело обернется.

На мгновение задержав палец над кнопками телефона, Ольга попыталась понять, почему так судорожно хваталась сейчас за прошлое? Укрепить им свой дух пыталась? Проникнуться веселой энергией той поры, когда была отчаянной и строптивой? Время волной сгладило углы, придало линиям и тела, и души плавности, мягкости. Вот теперь руки и дрожат, на кнопку телефона никак не попасть...

Гудок крикнул в ухо: поздно! Назад дороги нет. Уже соединили. Твой номер высветился у него, даже если отбить сейчас, он поймет, что ты звонила. Да и не глупо ли бросать трубку? Зачем тогда вообще брала ее?

Макс откликнулся после третьего гудка. Не спал?

– Я здесь, – сказал он, ни о чем не спросив. – Посмотри в окно.

Споткнувшись о тапки, Ольга бросилась к окну босиком, рванула легкую штору. Пустой темный двор и еще более темный силуэт возле качелей, еще не остановившихся, видно, он только поднялся. Она распластала по стеклу ладонь:

– Ты что, сидел здесь все это время?

– Мне самому не верится...

– Ты ведь окоченел там! Поднимайся скорее!

– Думаешь, стоит?

– О чем ты говоришь?! Неужели я хочу, чтобы ты погиб от холода!

– Не такой уж холод... Синоптики говорят, что сейчас самый теплый ноябрь лет за сто.

Ей показалось, что Макс поежился. Она изменила тон:

– Бегом ко мне! Я набираю ванну. Будем тебя оттаивать.

– А я уже решил, что ты – Снежная королева.

Проследив, как он направляется к подъезду, Ольга побежала в ванную, не переставая говорить:

– И ты вообразил, что мне доставит удовольствие найти утром у подъезда твой окоченевший труп? Нетушки! Ты мне живым нужен.

Услышала, как изменился фон – Макс вошел в подъезд, слабым шорохом шаги по лестнице.

– Зачем? – спросил он.

– Чтобы просто знать: ты жив, ты в ладу со своей душой, ты поднимаешься вверх.

– Сейчас, но не вообще.

Одной рукой выдавила чистящее средство, наспех протерла ванну. Грязной и не была – она следит за этим. Ополоснула душем и пустила воду. Рыжий крабик, цепочкой прикованный к пробке, подпрыгивая от близости струи, поплыл по поверхности. Нашла в «Леруа Мерлен» такого симпатяшку... Заходишь утром никакая, чтобы умыться, а он уже улыбается. Невольно улыбнешься в ответ. Вот и день хорошо начат.

– Ты работаешь – значит растешь каждый день, – проговорила она, стараясь не выдать, что у нее сбилось дыхание. Одышка – одна из прелестей старости. Даже напоследок ему не нужно знать о том, что Ольга подумывает, как ей уживаться с новой подругой, которая уже на полпути.

– Я еще не закончил лепить тебя. Эскиз делаю. Потом уже разберусь – из мрамора, из бронзы, что к тебе больше льнет. Знаешь, поначалу ведь задумывал сделать только бюст, а потом понял, что хочу видеть тебя целиком. Ноги твои, каждый пальчик...

Она уткнулась лбом в косяк двери: «Мне скоро пятьдесят лет, а он говорит со мной, как с ребенком! Пальчик... Но не издевка ведь это! Он просто не способен на такое... Полночи стоять на холоде, чтобы посмеяться надо мной? Нет. Немыслимо. Тогда что это? Любовь? Господи, скажи мне, дуре, разве не преступление идти против любви?!»

Опять мелькнуло белым всполохом: беспомощный мальчик на больничной койке. Да если б Илюша даже был здоров, отнимать у ребенка отца – куда большее преступление, чем справиться с любовью, которая растет не по правилам. Как сорняк, который никому не бывает жаль. Плевать всем, что это растение тоже хочет жить и тянется к солнцу, и с той же естественной жадностью ищет влагу. Рука хозяйки, пропалывающей грядки, не дрогнет...

– Ты все-таки перевези свою семью в Переделкино. Там ты сможешь работать. Почему бы нет? – Ольга подошла к входной двери и отключила телефон.

Макс уже стоял на пороге. Шагнул к ней и обнял, не ответив, вообще больше не произнеся ни слова. Даже губами ее не коснулся, просто стояли, обнявшись, и молчали. Потом Ольга сняла с него куртку, за руку отвела в ванную и тут уже раздела совсем. Осторожно, чтобы не царапнуть ногтем, будто теперь и он стал тем ребенком, которого она растила, пока была возможность, и теперь должна была выпустить в свет. Беда была в том, что он не хотел уходить.

Забравшись в воду, Макс попросил:

– Залезай ко мне.

Замешательство было секундным – снова нахлынули сомнения в приглядности своего тела, от которых, думала, освободилась совсем. Даже близость отторжения его любви уже вернула оковы на душу. Опять сплошные комплексы, и чем дальше, тем больше...

Снова точно с вышки в воду: «Какого черта?! Что я уже теряю?» Сняла пеньюар, но ронять его на пол, что подошло бы для кадра, но было немыслимо в жизни, не стала. Повесила на массивный крючок, который еще сын закрепил, легко перекинула ногу через бортик ванны. Макс поймал ее руку, поддержал, чтобы не поскользнулась. И усадил ее на себя сверху, лицом к лицу, споря с классиком, только так и желая видеть ее – ближе некуда. Ее груди потянулись к нему по поверхности воды, он принял их в ладони, чуть сжал: «Мое!»

Глядя ему прямо в глаза – затуманившиеся агаты («Всегда бы видеть их перед собой!»), Ольга прислушивалась к тому, как наполняется желанием то в нем, что только что было замерзшим и слабеньким. Отогрелся, уже ищет приют, норовит пробраться внутрь, слиться с тем, для чего словно бы создан... Немного потребовалось, чтобы вернуть обычную силу, – молодость сильна сама по себе.

Ольга не сопротивлялась. Тогда нечего было и заходить с ним вместе в ванную. Разве прощание не может быть таким? Кто-нибудь устанавливал свод правил при прощании мужчины и женщины?

– Вот как хорошо, – простонала, ощутив его в себе.

Лучше и быть не может. Как у нее хватает сил добровольно отказываться от этого ритма любви, от этой музыки вздохов? Чтобы опять погрузиться в тишину своей ненужности?

Зато в ней не будет угрызений совести, напомнила Ольга себе. О душе пора думать. Ну, не то, чтобы только о ней... Но и забывать о ней уже опасно – не успеешь отмолить свои грехи. Хотя если она пошла в бабушку, чего самой не хочется, то времени еще предостаточно.

А пока пусть тело нежится в воде. Скольжение кожей по коже... Его мокрое, раскрасневшееся лицо, уткнувшееся ей в грудь... Ее слипшиеся волосы, расплывшиеся по воде черным лотосом... Коленям больно, ванна тесна, как никогда, завтра ноги будут в синяках... Но завтра Макс может и не увидеть этого: последний день в Москве, дел – выше крыши! До нее ли будет? Теперь уже верилось: до нее.

Пронзило до вскрика, пульсация растеклась волнами – Венерино море проникло внутрь. Переведя дыхание, Макс усадил Ольгу к себе спиной, намылил руку, вымыл ее заботливо, как ребенка. Но эта его нежность отозвалась в ней видением: он купает своего малыша, тщательно вымывает между пальчиками, такими крошечными – страшно сломать нечаянно. А заболело у нее, и не в пальце, конечно. Откинув голову ему на плечо, она закрыла глаза.

– Почему все так, Макс? Вернее, не так...

– Все будет так, как мы захотим.

– Все уже не так. Ты опоздал родиться...

– А мой сын поторопился.

– Это несправедливый упрек. – Она вздохнула. – Но – да. Я подумала об этом. Хотя ребенок никогда ни в чем не виноват. Особенно в том, что родился.

– Правильно. Это мне головой надо было думать.

Хорошо, что лицо мокрое, подумала она. Может, он и не заметит, что это слезы. Ольга старалась почти не дышать, чтобы не всхлипнуть, но Макс все равно понял, что она плачет. Молча поцеловал ее висок, по которому стекали слезы. Если их будет много, на волосах осядет соль, и они побелеют сединой, с которой велась постоянная война. Ольга знала, что ей не выйти победительницей, но хоть продержаться, сколько можно... Поседеть мечталось красиво, уложить волосы дымчатыми волнами, какие были у бабушки – ледяная корона надо лбом. И стать царственной старухой, не мелочной, щедро делиться с юными артистками секретами профессии. Не в гроб же с собой забирать!

– Я не смогу от тебя уехать, – вдруг сказал Макс. – Я никогда раньше не чувствовал себя настолько сросшимся с женщиной... И настолько... очарованным, что ли. Понимаешь, я готов часами просто смотреть на тебя. Как ты двигаешься, как задумываешься, как улыбаешься... Я готов просто сидеть и смотреть, как ты читаешь, часами смотреть. Ни одна женщина не доставляла мне столько удовольствия только присутствием своим! Ни одна не расспрашивала меня о моих солдатах... Ни одна на картах со мной не каталась. Не встречала рассвет... Ни с кем этого не было. – Он уже кричал. – Как я могу лишиться тебя?!

Зажал себе рот, опять сложив ладони «лодочкой». Потом с размаху ударил по воде обеими ладонями.

– Сегодня, когда я ушел из клуба... Черт! Я думал, сдохну, еще не дойдя до порога! У меня просто рвалось все внутри – такое было ощущение.

Ольга поймала его руку, поцеловала ладонь.

– Ты был где-то там, когда я вышла?

– А то! Примерзал к скамейке. Потом схватил такси и поехал за тобой. Детектив!

– Можно было и подойти.

– Ты же выпроводила меня!

– Ты сам ушел. – Ольга прижала его руку к щеке, чтобы Макс не подумал, будто она упрекает.

– Ты купила мне билет. Считаешь, что это правильно – решать за меня? Я младше, но я же не ребенок. Я сам в состоянии решить, что мне делать и когда.

– Конечно! Прости. Я не должна была так поступать.

Сейчас она и вправду считала, что не имела права диктовать ему свою волю. Вот только в тот момент, когда Ольга брала билет до Кемерова, все сомнения заглушила в ней убежденность, что она обязана помочь Максу решиться на то, чтобы из любовника превратиться в героя. Хотя, кажется, что уж такого героического в том, чтобы вернуться к своей семье? Но она понимала, что иногда именно этот поступок становится главным в жизни. И хотела всего лишь подсадить Макса на пьедестал, которого он был достоин, хотя еще сам не знал этого.

– Знаешь, я действительно взбесился от этого в тот момент, – признался он.

– Я так и поняла. Хорошо, что ты умеешь справляться со злостью.

– Я и не знал, что умею. – Макс помолчал, вспоминая, намотал на палец ее мокрую прядь. – Про меня еще в школе говорили: Макс первым никогда не лезет, но если его достать, то он и убить может. Не очень у меня тогда получалось справляться со злостью. Может, это ты меня научила?

– Ничему я тебя не учила... Вообще не люблю никого учить. Я и сыну никогда не читала нотаций, он сам вырос хорошим.

– Как раз поэтому и вырос таким! И звонит тебе постоянно. А доставала бы его, так он и замуровался бы в своем Париже.

– В таком городе не грех и замуроваться, – вздохнула она.

– Может, нам лучше туда улететь? – Макс беспокойно завозился под ней.

Ольга ухватилась за бортик ванны, чуть приподнялась, всплыла на поверхность, как резиновый крабик. Запрокинула голову:

– Я тебя не задавила?

– Ну что ты! Не такой уж я и крошечный.

– Давай выбираться на сушу. – Она встала первой и шагнула на розовый коврик.

Вся ее ванная была оформлена, как солнечный рассвет на морском берегу: светло-желтые стены, бледно-розовый занавес, коврик в морских коньках, искусственные листья свисают по углам. Макс пришел в восторг, когда оказался тут впервые. Может, слишком быстро все у них случилось впервые? Перед собой оправдалась: не дети ведь. Мужчина и женщина, встречаясь, почти мгновенно понимают, хотят ли они оказаться вместе в постели. Оттягивание главного уже зависит от склонности к самоистязанию. Кому-то это нравится больше, кому-то – меньше. Ей не нравилось...

Завернувшись в большое полотенце, Ольга закутала Макса в другое, и они босиком бросились в спальню –

наперегонки. В постель нырнули, уже задыхаясь от хохота.

– Соседи милицию вызовут! – простонала она. – Три часа ночи, а у артистки – оргия!

– И часто они вызывают? – Макс наклонился над ней, уперся лбом в лоб.

– Часто ли я устраиваю оргии? До сих пор не было ни одной. Но после твоего отъезда...

Он резко откинулся на спину, распластался на кровати.

– Я уже сказал, что никуда не уеду.

– Давай спать. – Ольга огладила его грудь, чуть задержала руку на сердце. – Как оно медленно бьется! А у меня вечно, как у мышки.

Ему немедленно захотелось проверить. Сперва ладонью, потом ухом... А чтобы лучше слышать, весь забрался на нее, опять уже готовый к любви – какой там сон!

«Репетиция в одиннадцать, – напомнила себе Ольга. – Успею выспаться...»

– Тебе не надо утром на работу?

– Я уволился.

Она даже подскочила, столкнув его:

– И ничего мне не сказал?!

– Ты же сама настаиваешь, чтобы я уехал... Какой смысл тянуть до последнего дня?

– Конечно...

– Ты не согласна?

– Ты не хуже меня знаешь, что нужно делать. Я уверена, что ты сразу же найдешь работу в Кемерово. Ты ведь и талантливый, и красивый...

Макс фыркнул:

– А это здесь при чем?

– Напрасно смеешься, – заметила она строго. – Я недавно читала, что американские ученые доказали:

красивым людям легче сделать карьеру. Их охотнее принимают на службу.

– Это радует, – отозвался он безрадостно.

– Еще лучше будет, если ты все-таки перевезешь свою семью в Москву...

Он сжал ее лицо:

– Ты согласишься на это?

– На что? – И следом уже поняла, как это прозвучало.

– Чтобы я... – Макс запнулся. – Ну, ты понимаешь...

Ольге захотелось закрыть глаза, чтобы его умоляющий взгляд не мешал во всех деталях представить, как это может быть: он встречает ее после спектакля, отвозит домой, они наспех занимаются любовью, и Макс убегает домой. Так живут миллионы, почему бы и нет?

– Нет, – сказала она, не отведя взгляда.

– Почему? – Это прозвучало требовательно, отрывисто.

– Потому что Илюшке все равно будет больно. Сейчас он еще не поймет этого, но лет в шесть... Дети так обостренно чувствуют такие вещи. Когда Вадим, – она пояснила наспех, – мой муж, завел очередную интрижку на стороне, о которой нечаянно узнал Пашка, он, знаешь, даже заболел от отчаяния. Он вовсе не считал себя виноватым в том, что папа не дорожит семьей, хотя психологи уверены, что дети именно из-за этого переживают. Ему за меня было обидно. Мы с ним всегда очень хорошо понимали друг друга. И он сразу угадал, как мне больно.

– А тебе было очень больно?

Улыбнувшись его несвоевременной ревности, Ольга сказала:

– Предательство – это всегда больно. Даже если человек просто товарищ по работе.

– Мне как-то плевать всегда было на товарищей по работе. – Внезапно Макс осекся, будто вспомнив о чем-то.

Выяснять она не стала, потянет рассказать – другое дело, не клещами же тянуть! Он вернулся к главному:

– Зачем же мне тогда тащить их сюда? Какая разница, где жить? Без тебя...

– Макс! А твоя работа? Твои солдаты? Ты ведь все оставляешь здесь! И потом ведь здесь клиники лучше. В Москве ему быстрее помогут, как ты не понимаешь?

– Думаешь? – встрепенулся Макс. – Но как он перенесет перелет? По-моему, это опасно...

Она быстро нашлась:

– А ты вези их на машине!

– На какой машине?

– На своей. Ты же говорил, что она осталась в Кемерово. Все равно нужно ее перегонять сюда.

Перевернувшись на живот, Макс уткнулся лбом в сцепленные руки:

– Она не то, чтобы осталась... Я ее продал там. Мне стыдно было признаться тебе. Но я был совсем на мели, а нужны были деньги Илюшке на лечение, потом на билет сюда. Кате я оставил, конечно...

– Значит, машины нет.

Ольга закусила губу: «Сын простит мне такую глупость?!» Позвонить ему, спросить согласия? Это было еще глупее.

– Бери мою, – решилась она. – Не знаю, доедет ли она до Сибири и обратно... Можно продать ее здесь, и купить что-нибудь там.

– Ты с ума сошла, – тихо произнес Макс.

У нее вырвался нервный смешок:

– Это точно! Только не сейчас. Гораздо, гораздо раньше... Когда ты в первый раз сел в мою машину. Она свела нас, вот и забирай ее.

– Ты ненавидишь ее за это?

– За что? За то, что в мою жизнь вошло солнце? С востока, как и положено. – Она поцеловала его чуточку раскосые глаза. – Туда и уйдет... Или уедет.

– Я верну ее тебе, когда приеду.

– Нет, – резко сказала Ольга, отдернула руку. – Не появляйся больше вообще. Ни по какому поводу. Завтра я оформлю дарственную на машину, у меня есть знакомый нотариус, все сделает быстро.

Он заметил с оттенком ревности:

– У тебя вся Москва в знакомых.

– Давно живу, – решив, что уже можно позволить себе обсуждать эту тему, заметила она. – С одними училась в школе, с другими – в Щепке, но они не стали актерами. Третьи – просто... почитатели моего таланта.

– Ты над этим смеешься?

– А о своем таланте можно говорить всерьез? Это уже смешно!

Едва проглядывающая змейка его позвоночника изогнулась от удовольствия под ее ладонью. Ему нравилось, когда прикасались к его спине – поглаживали, почесывали. И Ольга не отказывала ему, баловала, вспоминая, как ее сын еще совсем маленьким просил на ночь: «Пинку!» Ловила пробивающиеся крылышки лопаток, осторожно царапала между ними ногтями. Пашка так и урчал котенком от удовольствия...

С Максом она этими воспоминаниями не поделилась, его и без того задевали частые сравнения с Пашкой, которые возникали у нее сами собой. Ему хотелось быть мужчиной ее жизни, не мальчиком. Вряд ли они смогли бы подружиться с Павлом... Встретились бы как соперники, хотя делить нечего, у каждого свое место в ее сердце – не вытесняют друг друга. Ни один из них, как оказалось, не придет поздравить ее с днем рождения, а думалось – будут оба. Ну да ладно, не велик праздник...

– Как же ты собираешься жить без машины?

«Лучше спросил бы, как я собираюсь жить без тебя!»

– Она не так давно у меня. Я еще не приросла к сиденью. Не так уж далеко мне добираться до театра. Люди из Подмосковья на работу ездят.

– Я сам езжу из Подмосковья.

– Вот видишь.

Ее охватила паника: «О чем мы говорим?! На что тратим последние часы...» Она чувствовала, что необходимо сказать ему что-то особенное, что запомнилось бы и жило бы в нем еще много лет. Не то, чтобы воспоминанием о ней, просто – чем-то настоящим. Но ничего стоящего не приходило в голову. Звон в ушах стоял от пустоты. И преступно хотелось спать, будто организм ее внезапно истощился, перестал сопротивляться неизбежному. «Уснуть и видеть сны...»

Почему именно эта шекспировская строчка вдруг всплыла из десятков тысяч прочитанных? Никогда ведь ей не хотелось сыграть Гамлета, подобно Саре Бернар. Нет чтобы вспомнилось хотя бы: «Уж лучше грешным быть, чем грешным слыть...» Это более – к случаю. Про нее все равно рассказывали такие небылицы, что сама поражалась. Она переплюнула все домыслы, теперь сплетникам придется очень поднатужиться, чтобы пустить слух, который перекрыл бы скандальностью ее роман с парнем, годящимся в сыновья. Как это пошло звучит – когда их языком... Как это больно на самом деле, этим людям никогда не узнать. Своей боли не испытывали, души-то меленькие, чему там болеть? Упоение в одном: породить новый слух о человеке, который *живет*, а не треплется о жизни других.

Еще до того, как обнаружилась пропасть впереди («Он возвращается к сыну!»), Ольга специально сводила Макса в гости к завлиту их театра, в которой сама души не чаяла. Все равно в театре вот-вот пронюхают и будут болтать незнамо что, пусть лучше кто-то увидит Макса своими глазами. И лучше пусть Евгения Викторовна: ходили слухи, что у нее к шестидесяти годам тоже возник любовник, чуть ли не на двадцать лет моложе ее. И погиб потом как-то неправдоподобно трагически: какой-то псих засел в подмосковном лесочке с ружьем и палил по проносящимся по МКАД машинам. В него попал... Стрелка, разумеется, не нашли.

Маленький, седой живчик их театра, пульсирующая жилка, она приняла их, как родных детей, причем — равно родных и равно детей. Но успела шепнуть Ольге, пока Макс возился в передней:

— И ты в тот же омут с головой? Из-за таких мальчиков с ума сходят, ты в курсе?

Ольга заглянула ей в глаза:

— Ваш был таким же?

Качнула головой:

— Я была такой же, как ты сейчас. В таком же наркотическом дурмане жила...

— Я подготовилась к последствиям. С ума не сойду...

Евгения Викторовна качнула седой головой, стриженной «под мальчика»:

— Ох, детка, запретный плод не просто сладок, он твою волю парализует. Ничего с собой поделать не можешь, рвешься к пламени, как мотылек, хоть и знаешь заранее, чем кончится... Как и у тебя: любовников и раньше хватало, а такого, чтобы отдать и душу свою, и тело, и мысли все им занять — впервые случилось... После мужа. Только двоих и любила за всю жизнь.

«И вправду как у меня». Ей вдруг стало холодно, будто призрак своей одинокой старости увидела. Старая квартира, сразу наводящая на мысли о сцене: тяжелые портьеры, перехваченные золотистыми поясами с длинными кистями, шорох кулис, шепот истории, маски по стенам, снимков как в хорошем музее, и сплошь знакомые все лица... Преодолев минутную слабость, Ольга улыбнулась им всем разом, негромко назвала Максу некоторых, не известных по кино, для театралов же – незабываемых.

– Она их всех знала? – спросил он шепотом, пока Евгения Викторовна отмахивалась от своих пекинесов – папы с сыном.

– Лучше спросить, кого она не знает! Вся ее жизнь прошла в театре. Она даже родилась за кулисами между первым и вторым актом – родители были заняты в спектакле.

– Вы все так забавно говорите, – усмехнувшись, заметил Макс. – Ну, «служу в театре» – это еще куда ни шло. Высокое служенье... А «занята в спектакле»? Будто вы повинность отбываете. А сами же с ума сойдете, если вас лишить сцены.

Видение такого будущего Ольга всегда отгоняла с ужасом и сейчас не позволила себе даже представить.

– Это верно, – только кивнула она. – Женя от невроза лечилась, когда со сцены ушла. На месяц в больницу загремела. Не спрашивай ее об этом...

Не переставая говорить о своем, Евгения Викторовна усадила гостей на узенький диван, который сама называла «интимчик» – на нем можно было сидеть, только прижавшись друг к другу. Чувствуя, как Макс напряжен, все-таки они впервые явились к кому-то как образовавшаяся пара, Ольга смело взяла его руку и переплела пальцы. Он быстро взглянул на нее, краешки губ дрогнули, но улыбнуться пока не решился. Но Евгения Викторовна так уморительно рассказывала о вчерашних поисках пекинеса-сына, что через пару минут Макс уже смеялся, забыв о двусмысленности своего положения.

– И вот эту сволочь в три часа ночи привел консьерж! – ласково почесывая провинившуюся собачонку, продолжала хозяйка. – Не знаю, по каким борделям бегал этот мерзавец, пока я «Тартюфа» смотрела, но более грязного существа я еще в своей жизни не видела.

– Сходите к трем вокзалам, взгляните на бомжей, – посоветовала Ольга. Она уже несколько лет не могла забыть увиденных там двух баб со свекольными лицами, вонь от которых чувствовалась за двадцать метров. И жалко, и ужас охватывает...

Евгения Викторовна передернулась:

– Бр-р... И не подумаю. Они сами это со своей жизнью сотворили. Всегда можно выкарабкаться, хоть посуду мыть, хоть двор мести. Не хотят ведь! В принципе работать не хотят. Почему я их жалеть должна? Я-то с пятнадцати лет работала.

Макс напомнил ей о собаке:

– Вы его наказали?

– Отмыла и в ванной заперла, вот и все наказание. Девочка моя, – обратилась она к Ольге, – ты почему ничего не ешь? И Максимке не даешь. Отпусти ты его руку, в самом деле! Я его не украду. Хотя, может, и хотелось бы... Ты знаешь, Макс, что она вот такая артистка? – Показала большой палец. – В Голливуде этом сраном таких днем с огнем не найдешь. Ой! – Она зажала себе рот. – Я ругаюсь иногда...

– Да сколько угодно. – Ольга надкусила домашнее печенье с корицей. – Вкусно обалденно! Как вам новый «Тартюф»?

— А вы еще не видели? И не смотрите! Это просто ни в какие ворота... Все эти гомосексуальные дела на сцене, уже подташнивает от этого, честное слово. Не для вас зрелище, дети мои.

— Непримиримая натуралка, — поддразнила Ольга.

Евгения Викторовна притворно вздохнула:

— Люблю мужчин, никуда не денешься.

— И они вас любят.

— Я разведена, деточка, — пояснила она Максу, — уже четверть века как... Могу себе позволить. Мои дети, — красивый жест в сторону пекинесов, — не возражают. Правда, одному из моих любовников ботинки погрызли. Не понравился. И мне, кстати, тоже.

Макс рассмеялся:

— Они угадали, что вы их не накажете за это! Не знал, что пекинесы такие умные.

— В них тоже восточная кровь, — шепнула Ольга. — Как ты можешь их недооценивать?

— Во мне разная кровь, — отозвался он полусерьезно. — Я не принадлежу никому...

«Вот когда прозвучал его манифест, — вспомнила Ольга из сегодняшнего дня. — Он не принадлежит никому. Ни матери, ни мне, ни жене... Даже сыну не принадлежит. Даже искусству. Пожалуй, он и сам еще не понимает, что, главное, составляет суть его жизни. Он наблюдает за ней и пытается понять. Но это что-то понастоящему значительное, я чувствую. Если бы у меня был миллион, я отдала бы его Максу, чтобы он мог жить в своем мире, и не суетиться, как все мужики, которых я знала до него. Они до того замотаны своими неотложными делами, что на любовь у них просто не остается сил... В постели — одно фиаско за другим. Я не хочу, чтобы с ним однажды случилось такое...

Чтобы ему приходилось вскакивать ночами и садиться за компьютер, чтобы доделать работу, которую утром нужно сдавать, а у него вылетело из головы...»

Уволился, вспомнилось ей. Из-за чего? Кто-то оскорбил его? Недооценил? В лице Макса еще там, в спортивном зале, она сразу заметила тот налет аристократизма, который выдает неспособность снести неуважение. Его задели, он хлопнул дверью. Иначе не может. Это ее поколение с младенчеством впитывало искусство двуличия: на кухне – одни, на площади – другие. Актерство всех и каждого. А Макс подрастал, когда вокруг кричали обо всем, что на ум приходило. Никакой опаски, эзопов язык им незнаком, они даже не представляют его прелести, которая переполняет сказки Шварца. Как вообще они, двое, ухитряются находить общий язык? Ведь понимают друг друга с полуслова...

...Макс уже уснул, лежа на животе, и она позволила в который раз навернувшимся слезам обжечь веки, растечься по вискам. Укрыла своего мальчика одеялом, поцеловала воздух возле сонно раскрывшихся губ. Пашка до сих пор причмокивал во сне – искал ее грудь. Она случайно услышала это у них дома, в Париже. И чуть не расплакалась прямо в коридоре: хоть на уровне инстинктов, но она так необходима ему... Энергетическую пуповину не порвали ни годы, ни страны.

– И с тобой будет также, – шепнула Ольга одними губами. – Куда бы ты ни уехал, сколько бы лет мы ни виделись, я всегда буду в тебе, а ты – во мне.

Он не услышал.

* * *

Жизнь после жизни – вот чему теперь предстояло учиться. Заставить себя относиться к этим двум неделям как к пустячному приключению – нечего и пытаться. Когда-то, еще в театральном училище, Ольга бравировала тем, что заводила себе мальчиков на лето, целовались на пляжах до одурения... А в сентябре начиналась учеба, в которую уходила с головой, и романы кончались сами собой. Только из этого времени она давно выросла, по швам затрещало бы старое платье юной стервочки, если б попыталась натянуть его сейчас. Все всерьез. Жизни не так много осталось, где уж тут развлекаться! До климакса – рукой подать... В зеркало все чаще хочется смотреться только издали.

– Теперь хоть высплюсь как следует, – пытаясь ухватиться хоть за что-то хорошее, уговаривала она себя. – Все доктора твердят, что для женщины хороший сон лучше всяких масок... А он разве дал бы мне отоспаться?

Смешные попытки занять себя чем-то, пока сердце разрывается: новое платье купила в «Галерее Актер» на Тверской – заранее в подарок на день рождения. Отдала последние деньги, чтобы изобразить перед продавщицами богатую женщину. Стоило ли того? Повертелась среди зеркал, ловя отражение молодости, которая еще промелькивала, вспыхивала во взглядах мальчиков в форменной одежде. Ольга украдкой всмотрелась в лицо каждого: мог бы заменить ей Макса? Откровенно поморщилась, испытав даже гадливость какую-то... Его ровесник как таковой был ей не нужен. Сейчас она, пожалуй, поддержала бы Таню: с сосунком возиться... Да и с ровесником тоже. Не говоря уж о тех, кто старше – явственно отдающих запахом тлена. Там дряблость души и тела: какой картинг, какие забавы в узкой ванне? Газетка после обеда, дневной сон на диванчике...

«Макс, – протянулось стоном. – Где ты, Макс?»

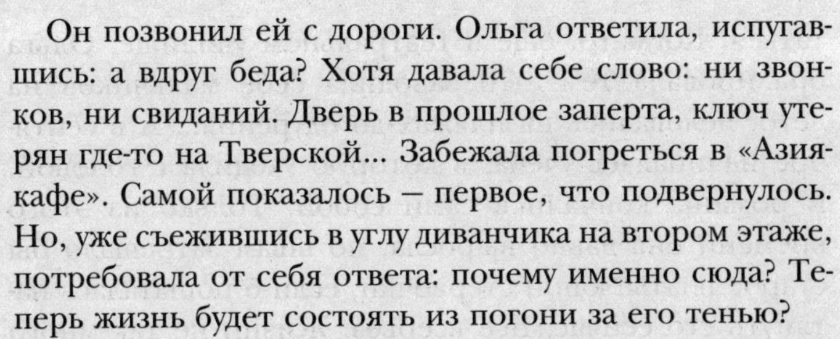

Он позвонил ей с дороги. Ольга ответила, испугавшись: а вдруг беда? Хотя давала себе слово: ни звонков, ни свиданий. Дверь в прошлое заперта, ключ утерян где-то на Тверской... Забежала погреться в «Азия-кафе». Самой показалось – первое, что подвернулось. Но, уже съежившись в углу диванчика на втором этаже, потребовала от себя ответа: почему именно сюда? Теперь жизнь будет состоять из погони за его тенью?

Под совершенно жуткие кришнаитские напевы машинально заказала кофе латте и жасминовый чизкейк – то, что уже брала здесь. В ту невероятно далекую пору, когда была жизнь до Макса.

Очередной его звонок застиг ее, пригубившей кофе. Прошлый был из Суздаля. Он сказал: «Мне хотелось бы, чтоб мы увидели это вместе». Ольга нажала на кнопку отбоя так поспешно, будто телефон мог утянуть ее внутрь, пустить следом за безумным Белым Кроликом. Теперь Макс звонил с Урала.

– Ты не представляешь, какая здесь красота! Эти горы... Они синие. Нет! Они разноцветные. С самолета этого не разглядишь.

Она заставила себя откликнуться сухо:

– Ты не должен больше делиться со мной всем, что видишь.

– Но я не могу! – вдруг закричал он так громко, что ей пришлось отставить трубку.

Пара, занимавшая соседний диван, оглянулась. Вполне традиционная пара, отметила Ольга. Ей двадцать, ему пятьдесят. Чудовищно. Эта девочка останется фригидной на всю жизнь, тошнить ведь от секса будет, от одного запаха мужчины... Никакие деньги этого не окупят. Жаль, она еще не понимает этого.

– Я не могу не рассказывать тебе всего, что со мной происходит. Я так привык к этому!

– У нас не было времени на привычку...

– На хорошую привычку много времени не надо.

– Макс, мы ведь обо всем договорились.

– Что это за музыка? Где ты? – спросил он требовательно.

Ей даже стало смешно:

– Ты ревнуешь? Я в одной кафешке в центре. Ничего особенного, греюсь. Я ведь теперь пешком хожу.

Он сразу поутих:

– Спасибо тебе.

– Как она себя ведет?

– Вполне прилично. Слушается меня.

Ольга спрятала улыбку за согнутой рукой:

– У меня такое чувство, будто я отдала тебе собаку. Душа за нее болит.

– Я не издеваюсь над ней. Еду не больше ста двадцати.

– Где ты ночевал?

Она сразу же пожалела, что спросила об этом. Малейшее проявление заботы – и лед отторжения тает сам собой. Разве ей хочется, чтобы он растаял?

«Хочу этого, конечно же хочу, – застонала душа. – Но я ведь уже все выяснила для себя... В юности – отвоевала бы его, забрала себе. Чужой ребенок – чужая боль. Сейчас – сама погнала к сыну. Вот что делают годы...»

Улыбаясь в пространство, выслушала его рассказ о придорожной гостинице, о соседях-дальнобойщиках, нарисовавших Максу карту более точную, чем он купил – на магазинной не были указаны посты ДПС.

– Когда ты будешь дома? Завтра?

Он отозвался не сразу:

– Дома я буду, когда вернусь в Переделкино. В Кемерово у меня больше нет дома. И семьи нет, понимаешь? Я еду туда только ради сына.

– Ребенок – это и есть семья. Для меня – так.

– То есть мы для тебя семьей стать не могли?

– Только если б я усыновила тебя. А ты меня launchматерил.

Шутка вышла оскорбительной, Макс обиделся. Хотя для нее это звучало куда обиднее. Но самим произнесенное никогда не ранит. Через досаду на себя порадовалась: пусть затаит обиду, постепенно она потеснит любовь. Холодный душ на борьбу с хмелем их любви...

– У меня кофе остывает, – добавила она льда. – Извини. Если ничего не случится, больше не звони.

– Нужно, чтобы я в кювет улетел? Тогда ты соизволишь со мной поговорить?

– Чего ты добиваешься? – Теперь Ольга действительно разозлилась. – Зачем закидывать отдельные ниточки, если мы уже перерубили канат?

– Разве уже?

– Ты издеваешься?!

На нее опять стали оглядываться. Она отключила трубку, ничего больше не добавив. Максу потребовалось секунд двадцать, чтобы дозвониться снова. Ей – секунды три, чтобы отключить телефон вообще. Кто еще мог ей позвонить? Сегодня она не занята в спектакле – значит ничего срочного быть не может.

Уже не хотелось ни есть, ни пить. Ольгу вдруг потрясло ощущение полной бессмысленности ее существования. Для чего ей это новое платье, которое прижимается к боку, упакованное в красивый пакет? Зачем тратить деньги на кофе? Да и сами деньги – нужны ли они? Голову сдавило так, что невозможно оказалось припомнить, как ею оправдывалась необходимость всего этого в той жизни, что была до Макса. Будто бы тогда она ходила на тренировки, уходила с головой в новые роли, хваталась за предложения рекламщиков, даже просто читала – все ради того, чтобы, когда появится Макс, показаться ему подтянутой, молодой, яркой, глубокой... Это было не так, конечно, ей самой хотелось быть такой, но ради чего?

Отчетливо представилось, как она придет домой, наденет красивое платье и туфли, пройдется по пустой квартире, в которой, кроме нее, даже кошки нет. Ни дать ни взять – Надя из «Иронии судьбы». Только темноволосая... У той, правда, мама была рядом, чтобы разбавлять голосом тишину, которая с годами пугает все больше.

Ольга включила телефон и, пока не пробился Макс, быстро набрала номер матери:

– Привет. Вы дома? Я сейчас приеду.

Когда она так огорошивала, мама обычно хваталась за сердце: «Что-то случилось?!» Поэтому Ольга сразу успокоила:

– Ничего не случилось. Просто соскучилась. Думаешь, я не способна на это?

«С весны у них не появлялась, – упрекнула она себя, сбегая вниз. – А Макс уехал, сразу помчалась к родителям раны зализывать».

Спрятавшись под зонтом, добежала до «Чеховской», нырнула в метро. До Чертаново ехать и ехать, без всякой связи с миром. Можно больше не выключать телефон, все равно Макс не дозвонится. Ей повезло, сразу удалось сесть. Как бывало раньше, уткнуться в книгу. Но вместо того, что было написано там, проговаривала про себя: «Нужно снова начать тренироваться... Позвонить Владе на радио, может, что есть для меня? Начну копить на лето, в Италию хочу!»

Но сквозь эти разумные мысли пробивалось жалобное: «Зачем? Зачем? Если даже я стану старой и толстой, кому какое дело до этого? Пашка все равно только звонит... Родители меня всякой любить будут. Возьму на себя роли комических старух... Кто-то же должен их играть».

Ей захотелось зажмуриться: «Лиши меня надежды, Господи! Это ведь преступная надежда. Сделай так, чтобы я даже не допускала мысли о том, что он может вернуться. Он ведь и не уходил от меня. Не ушел бы, если б я сама не отправила его восвояси... Но я же знаю, что не позволю себе ни растолстеть, ни опуститься только потому, что буду ждать его. Даже сейчас жду: выхватываю взглядом лица парней, входящих в вагон».

Один из них посмотрел на нее внимательнее остальных. Блондин, волосы чуть вьются, нос небольшой картошечкой – пастушок да и только! Ольга отвернулась.

...Домой возвращалась, бережно баюкая новую боль: какие же родители маленькие стали! Как они хватались за нее, будто нищие, умоляющие о куске хлеба... А они ведь вместе. Как же ее согнет со временем одиночество, прибьет к земле... Хотелось заорать во весь голос: «Зачем я отпустила его?! Что я – мать Тереза, чтобы жалеть чужих детей? Катя его оттолкнула, упрекнула в болезни ребенка, до стерилизации довела, подумать страшно... Макс не бросал сына, его мать осиротила. В чем же мне себя упрекать? Не в чем. Но я уже прожила такой громадный кусок жизни, что не имею права отбирать крошки у тех, кто только начинает жить. У Илюши, у Кати этой... У Макса. Пусть живет!»

Утром на репетицию явилась оживленной и свежей. Никакого траура, даром, что ночью пододеяльник зубами рвала... Но кто это знает? Зато о том, что у нее молодой любовник, уже всем известно, пусть пошипят вслед, покапают ядом, а то еще захлебнутся ненароком от избытка.

Не первый раз эту пятиминутку ненависти по Оруэллу устраивала, каждая репетиция начиналась теперь именно с этого. С того дня, как они с Максом побывали у Евгении Викторовны в гостях. Молчать Ольга ее не просила, сознательно ведь смотрины устроила. Даже благодарна была завлиту за то, что она, судя по реакции баб, расписала Макса, используя сплошь превосходные степени.

Вот об отъезде его Ольга никому не обмолвилась. Чем дольше будет витать вокруг нее смутная тень юного любовника, тем лучше. В театре такие истории всегда были лучшей рекламой. И режиссеры охотнее замечали тех актрис, которые вызывали ненависть остальных – проверку на выживаемость выдерживали. Значит, и роль могли удержать достаточно долго, обеспечив живучесть спектаклю.

Пронеся счастливую улыбку сквозь завесу сигаретного дыма в коридоре, где трепались молодые артисты, Ольга нырнула в свою гримерку. Расслабила лицо, свернулась в любимом кресле, куда всегда падала после спектакля.

– Все, как прежде, – прошептала, глядя на свой туалетный столик, знакомый каждой царапинкой. – Выживу?

Дышать было больно, и рука все время искала телефон – не вибрирует? Может, сигнал забыла включить после вчерашнего спектакля? Нет, все было в порядке, просто Макс больше не звонил. Разве не на этом настаивала? Чтобы отрубил хвост одним взмахом... А теперь уже согласна была, чтобы пилил тупым ножом, но – отпуская изредка, чтобы после тягучей боли познать радость.

Часы требовали, чтобы Ольга вышла на сцену. Партнеры бесятся, когда она опаздывает. Почему-то именно ее редкая-редкая непунктуальность вызывает такое бешенство. Другие прибегают в середине репетиции, за них режиссеру приходится текст говорить, и ничего. Ольга оправдывала их: по той голове бьют, что выше других. Ей попадало часто.

На этот раз не задержалась ни на минуту, еще стычек с серпентарием ей не хватало... Текст уже записан на подкорку, слов она не забывала. И помня печальный опыт моэмовской Джулии, гнала подальше мысли о молчащем телефоне. Сейчас ее зовут вовсе не Ольгой Корниловой. Какой еще Макс? Такой не значится в списке действующих лиц.

Только на одной фразе споткнулась. Когда с растерянностью, граничившей с идиотизмом, спросила о сбежавшем с ее драгоценностями муже:

– Но ведь он вернется, правда?

По задумке автора, ей никто не должен был отвечать, а она снова и снова допытывалась у собравшихся в доме гостей:

– Он вернется. Вы не верите? Он вернется ко мне!

Ольга проорала последнюю фразу с таким диким надрывом, что все на мгновение выпали из образов. Даже молодой режиссер, ставивший этот спектакль, подскочил:

– Ольга Александровна, так, пожалуй, слишком!

«Да что вы понимаете?!» – хотелось бросить ей. Выкрикнуть на том же накале. Но Ольга лишь буркнула:

– Так – в самый раз.

– Но ведь...

– Она его у вас любит? – перебила не уверенного в себе режиссера. – Тогда так и должно быть. Что вы все так смотрите?

Она отступила назад, бросила им:

– Вы все просто понятия не имеете, что такое любовь! Как она все нутро выворачивает. С чего же она сюсюкать будет, если у нее внутри огонь?! Шепот – это для двоих.

Почему-то никто не стал с ней спорить...

«Я выдала себя», – поняла она, только выйдя из театра. Шла напрямик по лужам, которые лень было обходить – в метро все с грязной обувью. Коллеги тоже наверняка уже лепят для нее комки грязи: «Ага! Не просто быть с молодым?» – «Да он наверняка уже сбежал от нее, вот и бесится!» – «Расчухал, что старушка не такая уж и богатая, и дал деру...»

> Спасаться оставалось шепотом на ходу:
> Пригвождена к позорному столбу,
> Я все ж скажу, что я тебя люблю.
> Что ни одна из самых недр – мать
> Так на ребенка своего не взглянет...

Тенью цветаевской прикрыться – авось, не заметят. Только эти все замечают, недобрый глаз – зоркий. Что ее красная «Рено» больше не появляется на стоянке, кто-то засек в первый же день. И тут же слух пронесся по театру: «Она машину ему свою подарила! Задабривает, чтобы не бросил». Каждый день сканировали Ольгу с ног до головы: «Мешки под глазами видели? Замучил ее мальчик... У него-то сил как у жеребца, а ей-то куда?» – «Зато платье новое... Он, поди, подарил!» – «Да прям уж! Такие кровососы не дарят. Они только брать умеют. Это ей с ним за удовольствие расплачиваться...»

Две недели бессонницы, которой и сама объяснить не может. Никто не мешает, не вытягивает теплой рукой из сна, в который только окунулась. Было, что Макс будил ее ночью, подкравшись со спины, страстно мял ее сонное тело, будто готовился вылепить из него что-то новое, более прекрасное. Может быть, саму любовь? Не успел.

Ольге вспомнился незаконченный эскиз, оставшийся в Переделкино, – зачем он ему теперь? Катя обнаружит, расстроится, ведь с первого взгляда видно, что эту женщину он лепил с желанием не только скульптора – мужчины. Сама Ольга увидела эту его работу, для нее – главную, только мельком. Но и взгляда вскользь хватило, чтобы понять, сколько Макс вложил себя в эту скульптуру. Не столько Ольга в ней, сколько его страсть к ней, откровенная эротика, ничего прекрасно-целомудренного, как в Венере Милосской. Даже равнодушному зрителю будет ясно, что эта женщина жаждет настоящей вакханалии. И сейчас она ее дождется...

– Надо забрать ее из Переделкино, – поняла Ольга однажды утром. – Надеюсь, Михаэль еще там. И, надеюсь, Макс оставил ему ключ от дома...

Не давая себе оттянуть время, чтобы не испугаться задуманного, она позвонила отцу, еще сидя на постели.

– Папа, ты можешь дать мне на день свою «Оку»? У меня машина в ремонте. Срочно нужно!

Отец дорожил своей «крошкой» больше, чем дочерью, когда она была маленькой. Ольга не помнила, чтобы для нее он придумывал столько ласковых прозвищ. Но когда поняла это, была уже взрослой, а до того пребывала в уверенности, что все отцы так скупы на проявление нежности. Мать любила потискать ее, поворковать над ее постелькой, и Оле хватало этого –

не обделена ведь любовью. Потом и сама над колыбелью сына разливалась...

Дав отцу миллион клятв, что она не будет гнать и пускаться на обгоны, чтобы, не дай бог, не царапнуть его «девочку», Ольга все же прорвалась за руль крошечной машинки и мстительно подумала, что отцу только такая под стать – он всегда напоминал гриб-боровик. На этот раз она подобралась к Переделкино с юга, так оказалось даже ближе к дому Макса. И только остановив машину, с ужасом вспомнила о Людке-китайке, которая вполне могла оказаться здесь.

Выбравшись из «Оки», прислушалась, как будто Людмила могла грохотать посудой в одиночестве. Но вместо нее из своего флигеля появился Михаэль в толстом белом свитере с узорами, сейчас больше похожий на скандинава, чем на немца. Ольга обрадовалась ему, как родному.

– О, Михаэль! – Она бросилась к нему, схватила за руки. – Как здорово, что вы здесь! Мне нужно кое-что забрать у... из дома. Макс оставил вам ключ?

– Конечно, – кивнул он. – Я сейчас принесу. Или... зайдете?

Взглянуть, как живет обрусевший европеец, – любопытно. Ольга шагнула за ним во флигель, оказавшийся совсем маленьким: комната и кухня. Ну, удобства есть, и то хорошо... Книжные стеллажи делили комнату надвое. Над письменным столом с компьютером – несколько фотографий. Она пригляделась: наверняка снимок родителей и еще какой-то девушки, по виду русской.

– Здесь у меня кабинет, – пояснил он, улыбаясь. – А здесь спальня.

Кровать узкая, солдатская. Никуда не денешься, все эти немцы в душе воины. Вскочил по сигналу горна и вперед – защищать свой Фатерлянд. Заметив ее улыбку, Михаэль застенчиво спросил:

– Очень неуютно?

– Ну, что вы! Все так... по-мужски.

– Летом я ставлю здесь цветы. – Он указал на подоконник. – Люблю гулять по полям вокруг Переделкино. Такой воздух! Несколько раз подумывал снять квартиру в Москве, чтобы ездить поближе. Но разве отсюда можно уехать?!

«Такой милый, – подумала Ольга с нежностью. – Лучше б я в него влюбилась, честное слово... Но Макс... Это Макс!»

– У вас замечательно, ничего лишнего. Я тоже не люблю нагромождение мебели, у меня гостиная почти пустая: диван и аппаратура, которую еще сын покупал. Ну, телевизор, само собой.

– А у меня нет телевизора, – похвастался Михаэль.

– И правильно. Все равно только листаешь программы – остановиться не на чем. Если только запись спектакля покажут... Хотя живьем все равно лучше, дыхание зала слышишь, глаза видишь. Это, конечно, если сама не на сцене. Оттуда я мало что вижу.

Немец часто заморгал:

– Оля... Почему Макс уехал?

– А он вам не сказал?

– Нет. Я только знаю, что он опять отправился в Кемерово. Почему?

– Потому что у него там сын. – Она постаралась произнести это естественно, без надрыва.

– А! Это я знал. Но я думал...

– Макс ведь не из тех мужчин, что бросают своих детей.

Михаэль пожал плечами:

– Не обязательно бросать... Что это вообще значит – бросать? – Он смешно выговорил: – Зашвырнуть подальше? Не нужно так. Можно ведь звонить. Писать.

– Его мальчик очень болен, Михаэль. Наверное, он не говорил вам.

– Почему? Говорил.

– Тогда почему же вы спрашиваете?

– Оля, вы, может, присядете? – Он указал на мягкий стул возле письменного стола, а сам оседлал табурет. – Значит, Макс решил принести себя в жертву? Чтобы спасти сына. Думаете, Богу угодна такая жертва?

– Я не знаю, что угодно Богу, – отозвалась Ольга устало. День только начался, а ее уже придавливало к земле. – Как мы вообще можем об этом судить? Вы же знаете: пути Господни неисповедимы... Зачем Он привел ко мне Макса? Может, как раз лишь для того, чтобы я отправила его в Кемерово? И тем спасла бы его душу. Сам бы он не решился...

– Вы это так видите? Душу спасла?

– А вы как это видите?

– Один священник говорил мне, что самый большой грех – это предать любовь. Убить ее.

– Лютеранский священник?

– Православный.

Она оглядела комнату: икон не было.

– Вы ходите в церковь, Михаэль?

– Иногда хожу. Почему – нет?

– Просто странно слышать от верующего человека, что он одобряет прелюбодеяние.

Он вскинул большие ладони:

– О, нет! Здесь нет прелюбодеяния. Макс не был женат на матери своего ребенка.

– Какая разница?

– Огромная. Их брак не был освящен церковью, мальчик не был крещен. Для церкви этот ребенок – незаконный. У него нет ангела-хранителя.

– Ужас какой-то, – пробормотала Ольга. – Хотите сказать, что он поэтому и заболел?

Михаэль покачал головой:

– Этого никто не знает – почему? Но есть такая теория, что болезнь посылается нам в наказание.

– Ему три года! За что его наказывать? За прошлые жизни? Но до меня не доходит: как человек может понять – за что расплачивается, если он этого прошлого не помнит? Вот то, что грехи отцов падают на головы их детей, это понятнее...

– Но вы здесь ни при чем, – предостерег Михаэль. – Ребенок заболел раньше, чем Макс встретил вас.

– Думаете, я этому очень рада? Я – ни при чем, значит, мне должно быть легче? Ничуть не легче.

Она встала, быстро пошла к двери, и немец тоже вскочил, бросился следом.

– Я не предложил вам чая...

– Лучше дайте мне ключ. – Она остановилась в дверях. – Или, знаете что... Пойдемте со мной. Мне может понадобиться помощь.

Ключ нашелся на гвоздике у двери – так делают в деревенских домах. Откуда это узнал Михаэль?

– А потом вы, может быть, выпьете со мной чаю? – не унимался он.

Ольга рассмеялась:

– У вас маниакальное желание меня напоить?

– Только чаем! – Он опять вскинул руки, ключи тихо звякнули, напомнив о Максе.

– Я и не сомневалась. – Она притворно вздохнула, заставив его улыбнуться. – Вы знаете, как открывать?

– Конечно. Я уже заходил. Макс просил проветривать. Неприятно возвращаться в дом, где затхлый запах.

Дважды повернув ключ, Михаэль толкнул дверь и пропустил Ольгу, которая спросила на ходу:

– Вы уверены, что он вернется?

– Он так сказал, – наивно отозвался немец.

– Ну, мало ли...

– Он еще сказал, что потому и едет на машине, чтобы привезти своего мальчика сюда.

– И Катю.

– Да, – согласился он. – И Катю. Больной ребенок не может без матери.

– С отцом ему тоже будет лучше, что бы вы ни говорили.

– Если они будут... жить в любви.

– Опять вы о любви! – отозвалась она раздраженно. – Не одной любовью жив человек. Знаете ведь: мы в ответе за тех, кого приручили.

– Да, знаю, знаю.

Отступая, Михаэль повернулся к ней лицом, мешая прочувствовать атмосферу дома, в которой как раз и растворилась любовь. Ольге представлялось, как она шагнет в настороженную тишину, как бесшумно (нарочно летние тапочки надела) пройдет по комнатам, пытаясь уловить ускользающие шаги Макса, его смех, его шепот. Притихшие модели, замершие в ожидании приказа солдаты, уснувшие орудия – все застыло в ожидании Макса. Только его руки способны оживить скульптуры, напитать их тем теплом, которое и делает искусство живым. «Джоконда» – живая, Ольга почувствовала это в Лувре. Вечная женственность, даже если это и впрямь портрет Леонардо... Парадокс половой принадлежности.

Немец мешал ей отрешиться от сегодняшнего дня, снова услышать свой стон из мастерской Макса. Тягучей болью в низу живота прочувствовать тот первый день, помучить себя воскресшими ощущениями. Чтобы кто-то другой помог справиться с наваждением, и в голову не пришло, хотя Михаэль был в двух шагах, стоило руку протянуть, и заглушила бы тоску плоти. Даже не подумалось, не то что не захотелось...

– А что вы хотели забрать? Знаете, где лежит?

– В мастерской. Пойдемте.

Там мельком взглянула на рабочий стол, еще залитый их с Максом совпавшими желаниями. Сердце торопливо отстукивало: «Бежать отсюда! Не то останусь. Затянет – не вырвусь. Он вернется, а я здесь. Пригвождена».

Резко отодвинула клеенчатый занавес: вот она. Все тело напоказ. Ничего не утаил. Даже идиот поймет, что это тело он узнавал не только глазами – руками, внутрь проник, желая постичь самую суть. Может, так и должен работать художник? Душой и плотью познать свою модель прежде, чем приступить к работе, иначе жизнь в нее не вдохнешь. Только изо рта в рот...

Вдруг ощутила, что за спиной стоит мужчина. Не произведением искусства любуется – ее оценивает. Изучает Ольгино тело, все изгибы которого полны желанием. Ей стало неловко. Быстро пошарив взглядом, нашла старую скатерть, лежавшую на станке, накинула на скульптуру.

– Беритесь, Михаэль. Она уедет со мной. Макс говорил мне, что сделал эскиз из глины. Потом собирался из камня высечь. Но я думала, что эскиз поменьше, я как-то видела его, но размеров не оценила. Тем более веса... Такой и не утащишь!

Немец все еще не решался помочь ей:

– А Макс знает?

– Макс знает, что мы расстались. Ничто не должно напоминать обо мне. Разве не так?

Чуть выпятив губы, он качнул головой:

– Но это не вы. Это его работа. Нельзя забирать ее без его согласия.

– Тогда я вынесу ее сама. – Ольга попыталась приподнять. – Тяжелая, зараза!

Михаэль отодвинул ее:

– Разрешите...

Но Ольга ухватилась за ноги:

– Давайте вместе. А то еще уроните, жалко будет.

– Я участвую в ограблении, – пропыхтел он, продвигаясь к выходу. – Россия – непредсказуемая страна. Вы показались мне такой... трезвомыслящей, – выговорил немец с трудом. – А вы – настоящая бандитка.

– Вы – мой сообщник, так что помалкивайте, Михаэль. – Она ласково улыбнулась. – Ставьте на траву.

– Она мокрая.

– Значит, придется положить ее на сиденье без тряпки. Сейчас я открою. Вам не надо в Москву? А то заодно помогли бы мне и домой ее занести.

Он что-то вспомнил:

– А, сейчас. Я только возьму...

Когда он скрылся во флигеле, Ольга заперла дом. Прощание получилось скомканным, она не успела насладиться печалью. Нужно было зайти одной, а потом уж позвать Михаэля. Он, конечно, очаровательный человек, но сейчас он был там лишним. Помешал прочувствовать возвращение во вчера. Или его не получилось бы в любом случае? Все эти попытки вернуться в свое детство или на тропу первой любви, как правило, заканчиваются разочарованием: все не то, все не так...

Она поглубже вобрала влажный воздух: хоть надышаться как следует перед возвращением в Москву. Солнце не балует этой осенью, вернее, уже зимой – декабрь наступил. Снега почти и не было, трава зеленая кругом, будто природа тоже борется со старостью, с сединой. Ладно, пусть бы слякоть, все не такая стужа, как в прошлом году, но вот солнце хоть иногда проглядывало бы... Прожигало б дырочки в завесе тоски, позволяло б улыбаться косым лучам, в которых голые ветви и те светятся радостью.

Врачи предупреждают о возможной депрессии, советуют глотать витамины В и С. Разве они могут помочь от одиночества? Не изобрели еще такого витамина. А человека не проглотишь, запив водой, чтобы он растворился в тебе и наполнил ощущением единства. Это только говорится, что, мол, теперь он будет жить во мне постоянно... Но вот он уехал, и этого ощущения как не бывало. Нечего обманывать себя.

Ты больше не возникнешь на пороге кухни в одних белых трусиках – прекрасный туземец! – взлохмаченный и чуть опухший ото сна, с глазами еще более узкими, чем обычно. Босыми ногами не прошлепаешь ко мне, чтобы ткнуться в щеку:

— Доброе утро! Ты опять проснулась раньше меня. Я думал, артисты дрыхнут до обеда...

— Мне жалко тратить время на сон, – ответила бы я. – Я успела полюбоваться тобой, пока ты спал.

— То-то мне снились кошмары! Разве можно смотреть на спящего человека?

— Если с любовью, то можно.

— А ты смотрела на меня с любовью?

— А ты сомневаешься?

— Иногда – сомневаюсь.

Почему она ни разу не спросила, из какой мелочи проклюнулось это его сомнение? Не разубедила его. Обычная женская придурь: мужчина не должен быть полностью уверен в твоей любви. Иначе потеряет интерес. Достигнутая цель – больше не цель.

Но и цель недостижимая тоже перестает привлекать. Если нет надежды овладеть чем-то, можно просто переключиться на другое. Даже если делаешь вид, будто соглашаешься на это против воли. Будто вовсе не хочешь возвращаться в Кемерово, где, оказывается, живут самые красивые девушки...

Ольге вдруг нестерпимо захотелось увидеть Катю. Не потому, что врага следует знать в лицо. Какой она ей враг? Несчастная девочка, совсем одуревшая от свалившейся на нее беды. Еще неизвестно, что, отчаявшись, могла проорать сама Ольга, если б такое случилось с ее сыном... Ее передернуло от ужаса: нет, нельзя даже представлять такое! Только не представлять! А Катино лицо потребовалось узнать, чтобы понять о Максе, почему его так неодолимо потянуло к ней, Ольге, о которой он сразу знал, что она старше на четверть века. Пусть все ощущения в ней все той же студентки, безумно влюбившейся и в сцену, и в любовь, как таковую, но ведь сами цифры пугают... Почему они не испугали Макса? Чего он навидался такого, что такой временной разрыв пустяком показался?

«Надо было расспросить его, – покаялась Ольга. – Он рассказал бы. Мне – рассказал бы. Может, даже обиделся, что я ничего не спросила о ней. Он ведь выпытывал у меня обо всех моих мужчинах... Чтобы свое превосходство почувствовать? Кто последний, тот и победил? – Она позволила себе усомниться. – А он – последний? Разве он мог быть уверен в этом?»

Михаэль выскочил из своего флигеля, когда она уже потеряла терпение. Скандинавского свитера на нем больше не было. Кожаная куртка, темная водолазка, другие джинсы. «Ботинки хорошие, – отметила Ольга. – Сразу видно, что кожа просто классная. Явно оттуда привез».

– Мы поставим ее на заднее сиденье? – спросил он. – А она не упадет?

– Я осторожно поеду. Эта колымага и так еле дышит, лучше не рисковать. Вы садитесь впереди, вместе сзади не поместитесь. Только присматривайте за ней, пожалуйста.

Затолкав непомерно большой эскиз на заднее сиденье, Ольга бросила скатерть в багажник – прикрыть возле подъезда, чтобы старух не пугать. Михаэль уже сидел впереди, то и дело оглядывался.

– Как-то странно ехать в машине с обнаженной женщиной, – пожаловался он.

– Она вас смущает? Мане, кажется, ответил на упрек одной из посетительниц вернисажа, заявившей, что женщина, им нарисованная, ничуть не похожа на женщину...

Михаэль закивал:

– Да-да! Он сказал: «Мадам, это не женщина. Это картина». Я понял вас. Это действительно сказал Мане. Вы не ошиблись.

– Значит, память еще не подводит. Но суть не в этом.

– Конечно. Извините.

– Да пожалуйста-пожалуйста! – отозвалась она насмешливо. – За что вы извиняетесь?

Присмотрелась к нему повнимательней:

– А вы куда собрались, Михаэль? На свидание?

Он застенчиво улыбнулся:

– Это сразу заметно?

– Это ее фотография висела у вас над столом?

– Вы ведь не подходили...

– Но я заметила.

– Макс был не против, если бы я привел ее в свой флигель. Но вот не знаю, как теперь...

– Не будет ли против Катя? Я не думаю, что она начнет командовать прямо с порога. В любом случае вы еще можете успеть перевезти свою девушку к себе до того, как...

Хотелось приучить себя говорить о Кате с тем мудрым спокойствием, которое было под стать Ольгиному возрасту, но обида, совсем детская, то и дело мешала. Когда удавалось взглянуть на все отстраненно, она признавала, что это Катя может затаить на нее обиду, ведь, по сути, Макс изменил с Ольгой матери своего ребенка. Вот только Катя ничего не знала о существовании соперницы, а следовательно, это не могло мучить ее.

Теперь Макс с ними, подумала она. Наверное, они уже собирают вещи, распродают мебель... Или решили пока не спешить с этим? Еще неизвестно, как все сложится, если один раз уже не сложилось... В том, что в Москве найдется клиника, где Илюше смогут помочь, Ольга почему-то не сомневалась. Она отправила Макса не хоронить ребенка. Она решила, что он должен жить с ним вместе.

«*Я* решила, – подчеркнула Ольга. О сидевшем рядом Михаэле она на время забыла. – Почему я взяла на себя право решать что-то? И даже не усомнилась... Прерогатива моего возраста? Будь он моим ровесником, я не стала диктовать бы ему волю. Нет, я ведь и не диктовала! – попыталась оправдаться она. – Я всего лишь убедила его в том, что правильнее. У меня было время понять, что невозможно чувствовать себя счастливым с таким непомерным грузом на душе. Мы только извели бы друг друга...»

– Вы хорошо ведете машину, – напомнил о себе Михаэль. – Так уверенно.

– Мне бы во всем чувствовать себя так же уверенно...

– Нет? Не чувствуете? А кажетесь... Звездой, не знающей сомнений.

– То есть полной дурой?

Он смутился:

– О, нет! Что вы. Я не то хотел сказать...

– Но ведь не сомневаются в себе только идиоты.

Подумав, немец заметил:

– Макс очень не уверен в себе.

Она только кивнула, припомнив, какое удовольствие ей доставляло захваливать его. Исподволь, чтобы Макс не подумал, будто это неискренне, но проникся уверенностью в том, что действительно заслуживает таких слов. Ольга хорошо помнила, как ей самой хотелось услышать от Вадима, какая она потрясающая актриса, и как великолепно готовит, и как ей удается находить общий язык с сыном. Всего этого желалось в превосходных степенях, которых она, возможно, и не заслуживала.

Но ведь любовь – это всегда превосходная степень. Подсовывая волшебные очки в розовой оправе, она позволяет видеть одного-единственного человека красивее и талантливее остальных, остроумнее и тоньше. Только нужно обязательно говорить ему о том, каким он представляется тебе, чтобы однажды не обнаружить рядом с собой ленивого, уставшего от жизни глупца, ничего не создавшего, ни к чему не стремящегося. И все только потому, что однажды ему не хватило веры в себя...

* * *

Распрощавшись с Михаэлем, который на ходу восхитился ее квартирой («Повезло его девушке! – подумала Ольга. – Такой галантный кавалер...»), она сразу же, пока не остыла решимость, позвонила своему старому знакомому из правительства Москвы.

– Виталий? Не отвлекаю?

– Ты – никогда! – заверил он горячо. Но тут же обратился к кому-то будничным тоном: – Это завизируйте у Юрия Михайловича. Потом уже ко мне. Сначала мэр должен одобрить.

И снова Ольге:

– Все. Я свободен!

– Неужели? – усмехнулась она.

– Когда? Вечером?

– Что – вечером? – опешила она.

– Встречаемся. Я приеду в восемь.

– Боже, какой напор! – вырвалось у нее. – Я всего лишь хотела поговорить с тобой по делу.

– Вот и поговорим. А дело серьезное?

– Одному молодому талантливому скульптору нужно устроить персональную выставку. Ну, и вообще протолкнуть парня.

Насколько понимала Ольга, для него это было плевое дело, но не сомневалась, что Виталий напустит тумана, лишь бы затащить ее в постель. А ради чего тогда ехать к ней? Поговорить, что ли? Это и по телефону можно. Что придется расплачиваться, Ольга не сомневалась. И не протестовала, хотя после Макса было омерзительно представлять себя в постели с кем-то другим. Но раз иначе никак...

Оправдалась избитым: «Так мир устроен». Если не можешь чего-то сделать сама, приходится платить тем, кто это может. Денег у нее на Виталия не хватило бы, да он их и не требовал. Что за необъяснимая тяга к ней продолжила гнездиться в нем? Ведь старшеклассницу мог себе позволить, в крайнем случае дорогущую проститутку в белом фартучке на голое тело.

А он с порога сразу припал губами к ее груди, точно все эти месяцы изнемогал от жажды. Ольга не стала изображать оскорбленную невинность. Под французским халатом уже не было белья, как Виталий любил раньше. Полы легко распахивались, его рука сразу проверила, все ли организовано по его вкусу. Хозяин жизни пришел. Чего хочется Ольге, он никогда не спрашивал... «Ненавижу», – подумала она.

Шторы задернуты, постель ждет. Он довольно ухмыльнулся. О том, чтобы сполоснуться, и речи быть не может: промедление смерти подобно. Пока держится полная боевая готовность, надо успеть овладеть этой женщиной. Настолько равнодушной к нему женщиной... Всегда чувствовал на ней прозрачную броню, будто она целиком в презервативе.

Но даже такую он хотел ее просто болезненно. Может, как раз поэтому и хотел... Все остальное Виталий давно держал в руках или хотя бы контролировал. Взгляды встречал лишь снизу-вверх, это при своих-то ста семидесяти... И только Ольга Корнилова ухитрялась смотреть на него свысока даже в постели, даже когда просила о чем-либо – редко, слишком редко! Всегда холодно снисходила, вынуждая терзать ее тело. Потому в последнее время он и не искал встреч: работы столько, что энергия уже не та, а показаться ей пораженцем...

Однако ее звонок прозвучал как сигнал. И, почувствовав внезапный прилив сил, Виталий, как пацан, помчался вприпрыжку – зовет, зовет! Шофер, как назло, застрял в гараже, он уже готов был такси ловить. Ругал себя всю дорогу: «Почему сразу не поехал? Зачем назначил на восемь? А если уже перегорел?»

И случилось как раз то, чего он боялся просто панически. С женой это было не страшно – поймет и пожалеет. А у такой, как Ольга, ни малейшей жалости, стерва холодная... Когда он ткнулся разок-другой и обмяк, она молча выскользнула из-под него.

– Кофе хочешь?

Он рассвирепел:

– Я тебя хочу! Какой кофе на хрен?!

Ольга молчком указала на стену: и у них есть уши. Москвичи его голос знают... Правда, вряд ли кому придет в голову, что он собственной персоной в постели у артистки не такой уж известной, если разобраться, и не первой молодости. Подумают, что голос похож. Кто-нибудь из актеров-пародистов забавляется...

Скрывая отчаяние, Виталий попытался приказать:

– Иди сюда.

Она повернулась к нему, даже улыбнулась.

– Много работы, – сказал он. – Знаешь, какой я вчера проект для Москвы надыбал...

Рассказать об этом в лицах у него энергии хватило. Ольга отметила: вот сейчас и лицо пылает от страсти, и глаза горят. Четверть часа истории против двух минут любви – реалии его возраста. Может, ему и почудилось, но она вовсе не смеялась. В чем-то они – товарищи по несчастью: желание еще есть у обоих, но ей все труднее встретить ответное, а ему все невозможнее осуществить собственное.

Виталий вдруг запнулся:

– Что так смотришь?

– Как? – спохватилась она: *что* выдала взглядом?

– С состраданием. Никогда ты так на меня не смотрела. Жалок стал? Шестой десяток, черт бы его побрал!

– Все мы не молодеем.

– Но ты-то еще хороша! – произнес со злостью, будто обругал, а не комплимент сделал. – Кто этот твой скульптор? Любовник?

– Уже нет, – честно призналась Ольга. Все равно, если захочет, узнает. Он когда-то служил в органах...

Сердито засопел:

– Значит, ты через меня своих бывших любовников в люди выводишь?

– Кого еще? – спросила она безучастно.

Закинув за голову руки, красота которых еще не увяла, Ольга смотрела перед собой. Потолок высоко, а все равно давит, потому что такой человек рядом. Тяжелый. Когда лежали здесь с Максом, наслаждались тем, как много воздуха в ее квартире. Жаль, солнца почти не было в этом ноябре, ему так и довелось увидеть, как оно играет в зеркалах ее спальни, которые Ольга уже подумывала убирать, но пока еще терпела. Только днем больше не ходила по спальне раздетой, как раньше, когда утреннее любование собой заряжало радостью на весь день. Вадиму нравилось, когда она расхаживает по дому обнаженной. Даже не прикасался к ней, просто ласкал глазами.

– Тем более странно, – отозвался Виталий с тем же недовольством – больше показным, чем настоящим. – Почему за него ты вдруг хлопочешь? Особенный какой?

Ольга повернулась к нему, скользнула взглядом по крючковатому профилю. Губы какие-то старческие, вялые, запах изо рта никакой резинкой не перебивается, хотя он жует постоянно. Какой-то кисловатый, муравьиный запах... Когда долго говорит, в уголках рта пена скапливается, так и хочется салфетку ему дать. Подбородок гладко выбрит, но торчит, как у Бабы-яги. Когда человека активно не любишь, все в нем раздражает просто безумно. Раньше ей не нравились подбородки с ямочками, но у Макса тоже было небольшое углубление, скорее, пологая ложбинка, чем ямка, и Ольга целовала ее с особой нежностью. И пахло от Макса медовым лугом... Всего зацеловать – сплошное наслаждение.

«Он особенный», – потянуло ее подтвердить вслух. Но это скорее погубило бы Макса, чем помогло ему.

– У него сын болен лейкемией, а денег на лечение совсем нет, – решилась она использовать запрещенный прием. – Вот еще, кстати... Ты не посоветуешь клинику, где мальчику могут помочь?

– Реально помогут только в...

Название больницы Ольга расслышала, как сквозь вату, так сердце заколотилось от этого дурацкого «реально», которое сегодня употреблял каждый второй, не только Макс. Он-то как раз отучился от этого...

– Я замолвлю словечко, чтобы по нашей линии ребенка провели, дешевле обойдется, – неожиданно пообещал Виталий, хотя об этом она даже не заикалась. – Напиши мне сейчас все их данные и кому что нужно. У тебя ведь в понедельник выходной, насколько я помню? Вечером свободна?

«Как? Еще и в понедельник?» – едва не вырвалось у нее. Потом сообразила: ну да, ведь и ребенка отработать придется, раз уж заговорила о нем.

Но Виталий ее удивил:

– Хочу тебя в ресторан пригласить. Слышала про «Турандот»?

– Как про ресторан? Слышала. Только то, что я о нем слышала, делает его совершенно недоступным для меня.

– Это надо видеть, – загадочно произнес он, чуть закатив глаза. – Очередное творение Андрея Делосса. Я просто обязан показать тебе этот шедевр.

«Да плевать тебе на меня, – беззлобно огрызнулась Ольга, но только про себя. – Если б действительно хотел бы меня порадовать, то заказал бы мне ужин там и отправил одну».

Виталий потеребил полу ее халата:

– Форма одежды – самая изысканная.

– То есть ты – в белом смокинге?

Поддержал усмешкой:

– Может, и в белом.

– Я не в халате приду, – пообещала Ольга.

– Да по мне-то лучше бы в халате, – ответил он скабрезностью. – Только сама себя не в своей тарелке будешь чувствовать.

Напоследок, уже в передней, Виталий с чувством намял ей грудь, вымещая обиду. Хоть боль причинить – и то радость. В какой-то момент Ольга не удержалась, вскрикнула, и тотчас в его глазах блеснул хищный азарт, точно до оргазма ее довел. Для охотника нет высшего счастья, чем забрать чью-то жизнь. Хотя бы подранить...

«Если б я кровью от этого истекла, он, наверное, сплясал бы на моем трупе», – подумала она с ненавистью.

Но от ресторана даже не подумала отказаться, Виталий ведь тоже может забрать назад свое обещание. В отместку сделает это с удовольствием, а вот джентльменского соглашения не нарушит, если Ольга выполнит все, о чем договорились.

Два дня на то, чтобы отмыться, кислый запах его со-скрести с тела. Где ты, Макс? Может, уже едешь назад? Показываешь Кате синий Урал, белый Суздаль...

«Хотел показать все это мне... Но незаменимых у нас нет, как известно. Если не я, то кто же? Она. Почти жена. Это роднее, чем абсолютная любовница? Общий ребенок — это уже общая жизнь. У нас такой возникнуть не могло бы в любом случае. Просто поздно. Все поздно».

В выходные — по вечернему спектаклю, и с утра в воскресенье зимняя сказка для детей. Снег только у них на сцене и можно увидеть, даже в новогоднюю ночь его не обещают. Москва стоит голая и грязная. Пустая, как ее душа. Вопль то и дело зарождается, набирает силу: «Макс! Где ты, Макс!» Тогда, сама того не замечая, она ускоряет шаг, летит коротенькими переулками центра... Скатертный... Хлебный... Царская челядь здесь обитала, а сейчас эти места кажутся царскими. И вовсе не потому, что все посольства тут сгрудились. Просто самое сердце Москвы. Любимой до слез, каждым своим домом, каждым фонарем.

Вот и Поварская со знаменитой Гнесинкой... Как здесь оказалась? Что привело? Здание Академии даже внешне похоже на храм музыки. Лучший музей памяти Гнесиных... Из открытой форточки рвется Рахманинов: тоска безграничная, нежность неуемная. Рядом высоченное здание музыкального училища, уже современное, без выкрутасов. И мальчишки во дворике современные — драные джинсы, сигареты, маленькие наушники MP3-плееров, наверняка не Баха слушают...

Ольге понравилась официального вида табличка над скамьей, окольцовывающей деревья в центре двора, — «Сачкодром». Макс бы тоже оценил... В чувстве юмора музыкантам не откажешь. Как, считается, и актерам, только за кулисами почему-то чаще раздается шипение, чем смех. Счастье скульптора, что он работает один... Правда, его работу может никто и не увидеть, если не найдется женщина, готовая очень постараться ради его будущего.

«Я постараюсь, – заверила она его на расстоянии. – Этот правительственный герой-любовник не отвертится».

Но, судя по всему, Виталий и не пытался увильнуть. В понедельник в пять, когда сумерки еще не сгустились, его машина уже ждала у подъезда. На этот раз он не вышел, чтобы не светиться лишний раз. Ольга не обиделась: «Да плевать! Не много удовольствия с ним по лестнице спускаться...» Набросила норковую горжетку, чтобы не окоченеть в декольтированном черном платье, которое подарил ей один знаменитый модельер после прошлогодней премьеры, когда Ольга была признана лучшей актрисой сезона.

Ради того, чтобы надеть его, несколько часов в косметическом салоне провела: себя под платье подгоняла. Сейчас кожа на груди и плечах так и сияла от золотой пудры, волосы были подняты, открывая шею, руки себе самой казались прозрачными. А лицо излучало тот радостный свет, который ей не удалось бы изобразить ради Виталия. Подаренный сыном аромат счастливой женщины заполнил салон «Мерседеса».

Она постаралась улыбнуться Виталию кокетливо:

– Соответствую намеченному плану?

– Более чем!

Сразу завладел ее рукой, не столько для того, чтобы насладиться соприкосновением, сколько чтобы держать, как за поводок. Такая, если выскочит на ходу, мгновенно найдется желающий усадить к себе в машину.

Чужая рука... Пальцы чужие... Закрываешь глаза, мерещится, будто к горлу корни колючего кустарника тянутся. И ведь не жалко себя – души, если приспичило. Ну, его все...

Она открыла глаза и вдруг как обожгло: навстречу красная «Рено»! Номер ее, по знакомству одним полковником выданный – три семерки. На счастье!

«Приехал!» У нее в глазах помутилось оттого, как заколотилось сердце. Макс в Москве. Город сразу ожил – долгожданное солнце взошло. Голые кроны деревьев так и засветились, будто кто-то иллюминацию пустил. Макс рассказывал, что в Кемерово все деревья в центре города опутаны светящимися гирляндами, как в Париже. Как, оказывается, близки эти города! А Москва разрывается между ними, все пытается объять необъятное...

Боже мой, сколько смысла в жизни, опять закрыв глаза, обнаружила она. Можно чудом, как сейчас, встретить его на улице, если уж мир тесен, то их город и подавно! Можно будет прийти на его выставку, пройти мимо, коснуться руки кончиками пальцев, только бы никто не заметил... Нет, касаться нельзя, скользнуть около – дыханьем, тенью духов, отголоском воспоминания, ветром волос...

Эта выставка состоится, даже если ей придется наизнанку вывернуться. Она покосилась на Виталия. Опять рассказывает о каком-то безумном проекте, который осчастливит москвичей. Дай-то бог! У них разные масштабы, ей бы одного осчастливить... Почему у Виталия пена так скапливается в уголках рта? От этого уже подташнивать начинает... А надо улыбаться, тем более теперь есть чему, поблескивать глазами, чтобы хозяин вечера остался доволен. Сегодня он и платит, и музыку заказывает.

Музыка оказалась легкой грустью Вивальди. Голоса скрипок, поддерживаемых виолончелью, неслись навстречу, стоило Виталию только ввести Ольгу в двухэтажный особняк, построенный в стиле Ренессанс, с высоты которого на посетителей грозно взирал сам Нептун. Это он послал ей то море любви, волны которого в глубине тела разбегались?

– Смотри, смотри, – нашептывал Виталий ей на ухо. – Все кругом – ручная работа. Два цеха скульпторов и резчиков по дереву тут пахали днем и ночью. Художников, конечно... Вот бы твоему скульптору такую работенку, да?

Она промолчала. Максу отделывать ресторан? Пусть и такой шикарный, что голова кругом, без преувеличения. Настоящий императорский дворец, только создан для челяди. «Все мы – челядь, – подумала Ольга, мрачнея от блеска сусального золота. – Дворянство истреблено, те, что выжили, в большинстве своем тоже больше напоминают челядь, чем людей с голубой кровью». Она знала, о чем говорит, за ней как-то ухаживал один тип, именовавший себя князем. От него разило мужскими духами, хоть и дорогими, но чрезмерно. И он то и дело начинал грызть ногти...

– Мы с тобой сегодня посетим китайский зал. – Виталий заговорил вдруг тоном экскурсовода. – Сюда, пожалуйста.

Поддерживая ее за локоть, он показывал Ольге потрясающей красоты люстру из малайзийского хрусталя, обещал уникальную светотехнику, поддергивал, чтобы она взглянула на отделку действующих каминов, на гобелены – «Все ручная работа!» В зале она огляделась: все девушки ей в дочери годились. Старше была только одна женщина, а мальчик с ней рядом, беленький и чистенький, едва ли моложе Макса. Он откровенно лебезил перед ней, что-то холопское даже в изгибе позвоночника. Этакий Молчалин, который однажды может потребовать реванша...

«Вот чего я никогда не допустила бы с Максом – его унижения». Ольга отвела взгляд, заставила себя смотреть в лицо Виталия. Что за отвратительное лицо... Эти губы старого сладострастника...

– Я иногда прихожу сюда просто выпить чашку чая. Даже названия звучат как восточная легенда. Вот послушай! – Виталий углубился в чайную карту, которую потребовал у сомелье сразу же. – «Серебряные иглы Цзюньшанских гор»... «Горные пики в розовой дымке»... О чем ты думаешь? – недовольно прервался он.

«О том, что мы с Максом не могли позволить себе побывать в таком ресторане – чашка чая пятьсот рублей! А ему стоило бы на это взглянуть». Ольга улыбнулась:

– Пытаюсь представить Цзюньшанские горы в розовой дымке...

– Что ты будешь пить?

– Саке, видимо. Что еще тут можно пить?

– Десерты, кстати, французы готовят.

– Почему – кстати?

– Ну, у тебя же особая любовь к Франции! Как твой сын? Павел, кажется?

Ее задело это «кажется». Хоть и изредка, они встречались уже не первый год, мог бы и точно запомнить, как зовут ее сына.

– Павел, – отозвалась она уже без улыбки. – У него все прекрасно, спасибо. Сейчас собирается в Швейцарию. Что-то связанное с его журналистской работой.

– Хорошо, – отозвался Виталий без интереса. – Ладно, я сам все закажу, все равно ты не пробовала этих блюд.

– Мы, деревенские, ваших обычаев городских не знаем, – пробасила она, окая.

Он рассмеялся:

– Вот за что я тебя люблю – с тобой не соскучишься!

– Серьезно? – У нее заныло сердце: Макс как-то сказал ей то же самое.

Пока Виталий что-то заказывал церемонному официанту, она проверила телефон – сообщений не было. И никто не звонил. Щелкнув замком крошечной сумочки, Ольга перевела дыхание: он всего лишь делает, как я просила. Да и как он может позвонить при Кате? Или текст сообщения набрать за рулем?

– Хорошо девочки играют, – прислушался Виталий. – Консерватория, наверное.

– Или Гнесинка. Я была там на днях, – пояснила Ольга. – Сама не знаю, как забрела... Захотелось погулять после репетиции. Пушкина с Натали повидать у Никитских ворот. Так и на Поварской оказалась.

– Ну, там рукой подать.

– Тебе-то откуда знать? Ты же пешком не ходишь.

– Посольский район, – пояснил он. – Иногда приходится заглядывать туда по делам.

Оглянувшись на маленький оркестр, Ольга заметила:

– Каждая из них мечтала о настоящей сцене. Училась лет пятнадцать в общей сложности... А теперь они вынуждены создавать фон, пока мы жрем!

– Мы не жрем, – обиделся Виталий. – В таком зале можно только трапезничать. Ты суши любишь?

– Терпеть не могу. Не понимаю, почему все по японской кухне с ума сходят?

– И я тоже, – признался он. – Частенько прямо в офис себе суши заказываю.

– Можем позволить!

– Ты сегодня какая-то злая...

«Макс приехал, а я тут с тобой!»

– Ты всегда злая, но сегодня особенно.

– Я просто старею, радость моя, – усмехнулась она, тщетно пытаясь охладить его. – Скоро превращусь в настоящую Бабу-ягу.

– Она-то была ничего старухой, – заметил он меланхолично. – Никто из нас не знает, каким он будет в старости.

Ольга вспомнила:

– У Маканина вышел новый роман о старике, в котором ему виделся своего рода Пушкин преклонных лет. Все такой же пылкий африканец!

– Его герой – африканец? – Редкие брови его подскочили.

– Да нет конечно! Я о Пушкине говорю. Ты не слушаешь?

– Знаешь, чего ты никогда не делала для меня?

В душе холодно заскреблось недоброе предчувствие. Ольга постаралась остановить его взглядом, но он уже произнес:

– Ты никогда не целовала меня там, – указал глазами под столик.

– Так ты ради этого привез меня сюда?

– Ну, что ты! Просто, когда ты заговорила о пылкости, во мне тоже вскипела кровь.

«Вот дернул же меня черт! – простонала она про себя. – Теперь не отвертишься...»

Опять щелкнув замком сумки, достала сложенный вдвое листок:

– Это все данные, которые ты просил. И номер телефона того скульптора.

– Я не собираюсь связываться с ним сам! Я позвоню тебе.

– Но я с ним тоже больше не общаюсь.

– У вас все кончено? – ухмыльнулся он. – Так чего ж ты так рвешься ему помочь?

Она терпеливо напомнила:

– Я тебе уже объясняла. Он действительно талантливый человек, а прозябает в безвестности. И ребенок у него тяжело болен. Деньги нужны на лечение.

– Да я все помню, – заверил Виталий. – Так как насчет поцелуя?

– Как скажешь.

...Свой поцелуй он получил в машине, когда отправил шофера покурить. Тот безмолвно удалился, видно, не в первый раз... Стараясь не дышать, чтобы ее не стошнило ему в пах, Ольга отработала положенное, стараясь думать только о том, что поступает так ради Макса, и ничего особенного, ему же не раз делала то же самое. Как в том пошловатом фильме – все леди делают это...

– Проглоти, – хрипло потребовал Виталий. – Я хочу видеть, как ты пьешь мою сперму.

Судорожное движение горлом: «Ну, вот и все. Отмучилась». Господи, чем бы ополоснуть рот?! Но Виталий припал к ее губам, возбужденный собственным духом из ее рта, языком вылизал. Язык у него был толстый и вялый, как он ухитрялся говорить часами? Она старалась, подогреваемая мыслью, что это – прощание, больше ей не нужно будет проводить себя через это горнило... Грудью прижималась, изгибалась всем телом, постанывая, чтобы он поверил в ее внезапно вспыхнувшую страсть. Отведала его сока и воспламенилась. Неужели в это можно поверить?

– Разденься, разденься, – вдруг забормотал он.

– Здесь?!

– Стекла же затонированы, никто не увидит. Снимай с себя все, я хочу видеть тебя голой.

«Да чтоб тебя, – подумала Ольга устало. – Как же ты мне осточертел! И зачем я только пошла с тобой в первый раз? Теперь-то уж что ломаться...»

Она послушно разделась, припомнив, что тот самый, первый раз случился почти через год после смерти мужа. Просто плоть изголодалась, а Виталий добивался ее так напористо... Его должность интересовала Ольгу меньше всего, ей ничего не было нужно от него. Собственно, для себя самой у него никогда ничего не просила. То сестре надо помочь, то отца прооперировать. А в тот уже неоднократно проклятый ею день просто вдруг захотелось, чтобы этот мужчина, который не пах тогда так омерзительно, ворвался в ее тело, устроил в нем взрыв, заставил содрогнуться... Вышел далеко не взрыв, так – хлопушка пшикнула. Если б знать заранее, даже руки ему не протянула бы.

Теперь и руки, и ноги, и живот – все было в его власти. «Завтра все тело в синяках будет, – подумала она отрешенно. – Почему ему так нравится делать мне больно? Неужели всерьез думает, что меня это возбуждает? Или ему просто плевать? Мне тоже плевать. Каждый добивается своего...»

Виталий позвонил ей уже утром:

– С больницей для мальчика я договорился. Запиши, к кому надо обратиться.

Свалившись с кровати, Ольга заметалась в поисках карандаша. Блокнота не нашла, схватила верхний лист пьесы, которую вручил ей Яснов: «Интересная вещь. Почитай». Она безумно обрадовалась: новая роль – это как раз то, что сейчас может держать спасательным кругом. Уж она сумеет его надуть, как следует! Легких не пожалеет...

В трубку пробормотала:

– Сейчас-сейчас. Погоди минутку.

Он использовал паузу:

– Как ты после вчерашнего?

– Переполнена впечатлениями, – отозвалась Ольга. – Все, нашла. Диктуй.

Записав, она решилась уточнить, что ожидает самого Макса. У Виталия изменился голос, видимо, секретарша вошла в кабинет:

– По вашему вопросу с автором свяжутся из отдела культуры. Все решаемо.

– Спасибо, Виталий, – сказала она с чувством.

– И вам спасибо, – усмехнулся он.

От разговора осталось блаженное чувство уверенности, что Виталий больше не тронет ее. Ему ведь, по большому счету, требовалось опустить ее – ниже некуда. Тюремные законы у них в верхах... Поэтому он и не мог оставить ее в покое, ведь она не позволяла почувствовать себя королем на нарах. Вчера наконец-то получилось... Ольга впервые по-настоящему зависела от него и ни в чем не могла отказать. Раньше плюнула на свои просьбы и хлопнула бы дверью. Операция у отца была плевая, и в простой больнице сделали. Да и сестре работу нашли бы без него. А сейчас Виталий впервые оказался ей нужен. Что называется – пожали друг другу руки. Без обид. Теперь можно и успокоиться...

А ей теперь предстояло созвониться с Максом, и сделать это надо было срочно, у Илюши каждый час на счету. Даже не выпив кофе, без чего обычно вообще не могла собраться с мыслями, Ольга набрала его номер.

– Ты все-таки позвонила, – услышала она после единственного гудка. Было похоже, будто Макс сидел и смотрел на телефон.

От звука его голоса все знакомо задрожало в ней, мелко-мелко, неудержимо. Никогда она не научится не реагировать на его голос. На его взгляд. Лицо у него – одно из миллиона. Что может изменить это?

– С возвращением, – сказала она тихо – вдруг Катя где-то поблизости.

– Откуда ты знаешь, что я уже здесь?

– Я видела вчера свою машину в городе. Как она выдержала путешествие?

– Ты видела меня?! И не остановила?

– Ты с ума сошел?

У нее вырвался счастливый смех. Нельзя было так смеяться.

– Где ты сейчас? Ты можешь говорить?

– Я сейчас у Михаэля. – Макс понизил голос. – Не поверишь, он все-таки перевез сюда свою Наташу.

Она обрадовалась: все же решился!

– Молодец.

– Это она – молодец. Решилась. Сумела плюнуть на все условности.

Ей упрек? Заретушированная просьба пустить его в постель, несмотря на то, что в Переделкино ждут жена и сын? Открыть сердце новой боли? Понимает ли он, чего просит?

– Поздравь Михаэля... их обоих от меня. Скажи, а почему ты вчера поехал через город? Не по МКАД? Пробки же кругом...

– Вот как раз и надеялся увидеть тебя. Предлог – показать Кате с Илюшкой Москву. Как я пропустил тебя? Где ты меня видела? Ты к метро шла?

Ольга опомнилась:

– Я вообще-то насчет Илюшки и звоню.

– Ты была права, он сразу же узнал меня...

– Я же говорила.

Откуда взялся этот привкус горечи? Не сглотнешь...

– Он такой слабенький...

– Я договорилась насчет лечения для него. Это лучшая клиника. Записывай.

– Ты не шутишь? – спросил он не сразу.

– А похоже, что я могу шутить таким?

– Нет. Ты не можешь... Ты – просто невероятная женщина. Я сразу это понял.

Когда она предупредила, что ему вот-вот позвонят из отдела культуры, Макс требовательно спросил:

– Чего тебе это стоило?

– Абсолютно ничего. У меня же полгорода в знакомых, ты знаешь. А что пришло тебе в голову?

– Лучше тебе этого не знать...

«И тебе лучше не знать, – поморщилась Ольга. – Пройдено и забыто. Больше я в эту грязь не полезу».

– Я хочу увидеть тебя, – прошептал Макс. – И хочу забрать назад свой эскиз.

– Чтобы Катя его разбила?

Он помолчал:

– Катя не интересуется тем, что я делаю. Вряд ли она хоть когда-нибудь заглянет в мою мастерскую.

– Макс, Господи...

– Ну, что поделаешь! Влип по уши. Ты сама заставила меня вернуться к ней.

«Я не думала, что там настолько тяжелый случай, – призналась она себе. – Бедный мой, бедный... Как же ты будешь жить?»

– Я так долго ехал в Кемерово, что придумал себе утешительную философию.

– Расскажешь?

– Художник не должен чувствовать себя счастливым. Быть бедным – это само собой. Но и в душе не должно быть мира. Только такая неуспокоенность и может рождать новые идеи.

Ольга удержалась, чтобы не выкрикнуть: «Чушь это все собачья! Несчастливые люди часто становятся художниками, пытаясь создать для себя мир, полный той гармонии, которую дает творчество. Но, уже найдя свой путь, художник не обязан бежать от счастья. Ты сделал прекрасный эскиз, когда мы были вместе... Ты выполнил бы эту работу из слоновой кости, как собирался, если б у тебя была возможность. И моя любовь ничуть не помешала бы тебе. Она только защитила бы тебя от холода... Что можно сделать замерзшими руками? Кто теперь их согреет?»

Но Максу она сказала:

– Наверное, ты прав. Извини, мне пора на репетицию. Поцелуй за меня сына. Я даже не сомневаюсь, что ему здесь помогут.

Он только успел выкрикнуть: «Спасибо!» Положив трубку, она долго смотрела на нее, ни о чем не думая, ничего не вспоминая и не чувствуя. Охватившее Ольгу оцепенение не было болезненным, она будто вдруг оказалась в обволакивающем коконе, освободившем от всего – и внешнего, и внутреннего. Полное растворение в пространстве. Ничего больше нет. Все задачи выполнены. Зачем жить?

Мелодия внезапно ожившего телефона заставила ее очнуться. Ольга с трудом сглотнула слюну: горло свело, слова не вымолвишь. Услышав голос Людки-китайки, она едва не бросила трубку. Но та уже произнесла:

– Извини меня, Оль. Я, видно, ошибалась насчет тебя. Я думала, ты только за удовольствиями гоняешься, а ты так помогла ему...

– Он успел сообщить тебе? – Она взглянула на часы и ужаснулась: просидела в беспамятстве с полчаса, не меньше.

Опустив ее вопрос, Людмила сказала:

– Кроме тебя, нам никто не смог бы помочь. Знаешь, мне не так-то легко говорить тебе это...

– Я понимаю. Спасибо, что позвонила. Мне пора бежать. Увидимся через пять лет, как заведено.

Она уже действительно опаздывала, а собачиться с труппой сегодня сил не было. Макияж наспех, растворимый кофе на бегу... Забыв захватить зонт, хотя слышала ведь, что по подоконнику постукивает, Ольга выскочила на улицу, перебежала на Цветной бульвар, чтобы поймать такси. Но ни одного поблизости не оказалось, у нее даже слезы навернулись. Дождь готов был смыть их, уже все лицо сырое, только успевай вытирать платком... Она махнула рукой первой же машине, даже не разобрала – что это? «Тойота», что ли... Одна модель у них настолько откровенно скопирована с BMW, что не сразу и различишь издали.

Ей остановили, она юркнула на переднее сиденье:

– Спасибо большое! Извините, я мокрая...

– Вам в театр? – неожиданно спросил водитель.

Она повернулась в изумлении:

– Вы меня узнали?

– Мы в воскресенье были на вашем спектакле.

– Серьезно? Ну, и как? – спросила она с опаской. На любой ответ можно напороться. Лучше бы и не спрашивать, само как-то вырвалось.

– Честно? Я был потрясен. Давно такого не переживал.

Присмотрелась внимательнее: он может себе позволить говорить «давно» – лет пятьдесят, не меньше. Чуть лысоватый, лицо хорошее. И улыбка. А глаза отводит, когда поворачивается к ней – смущается. Боже ты мой! Вот какие у нее зрители.

Ольга улыбнулась ему с нежностью, в которой не было фальши:

– Спасибо, что сказали. А жене вашей понравился спектакль?

– Я в разводе. Мы с дочерью были. Она прилетела погостить на недельку, я заранее билеты купил.

– Куда еще? В Ленком, наверное?

– Никуда. Только на ваш спектакль.

– Почему? – Это действительно ее удивило.

Он опять отвел взгляд:

– Мне хотелось, чтобы именно вас она увидела в Москве.

– Спасибо, – протянула Ольга с недоверием. В самом деле, странно: уж здесь-то есть на что взглянуть и кроме этой постановки.

– Это вам спасибо. Вы меня, конечно, не запомнили, я вам розы подарил.

Она и цветов не вспомнила, оставила их в гримерке, но изобразила радость:

– А, это вы были! Чудные розы. И что особенно приятно – без шипов. В следующий раз, когда дочь прилетит к вам, звоните мне, я оставлю контрамарки. – Она протянула свою визитку. – Только напомните... Скажите... Ну, скажите, что спасли меня под дождем в тот день, когда... время остановилось. Я пойму.

На этот раз он уже не отвел взгляда:

– У вас что-то случилось?

Она рассмеялась:

– Я немного выпала из жизни.

– Я... могу вам помочь?

– Вы?

Взглянула вприщур, незаметно потянула носом: никакого запаха – ни старческого, ни кислого. Ольга посмотрела на дождь. Нельзя же, в самом деле, остаток жизни провести в одиночестве, бродя по мокрым улицам...

– Кто знает, – отозвалась она. – Может, у вас и получится...

Вот теперь мы простились с тобой, Макс. Не потому, что я устроила твою жизнь... Я о своей позволила себе подумать, как об имеющей продолжение и смысл. И он вовсе не в том, чтобы искать тебя на улицах мегаполиса, где также пытаются найти друг друга миллионы... Город одиноких, обездоливших себя людей. Ради чего? Каждый натянул, как дождевик, оправдание, накрылся им с головой, не понимая, что похож на страуса, лишенного даже песка. Лишь бы спрятаться – в высокие цели, в благие намерения, в привычный покой.

Любовь не может стать той сытостью души, которой художник в тебе испугался. Или придумал, что испугался. Любовь – это ветер, что гонит нас к вершине, каждого к своей, толкает в спину, не дает раскиснуть, позволить себе слабину. Но этот же ветер может сбить с ног тех людей, что повинны лишь в том, что оказались слишком близко к нам. Как устоять на ногах ребенку?

Сейчас ты держишь своего сына на руках... Мой смуглый, с нездешним взором принц из детской фантазии. Мама вспоминала, что я еще в два года допытывалась у всех: «Где мой принц? Ну, где мой принц?» Мне обещали, что он придет, когда я вырасту. Я ждала его так долго... Слишком долго. Я успела вырасти из принцессы за это время. А королева с принцем никак не могут быть вместе... Разминулись во времени. Растянуло нас по разным мирам.

Поцеловать бы твои глаза, чтобы они увидели все краски твоего мира, все его детали, недоступные заурядному взгляду. Сердце твое взволновать прикосновением, чтобы оно торопилось жить, не теряло времени, которое вечно нас подводит. Я успела пропустить между пальцами больше половины отпущенной мне жизни, пока ты нашел меня. Как несправедливо!

Как все справедливо по отношению к твоему сыну: именно сейчас я смогла ему помочь. Не важно, какой ценой. Я не презираю себя за это. Главное, что успела. Раньше, возможно, не сумела бы. Позже – все потеряло бы смысл. Он теперь смысл твоей жизни, и, поверь мне, более чем достойный. Наполни его жизнь радостью, Макс. Хотя бы его жизнь...

Ты так и не подарил мне цветы. Но верю, что и наш белый царицынский камешек не выбросил, не потерял. Его пыльцой закрашивай все маломальские темные пятна в своей жизни... Хорошо, что он остался у тебя. Всегда держи его под рукой. Лучше – у сердца.

А цветы мне дарят многие, и это никогда не значит ничего особенного. А ты был особенным... Ты подарил мне восход солнца. С чем это можно сравнить?! Только с тобой же самим...

Ломаные струи дождя по лобовому стеклу чужой машины. Чужой мир пытается разжалобить меня слезами.

Затянуть, сделаться моим. Почему бы и нет, Макс? Почему бы и нет? Это, по крайней мере, разорвет последнюю ниточку, все еще связывающую нас с тобой. Разве не этого хотим мы оба?

Да нет же, не этого! Я хочу ждать тебя до последнего вздоха, Макс! До того последнего мига, когда моя лодка отправится по бесконечной реке, уносящей в одну сторону. И ради этого я буду продолжать улыбаться, и выходить на сцену, и гулять по Москве, вернее, насколько хватает сил бежать знакомыми и вновь открываемыми улицами, чтобы однажды – солнечный луч сквозь пелену туч – ты вышел мне навстречу в каком-нибудь затерянном переулке, где нас никто не увидит. И мы не увидим друг друга – тех, постаревших, придавленных своим великим чувством долга. Мы будем смотреть в наши прошлые, уже несуществующие лица. Принц и королева. Несчастные... Боже, какие счастливые!

Я буду ждать тебя, Макс. Не позвоню, не потревожу. Никогда не обмолвлюсь о тебе ни словом. Но я буду ждать... Иначе зачем мне дышать, если я никогда не увижу тебя? Зачем моему сердцу устало отстукивать положенный ритм? Лишь иногда сбиваясь, когда во мне или около прозвучит вдруг тревожным аккордом: Макс...

2007 г.

Литературно-художественное издание

Лавряшина Юлия Александровна

ЗАПРЕТНЫЙ ПЛОД

Ответственный редактор *В. Смирнова*
Младший редактор *И. Кузнецова*
Художественный редактор *П. Петров*
Технический редактор *Г. Романова*
Компьютерная верстка *Г. Клочкова*
Корректор *В. Назарова*

ООО «Издательство «Эксмо»
123308, Москва, ул. Зорге, д. 1. Тел.: 8 (495) 411-68-86.
Home page: www.eksmo.ru E-mail: info@eksmo.ru
Өндіруші: «ЭКСМО» АҚБ Баспасы, 123308, Мәскеу, Ресей, Зорге көшесі, 1 үй.
Тел.: 8 (495) 411-68-86.
Home page: www.eksmo.ru E-mail: info@eksmo.ru.
Тауар белгісі: «Эксмо»
Интернет-магазин : www.book24.ru

Интернет-магазин : www.book24.kz
Интернет-дүкен : www.book24.kz
Импортёр в Республику Казахстан ТОО «РДЦ-Алматы».
Қазақстан Республикасындағы импорттаушы «РДЦ-Алматы» ЖШС.
Дистрибьютор и представитель по приему претензий на продукцию,
в Республике Казахстан: ТОО «РДЦ-Алматы»
Қазақстан Республикасында дистрибьютор және өнім бойынша арыз-талаптарды
қабылдаушының өкілі «РДЦ-Алматы» ЖШС,
Алматы қ., Домбровский көш., 3«а», литер Б, офис 1.
Тел.: 8 (727) 251-59-90/91/92; E-mail: RDC-Almaty@eksmo.kz
Өнімнің жарамдылық мерзімі шектелмеген.
Сертификация туралы ақпарат сайтта: www.eksmo.ru/certification

Сведения о подтверждении соответствия издания согласно законодательству РФ
о техническом регулировании можно получить на сайте Издательства «Эксмо»
www.eksmo.ru/certification
Өндірген мемлекет: Ресей. Сертификация қарастырылмаған

Подписано в печать 18.10.2019. Формат 84x108 $^{1}/_{32}$.
Гарнитура «NewBaskervilleITC». Печать офсетная. Усл. печ. л. 18,48.
Тираж 2500 экз. Заказ № 4303.

Отпечатано в ОАО «Можайский полиграфический комбинат».
143200, Россия, г. Можайск, ул. Мира, 93.
www.oaompk.ru, тел.: (495) 745-84-28, (49638) 20-685

Москва. ООО «Торговый Дом «Эксмо»
Адрес: 123308, г. Москва, ул. Зорге, д.1.
Телефон: +7 (495) 411-50-74. **E-mail:** reception@eksmo-sale.ru

По вопросам приобретения книг «Эксмо» зарубежными оптовыми покупателями обращаться в отдел зарубежных продаж ТД «Эксмо»
E-mail: **international@eksmo-sale.ru**

International Sales: International wholesale customers should contact Foreign Sales Department of Trading House «Eksmo» for their orders.
international@eksmo-sale.ru

По вопросам заказа книг корпоративным клиентам, в том числе в специальном оформлении, обращаться по тел.: +7 (495) 411-68-59, доб. 2261.
E-mail: **ivanova.ey@eksmo.ru**

Оптовая торговля бумажно-беловыми и канцелярскими товарами для школы и офиса «Канц-Эксмо»:
Компания «Канц-Эксмо»: 142702, Московская обл., Ленинский р-н, г. Видное-2, Белокаменное ш., д. 1, а/я 5. Тел./факс: +7 (495) 745-28-87 (многоканальный).
e-mail: **kanc@eksmo-sale.ru**, сайт: www.**kanc-eksmo.ru**

Филиал «Торгового Дома «Эксмо» в Нижнем Новгороде
Адрес: 603094, г. Нижний Новгород, улица Карпинского, д. 29, бизнес-парк «Грин Плаза»
Телефон: +7 (831) 216-15-91 (92, 93, 94). **E-mail**: reception@eksmonn.ru

Филиал ООО «Издательство «Эксмо» в г. Санкт-Петербурге
Адрес: 192029, г. Санкт-Петербург, пр. Обуховской обороны, д. 84, лит. «Е»
Телефон: +7 (812) 365-46-03 / 04. **E-mail**: server@szko.ru

Филиал ООО «Издательство «Эксмо» в г. Екатеринбурге
Адрес: 620024, г. Екатеринбург, ул. Новинская, д. 2щ
Телефон: +7 (343) 272-72-01 (02/03/04/05/06/08)

Филиал ООО «Издательство «Эксмо» в г. Самаре
Адрес: 443052, г. Самара, пр-т Кирова, д. 75/1, лит. «Е»
Телефон: +7 (846) 207-55-50. **E-mail**: RDC-samara@mail.ru

Филиал ООО «Издательство «Эксмо» в г. Ростове-на-Дону
Адрес: 344023, г. Ростов-на-Дону, ул. Страны Советов, 44А
Телефон: +7(863) 303-62-10. **E-mail**: info@rnd.eksmo.ru

Филиал ООО «Издательство «Эксмо» в г. Новосибирске
Адрес: 630015, г. Новосибирск, Комбинатский пер., д. 3
Телефон: +7(383) 289-91-42. E-mail: eksmo-nsk@yandex.ru

Обособленное подразделение в г. Хабаровске
Фактический адрес: 680000, г. Хабаровск, ул. Фрунзе, 22, оф. 703
Почтовый адрес: 680020, г. Хабаровск, А/Я 1006
Телефон: (4212) 910-120, 910-211. **E-mail**: eksmo-khv@mail.ru

Филиал ООО «Издательство «Эксмо» в г. Тюмени
Центр оптово-розничных продаж Cash&Carry в г. Тюмени
Адрес: 625022, г. Тюмень, ул. Пермякова, 1а, 2 этаж. ТЦ «Перестрой-ка»
Ежедневно с 9.00 до 20.00. Телефон: 8 (3452) 21-53-96

Республика Беларусь: ООО «ЭКСМО АСТ Си энд Си»
Центр оптово-розничных продаж Cash&Carry в г. Минске
Адрес: 220014, Республика Беларусь, г. Минск, проспект Жукова, 44, пом. 1-17, ТЦ «Outleto»
Телефон: +375 17 251-40-23; +375 44 581-81-92
Режим работы: с 10.00 до 22.00. **E-mail:** exmoast@yandex.by

Казахстан: «РДЦ Алматы»
Адрес: 050039, г. Алматы, ул. Домбровского, 3А
Телефон: +7 (727) 251-58-12, 251-59-90 (91,92,99). E-mail: RDC-Almaty@eksmo.kz

Украина: ООО «Форс Украина»
Адрес: 04073, г. Киев, ул. Вербовая, 17а
Телефон: +38 (044) 290-99-44, (067) 536-33-22. **E-mail**: sales@forsukraine.com

ISBN 978-5-04-106779-3

9 785041 067793 >

2016-129

Жизненность,
психологизм,
меткая ироничность,
замечательный юмор
в сочетании с **богатым,**
красочным языком —

всё это о прозе

Татьяны Труфановой

Перед Вами книги, которые, несомненно, **захочется перечитать!**

Читайте в серии:

- **Счастливы по-своему**
- **Лето радужных надежд**

2018-397